LA VÉRITABLE ELISABETH II

REINE D'ANGLETERRE

DANS LA MÊME COLLECTION

La Véritable Romy Schneider
par Emmanuel Bonini

———

La Véritable Joséphine Baker
par Emmanuel Bonini

———

La Véritable Melina Mercouri
par Bertrand Meyer-Stabley

———

La Véritable Audrey Hepburn
par Bertrand Meyer-Stabley

———

La Véritable Jackie Kennedy
par Bertrand Meyer-Stabley

———

La Véritable Grace de Monaco
par Bertrand Meyer-Stabley

———

La Véritable Margaret d'Angleterre
par Bertrand Meyer-Stabley

———

La Véritable Farah, impératrice d'Iran
par Vincent Meylan

———

La Véritable Marlene Dietrich
par Gilles Plazy

VINCENT MEYLAN

LA VÉRITABLE
ELISABETH II
REINE D'ANGLETERRE

Pygmalion
Gérard Watelet
Paris

Sur simple demande adressée aux
Éditions Pygmalion/Gérard Watelet, 70, avenue de Breteuil, 75007 Paris
vous recevrez gratuitement notre catalogue
qui vous tiendra au courant de nos dernières publications.

A Giusi

I

« SI VOUS DEVEZ ME DEMANDER EN MARIAGE TOUTE VOTRE VIE... »

ELISABETH BOWES-LYON n'avait aucune envie de se marier. Du moins pas encore. A vingt et un ans, elle se trouvait beaucoup trop jeune pour aliéner définitivement sa liberté entre les mains d'un époux. Fût-il prince de Grande-Bretagne, d'Ecosse et d'Irlande. Aussi n'avait-elle pas réfléchi longtemps avant de repousser la timide demande en mariage que venait de lui faire le prince Albert, deuxième fils de Sa Majesté le roi George V. Certes, elle n'avait rien à voir avec ces jeunes écervelées qui se faisaient couper les cheveux, fumaient, portaient des jupes très courtes et se vantaient de vivre une vie indépendante et dégagée de toute contrainte. Son éducation sage de jeune lady n'avait eu pour but unique que de la préparer au mariage. Elle en était consciente et acceptait parfaitement ce destin. Cela dit, il était bien trop tôt pour renoncer déjà à tous les plaisirs que la vie promettait à une jeune fille de son milieu alors que débutait à peine cette période que l'Europe entière surnommera plus tard les Années folles. Surtout pour devenir un membre de la famille royale avec

9

tout le cortège d'obligations officielles, de devoirs et de contraintes protocolaires que cela impliquait.

Née avec le siècle, elle avait à peine plus de dix-huit ans lorsque les cloches annonçant la victoire des Alliés avaient sonné. L'âge idéal pour entrer dans le monde, sortir, acheter de nouvelles robes, danser très tard et flirter, en tout bien tout honneur, avec les jeunes gens que son charme et sa beauté souriante ne manquaient pas d'attirer. Un surtout avait retenu son attention. Il se nommait James Gray Stuart. Il était grand, beau, souriant et plein de charme. Le prototype même du jeune officier britannique, moitié lancier du Bengale, moitié acteur d'Hollywood. Un physique qu'aujourd'hui on comparerait volontiers à celui du célèbre acteur David Niven. De plus, il appartenait lui aussi à une très honorable famille écossaise. Son père n'était autre que le 17e comte de Morray. Il descendait d'un bâtard du roi Jacques V d'Ecosse, d'où le nom patronymique de Stuart que portait la famille. Agé de vingt-quatre ans, il s'était illustré durant la guerre et avait même été décoré pour sa bravoure sur le front. Son seul petit défaut était son manque de fortune. Né après deux frères aînés, il n'avait aucune chance d'hériter un jour du titre et du domaine familial. Suivant la tradition, il était donc entré dans l'armée et s'y trouvait fort bien. Elisabeth ne doutait pas qu'il soit de taille à y faire une belle carrière afin de lui assurer un jour un avenir digne d'elle. Raison de plus pour patienter quelques années.

Elle avait beau avoir été flattée par la déclaration d'amour du prince Albert, on l'est toujours un peu dans ces cas-là, cette demande tombait on ne peut plus mal. Et elle n'avait pas hésité une seconde à lui opposer une réponse négative. Pourtant, elle était bien obligée d'admettre qu'elle avait trouvé touchant ce grand garçon maladroit de vingt-six ans qui bégayait lorsqu'il était ému et cherchait désespérément ses mots pour lui déclarer la chose la plus simple du monde : son amour. En fait, il n'avait même pas osé faire sa demande lui-même et avait chargé un aide de camp de parler en son nom. Physiquement, il n'était pas mal du tout, grand, mince, l'allure sportive. S'il n'avait pas été prince, elle l'aurait sans doute regardé avec plus d'indulgence. Mais la perspective de vivre jusqu'à la fin de ses jours à Buckingham Palace ou à Windsor, l'ambiance solennelle et l'ennui mortel qui entouraient en permanence la famille royale ne lui disaient rien qui vaille. Ne disait-on pas que les souverains dînaient tous les soirs en tenue de gala, même lorsqu'ils se retrouvaient en tête-à-tête ? Uniforme et décorations pour le roi, robe longue et diadème pour la reine. Chaque repas était minuté pour durer exactement une heure et s'achevait invariablement avec les premières mesures de l'hymne national. De quoi doucher l'enthousiasme de plus d'une jeune fille, même si, appartenant à une des plus anciennes familles du royaume, la fille du comte de Strathmore et de Kinghorne était habituée depuis sa plus tendre enfance à témoigner tout le respect qui se doit aux membres de la famille royale. De là à envier leur destin ? Son père n'avait-il pas coutume de dire : « La dernière chose que je souhaite à mes enfants est de vivre à la Cour. » Un avis que son épouse partageait entièrement et qu'elle exprimait avec encore plus de vigueur en fustigeant les snobs qui « ont faim de royauté comme les requins ont faim de poisson ».

Dans tout l'armorial d'Ecosse, rares étaient en effet les familles capables de rivaliser en ancienneté avec les Bowes-Lyon. En épousant une des leurs, ni James Gray Stuart ni même le prince Albert n'auraient eu à rougir de ses quartiers de noblesse. Les trois familles étaient d'ailleurs parentes. D'assez loin, il est vrai, mais tout de même. Le premier ancêtre d'Elisabeth dont l'histoire avait retenu le nom était un certain John Lyon. Les chartes du royaume d'Ecosse le mentionnaient en l'an de grâce 1382. Cette année-là, il avait reçu du roi Robert II, premier souverain de la dynastie Stuart, non seulement la main de sa fille Jeanne mais aussi le domaine de Glamis. Cette alliance prestigieuse avait marqué le début de la gloire des seigneurs de Glamis. Tout au long de l'histoire de leur pays, leur nom s'était trouvé mêlé à celui des Hamilton, des Livingstone, des Huntly, des Gordon, tous chefs de clans puissants et belliqueux. Au début du XVIIᵉ siècle, lorsque leurs lointains cousins Stuart étaient montés sur le trône d'Angleterre, ils s'étaient élevés eux aussi en rang et en fortune. De riches et judicieux mariages leur avaient permis d'arrondir le patrimoine ancestral. Ainsi, au XVIIᵉ siècle, l'union du comte de Glamis avec une héritière bourgeoise du nord de l'Angleterre avait fait entrer dans la famille ses plus beaux domaines. Cette alliance avait aussi contraint le jeune marié à ajouter à son nom celui de Bowes. Un patronyme que ses descendants oubliaient volontiers lorsqu'ils se présentaient.

Grâce à cette habile politique matrimoniale, Glamis n'avait cessé de s'embellir. Et au fil des siècles, le château était devenu une des plus belles et des plus romantiques demeures d'Ecosse. Shakespeare n'en avait-il pas fait, à tort semble-t-il, le cadre d'une de ses tragédies, le célèbre *Macbeth* ? Hérissé de tourelles et de clochetons, le château avait conservé intacte son architecture défensive héritée du Moyen Age. Suivant la tradition écossaise, on y croisait un nombre impressionnant de fantômes. Les deux plus célèbres étaient une comtesse de Glamis qui avait été brûlée vive pour fait de sorcellerie et qui, depuis lors, hantait la chapelle, et un seigneur parjure, sacrilège et joueur, que le diable avait emmuré dans une pièce du rez-de-chaussée. La famille avait beau affecter de ne pas prendre trop au sérieux ces légendes, il n'en demeurait pas moins vrai que personne ne s'asseyait jamais sur la chaise réservée à la sorcière dans la chapelle et que l'une des fenêtres de la façade nord du rez-de-chaussée ne correspondait à aucune pièce. Plus troublante encore était la légende du « Monstre », un des fils aînés de la famille qui, né difforme et imbécile, avait été enfermé durant toute sa vie dans un petit appartement sous les toits, au début du XIXᵉ siècle.

Lorsqu'en 1904, le père d'Elisabeth, Claude Bowes-Lyon, était devenu le 14ᵉ comte de Strathmore et de Kinghorne, vicomte Lyon et baron de Glamis, Tannadyce, Sidlaw et Strathdichtie, il avait hérité des légendes familiales, vraies ou fausses, de plusieurs siècles d'histoire et d'un patrimoine conséquent qui comprenait les châteaux de Glamis au nord de Dundee, de Saint Paul's Waldenbury dans le Hertfordshire, de Streatham dans le comté de Durham et une confortable maison de ville dans le quartier de Saint James à Londres. Le tout assorti de 100 000 livres sterling de revenu (5 millions de francs 2001), une respectable fortune qui permettait à sa nombreuse famille de soutenir un train de vie plus que confortable entre ces quatre résidences.

De son union avec Cecilia Cavendish Bentinck, issue d'une excellente famille de l'aristocratie anglaise, le nouveau comte de Strathmore avait eu en effet dix enfants. Le 24 août 1900, Elisabeth était devenue la neuvième. Curieusement, aujourd'hui encore, on ignore quel fut le lieu exact de sa venue au monde. La mention ne figure pas sur son acte de naissance. Avec une indifférence de grand seigneur, son père avait d'ailleurs oublié de la déclarer à l'état civil dans les délais légaux. Ce qui lui valut une amende de 37 pence. Cette omission donna lieu à de nombreuses spéculations. La plus amusante veut que la future reine d'Angleterre ait

13

ouvert ses yeux au monde sur la banquette arrière d'un taxi londonien.

A une époque où l'amour n'avait pas grand-chose à voir avec les unions aristocratiques, le ménage Bowes-Lyon s'était révélé particulièrement harmonieux. Du moins suivant les conventions du temps. Ni l'un ni l'autre n'étaient faits pour la passion ou l'aventure. Issus du même milieu social, ils en partageaient les convictions : une foi solide mais sans excès, un fort sentiment de classe et un attachement profond aux valeurs de la famille. Tout cela aurait pu paraître bien ennuyeux, si un grain de fantaisie ne s'était glissé dans cette vie conventionnelle. Claude Bowes-Lyon jouissait en effet d'une aimable réputation d'excentrique qui se traduisait, entre autres, par d'étranges habitudes alimentaires. Les œufs, tenus pour poison suprême, étaient interdits à sa table. En revanche, le pudding de Noël, supposé panacée universelle, devait être présent à chacun de ses repas. Son plus grand plaisir était de se lever la nuit pour aller ramasser des branches dans les sous-bois environnant Glamis. Toute sa vie était réglée en fonction du calendrier. Chacun de ses déplacements entre ses quatre résidences était donc programmé suivant les changements de lune ou de temps.

Indulgente devant les manies de son époux, Cecilia éprouvait parfois le besoin de s'évader. En compagnie de ses plus jeunes enfants, elle partait alors pour l'Italie où vivait sa mère. Sous le soleil de la Toscane, la vie prenait d'autres couleurs, plus riantes, que sa fille cadette ne devait jamais oublier : « La maison était construite sur une colline, devait raconter Elisabeth des années plus tard. Toute la décoration intérieure était en harmonie avec le paysage. Pour l'enfant que j'étais, le grand salon avec son orgue, son immense cheminée et ses panneaux de bois sombre était particulièrement impressionnant. C'était une pièce solennelle mais pleine de lumière et très confortable. Partout, il y avait des fleurs, des livres, de jolis objets. » Près d'un siècle plus tard, Elisabeth conserve encore deux anges en bois peint qu'elle a achetés pour trois lires lors d'un séjour à Bordighera. Elle avait huit ans. Ils sont toujours accrochés au-dessus de son lit à Clarence House, sa résidence londonienne.

Fondée sur ces bases tolérantes, l'entente du comte et de la comtesse de Strathmore avait rejailli sur l'ambiance familiale. L'éducation qu'ils avaient donnée à leurs enfants n'était pas très différente de celle qui prévalait à l'époque dans les milieux aisés. Suivant la coutume, elle avait été confiée à des nurses et à des précepteurs. Ils s'étaient toutefois appliqués à leur choisir des gouvernantes chaleureuses et des professeurs compétents. Et en dépit d'une certaine distance, les liens entre parents et enfants avaient toujours été empreints d'affection. Leur union ne se manifestait jamais aussi bien que lorsque toute la famille se mettait à chanter d'une manière impromptue. « Ils pouvaient commencer à n'importe quel moment quand l'envie leur en prenait, se souvient lord Ernest Hamilton, un habitué de Glamis. Cela pouvait arriver au milieu du dîner, pendant une promenade dans le parc, au cours d'une partie de billard, lorsque nous étions assis autour du feu dans le salon, ou même dans l'autobus dont ils se servaient pour leurs déplacements familiaux. Il suffisait d'une note pour les faire partir. Leurs voix s'accordaient parfaitement les unes aux autres et l'effet était assez fascinant. »

Les seuls nuages dans le bonheur des Strathmore avaient été la perte de trois de leurs enfants. Violet, l'aînée, avait succombé à la diphtérie alors qu'elle avait à peine onze ans. Quelques années plus tard, en 1911, un fils, Alex, s'était éteint à peu près au même âge des suites de la même maladie. Enfin, la Première Guerre

15

mondiale avait prélevé son tribut en la personne de Fergus, le deuxième fils, mort en Belgique en 1915, trois jours à peine après être rentré de permission. A la suite de ce troisième décès, lady Strathmore s'était enfoncée dans une longue dépression qui avait duré plus d'un an. De ce nouveau deuil, Elisabeth, alors âgée de quinze ans, avait pris sa part de tristesse, sans pour autant se retirer du monde. Bien au contraire, elle y avait gagné une certaine assurance, remplaçant peu à peu sa mère dans ses devoirs de maîtresse de maison. Glamis ayant été transformé en hôpital durant la guerre, elle s'était même improvisée infirmière et avait découvert dans cette occupation un véritable exutoire à son chagrin. Peu à peu, elle était devenue l'idole de la petite communauté de soldats qui étaient soignés au château. A chacun, elle savait prodiguer le sourire ou le mot de réconfort qui embellit une journée. Circulant dans les grandes pièces reconverties en dortoirs, elle encourageait l'un, réconfortait l'autre, dispensant sans compter son entrain et sa bonne humeur. Douée d'une étonnante capacité de réconfort, elle parvenait mieux que personne à chasser les idées noires du plus démoralisé des blessés. Depuis sa plus tendre enfance, ce caractère enjoué émerveillait d'ailleurs son entourage. Au point que son père l'avait autorisée à prendre part aux repas des adultes dès l'âge de dix ans en expliquant : « Quelles que soient les circonstances, Elisabeth arrive toujours à trouver la vie amusante. Elle peut parler à n'importe qui. » Plus subtilement, une de ses tantes avait compris que cet optimisme indestructible se doublait d'une bonne dose d'ambition. Ambition toute personnelle qui n'avait rien à voir avec un snobisme de classe mais qui se traduisait par une volonté très nette de briller et d'être remarquée : « Elisabeth aime être la première, le centre d'attraction des autres. Sans en avoir l'air, elle parvient toujours à attirer et à fixer

16

l'attention de ceux qui l'entourent. Et apparemment, elle aime ça. »

Face à cette jeunesse presque insouciante, l'enfance de son royal soupirant semblait sortie tout droit du plus noir des romans de Dickens. Même avec la plus grande indulgence, force est de constater que, sans être des Thénardier, le roi George V et son épouse la reine Mary n'avaient eu de parents que le nom. Lady Airlie, une proche de la famille royale, devait résumer leur déconcertante inaptitude à s'occuper de leurs enfants en une phrase : « La tragédie est que ni l'un ni l'autre n'avait aucune idée de la manière dont fonctionnait le cerveau d'un enfant. » L'incapacité du roi et de son épouse à exprimer le moindre sentiment ne s'étendait d'ailleurs pas qu'à leur descendance. Ils étaient tout aussi réservés l'un envers l'autre, au point qu'il leur arrivait de s'en excuser réciproquement. Et encore, uniquement par courrier. Ainsi, quelques semaines avant son mariage, la future reine écrivait à son fiancé : « Il faudrait vraiment que nous puissions être moins raides l'un envers l'autre... » Ce à quoi ce dernier répondait : « Je vous aime plus que n'importe qui au monde et cela je ne peux pas vous le dire de vive voix, aussi me suis-je décidé à vous l'écrire. » En langage contemporain, on appelle cela « être coincé ». Et il faut bien avouer que cette étrange correspondance présageait assez mal de la tendresse avec laquelle les deux jeunes fiancés royaux envisageaient leur vie de famille.

A leur décharge, on peut toutefois rappeler que leur mariage devait beaucoup plus au hasard et même à la politique qu'à une réelle inclination. Issue d'une branche morganatique de la maison de Wurtemberg, la princesse Mary de Teck avait souffert toute sa jeunesse de la relative pauvreté de ses parents et de leur statut pas tout à fait royal. Du fait d'un embonpoint très disgracieux, sa mère, la princesse Mary de Grande-Bretagne, fille du duc de Cambridge et cousine germaine de la reine Victoria, avait dû attendre l'âge de trente-trois ans avant de trouver un prétendant en la personne du duc de Teck. La seule ressource du couple étant la rente de 5 000 livres sterling que le Parlement britannique servait à la princesse, tous deux avaient jugé beaucoup plus économique de s'établir à Londres où ils remplissaient le rôle peu agréable de parents pauvres que l'on installait en bout de table lors des cérémonies officielles. En 1891, les fiançailles inespérées de leur fille Mary avec le duc de Clarence, aîné des petits-fils de Victoria, les avaient soudain ramenés sur le devant de la scène. Pour peu de temps. Quelques semaines avant les noces, le jeune duc était mort de la grippe. Telle était du moins la version officielle qui avait été diffusée par le palais de Buckingham. Le nom du jeune homme ayant été prononcé lors de différents scandales et surtout lors de la fameuse affaire de Jack l'Eventreur, certaines rumeurs prétendent aujourd'hui encore qu'on l'avait fait disparaître discrètement et qu'il serait mort de la syphilis au lendemain de la Première Guerre mondiale. Quoi qu'il en soit, Mary de Teck s'était retrouvée veuve sans même avoir été mariée et les rêves de gloire de ses parents s'étaient évanouis. Heureusement pour eux, la vieille reine Victoria avait jugé qu'il était dommage de priver la couronne d'une jeune fille si sérieuse en qui elle avait décelé toutes les qualités d'une future reine. Elle avait donc suggéré qu'à défaut d'épouser le duc de Clarence, Mary pourrait tout aussi bien épouser son frère cadet, le duc d'York. Sans trop s'attarder sur l'aspect sentimental de la question, chacun avait abondé dans son sens. Et le 6 juillet 1893, en la chapelle royale du palais de Saint James, Mary avait échangé avec le bonheur que l'on imagine ses titres de simple altesse et de princesse de Teck contre ceux beaucoup plus prestigieux d'altesse royale et de duchesse d'York. Quant à ses parents, ils avaient failli en mourir de joie, sûrs dorénavant que leur fille deviendrait un jour reine d'Angleterre. Quelques semaines auparavant, une lecture attentive de l'inventaire officiel des bijoux qui lui avaient été offerts en présents de noces avait permis à Mary d'apprendre qu'elle se trouvait désormais à la tête d'un écrin personnel estimé à un million de livres sterling. Une somme dont le revenu annuel était dix fois supérieur à celui de ses parents. Pour une jeune fille ambitieuse, il y avait bien là de quoi se consoler de n'avoir pas fait un mariage d'amour. Et tant pis si les rapports entre les deux jeunes époux manquaient un peu de romantisme.

Dynastiquement parlant, cette union s'était révélée parfaite. La naissance d'un premier enfant, le 23 juin 1894, avait été saluée avec enthousiasme par le pays et la famille royale. Rien de plus normal puisqu'il s'agissait d'un garçon. Victoria, elle-même, s'était réjouie de connaître ainsi la troisième génération de ses successeurs. Après son fils aîné Edouard, prince de Galles, futur Edouard VII, son petit-fils George, duc d'York, futur George V, son arrière-petit-fils, Edouard, Albert, Christian, Patrick, George, Andrew, David monterait un jour sur le trône. L'arrivée de leur deuxième fils, le 14 décembre 1895, s'était déroulée dans une ambiance beaucoup plus morose. Bien malgré lui, le nouveau-né avait eu l'infortune de naître le jour anniversaire de la mort de son arrière-grand-père, le prince Albert de Saxe-Cobourg-Gotha, époux adoré de la reine Victoria. Journée funeste entre toutes, durant laquelle, et ce depuis près de trente-cinq ans, la famille royale avait pour habitude de se vêtir de noir. Afin de conjurer ce que chacun dans la famille considérait déjà comme un mauvais sort, le duc d'York et son épouse avaient naturellement décidé de prénommer l'enfant Albert. La jeune maman ne s'était pas arrêtée en si bon chemin

19

puisque le 25 avril 1897 elle avait donné le jour à une fille, Mary, suivie le 31 mars 1900 d'un troisième fils baptisé Henry.

A la suite de cette quatrième naissance, la jeune femme, estimant sans doute qu'elle avait amplement rempli ses obligations envers la dynastie, confiait à sa tante et confidente, la grande-duchesse de Mecklembourg-Strelitz, ces pensées qui laissent rêveur : « Je crois que j'ai maintenant rempli mon devoir et que je peux m'arrêter. Avoir des enfants est une chose qui m'est extrêmement désagréable encore que lorsqu'ils sont là, je trouve cela très gentil. Les enfants sont ravis du bébé et ils sont persuadés qu'il a volé jusqu'à ma fenêtre et qu'on lui a coupé les ailes. » Cette explication poétique et pudique des mystères de la naissance n'avait d'ailleurs pas eu le résultat escompté. Pendant plus d'un mois, les frères et sœurs du nouveau-né avaient fait les pires cauchemars en imaginant les cris du bébé à qui l'on coupait les ailes. Pour le reste, on ne sait si la duchesse d'York faisait allusion à l'acte même de la conception, à la grossesse ou aux douleurs de l'enfantement, mais malheureusement pour elle, son vœu ne fut pas entendu. Elle devait encore donner le jour à deux fils, George, le 20 décembre 1904 et John, le 12 juillet 1905.

Incapables de communiquer entre eux, le duc et la duchesse d'York s'étaient encore plus mal débrouillés avec leur progéniture. Surtout avec leurs fils qui, tout au long de leur vie, devaient conserver des souvenirs épouvantables de leurs jeunes années. Dès leur naissance, les deux aînés avaient été confiés, ou plutôt abandonnés, à une nurse assez terrifiante. Mrs Green avait beau être bardée de tous les diplômes possibles, elle n'en était pas moins une déséquilibrée de la pire espèce. Délaissée par son époux quelques semaines après leur mariage, incapable d'avoir des enfants, elle était immédiatement tombée en admiration devant le prince Edouard que tout le monde dans la famille surnommait David. Sa passion pour ce bébé tout blond était tellement exclusive qu'elle avait pris l'habitude de le pincer à travers ses couches chaque fois que son père ou sa mère s'avisait de le prendre timidement dans ses bras. Affolés par les cris de leur rejeton, ces derniers le remettaient immédiatement aux mains de sa gouvernante.

Cette passion dénaturée devait avoir des conséquences encore plus fâcheuses pour le deuxième fils du couple princier, le malheureux Albert, surnommé Bertie. Dans l'esprit malade de Mrs Green, son arrivée avait été perçue comme une intolérable intrusion. Négligé et souvent affamé, le nouveau-né ne trouvait un peu de réconfort que dans les bras de Charlotte Knight, la jeune assistante de Mrs Green. Le calvaire des deux enfants avait duré trois ans jusqu'au jour où la terrible Mrs Green s'était effondrée en proie à une dépression nerveuse. Rassemblant son courage, son assistante avait alors raconté la vérité sur les traitements infligés aux deux jeunes princes. Après enquête, la gouvernante avait été remerciée et la jeune Charlotte promue à son poste. Malheureusement, il était déjà un peu tard et les effets de l'éducation Green devaient laisser des traces indélébiles chez les deux petits princes.

Les rapports qu'ils entretenaient avec leur père n'étaient pas faits pour les réconforter. Aussi loin que remontaient leurs souvenirs, David et Bertie avaient toujours éprouvé à son égard une terreur panique. Devenu prince de Galles en 1901, à la mort de sa grand-mère Victoria, George envisageait la vie de famille à peu près comme celle d'un régiment. Lui, donnait les ordres et ses enfants, en bons soldats, n'avaient qu'à obéir. Curieuse réaction d'ailleurs par rapport à sa propre éducation plutôt bon enfant, entre un père débonnaire et une mère fantasque mais affectueuse. Une lettre adressée à ses fils illustre parfaitement les principes dans lesquels il entendait les voir grandir : « J'espère que vous vous efforcerez toujours d'être obéissants et de faire ce que l'on vous demande immédiatement. Le plus tôt vous commencerez, le plus vite cette habitude vous semblera légère. En d'autres mots, faites-en une règle de vie. J'ai toujours essayé de me comporter de la sorte lorsque j'avais votre âge et cela m'a rendu beaucoup plus heureux. »

Autoritaires durant la plus grande partie de leur enfance, les rapports du prince de Galles avec ses fils étaient devenus presque violents au fur et à mesure que ces derniers étaient parvenus à l'âge adulte. Les années passant, un véritable carcan éducatif s'était resserré autour d'eux. Formé à la dure école de la marine britannique, leur père n'avait pas envisagé un seul instant la possibilité que cette éducation militaire, qui lui avait si bien convenu, ne fût pas forcément adaptée au caractère de ses héritiers. A sa décharge, il faut rappeler qu'à l'époque il était impossible pour un prince issu d'une maison royale souveraine d'échapper à ce destin. Quatre-vingts ans plus tard, le prince Edouard, benjamin des enfants d'Elisabeth II, sera le premier à oser remettre en question ce modèle. Il aura bien des difficultés à faire admettre son choix. Au début du siècle, une telle attitude n'était même pas envisageable.

Dès leur douzième anniversaire, les jeunes princes avaient été expédiés dans une académie militaire destinée à les préparer à leurs futurs devoirs de soldats. Cette vie de caserne s'était révélée d'autant plus lourde qu'elle était surveillée de près par leur redoutable père. Les rares lettres que ce dernier leur envoyait contenaient principalement des remarques concernant leur bonne tenue et le soin qu'ils devaient apporter à leurs uniformes. Et dans ce domaine, ses désirs, qui tenaient de l'obsession, s'entendaient comme des ordres.

S'avisant un jour que l'un de ses fils avait pris l'habitude de mettre ses mains dans ses poches, il avait donné l'ordre de faire coudre les poches des vestes des quatre garçons. Les vacances annuelles à Balmoral en Ecosse n'échappaient pas à son contrôle tatillon. Ses fils devant porter le kilt traditionnel, il leur adressait un mode d'emploi précis : « J'espère que vos kilts vous vont bien. Prenez-en grand soin et ne les abîmez pas. Portez le kilt Balmoral avec une veste grise, les jours de semaine, et le kilt vert avec une veste noire, le dimanche. Ne portez pas le kilt rouge avant mon arrivée. » L'un des effets secondaires déplaisants de ce contrôle sévère permanent était le peu de solidarité qui régnait entre les princes. Dans un de ses livres consacrés à la famille royale, l'historien britannique Theo Aronson rapporte le témoignage d'un membre de la Cour : « Les frères étaient tous jaloux les uns des autres. Les seuls moments où ils étaient heureux étaient lorsque l'un d'entre eux avait des problèmes avec leur père. Au lieu de manifester leur sympathie, les autres étaient généralement ravis. »

La relation que les princes entretenaient avec leur mère était à peine plus chaleureuse. Leurs rapports se limitaient à une entrevue quotidienne qui se déroulait généralement vers la fin de l'après-midi, avant que Mary s'habille pour le dîner. En fonction des contraintes de l'agenda royal cette visite dite informelle durait entre une demi-heure et trois quarts d'heure. Pour brèves qu'elles aient été, ces rencontres devaient pourtant rester gravées dans la mémoire de chacun des enfants royaux comme des instants particulièrement précieux. Elles n'avaient pourtant rien de particulièrement chaleureux. Impeccablement vêtu et coiffé, chaque enfant saluait sa mère d'un baisemain et recevait en échange un rapide baiser sur la joue et quelques questions. Puis, la princesse de Galles s'installait sur une chaise longue afin de lire à haute voix une ou deux pages d'histoire

23

ou un passage de la Bible que ses enfants étaient invités à commenter. Le débat achevé, le défilé reprenait en sens inverse et suivant le même protocole. La princesse de Galles poursuivait alors sa toilette, persuadée qu'elle avait ainsi rempli ses devoirs de mère et élargi l'horizon de ses enfants.

Collectionneuse avide de tableaux, de meubles et de bijoux, elle passait pour le ministre de la culture de la famille royale. Culture toute relative d'ailleurs et qui était surtout orientée vers ce qui de près ou de loin touchait à l'histoire de la dynastie. L'achat d'une œuvre d'art ou d'un tableau était beaucoup plus motivé par la provenance de l'objet que par sa qualité d'exécution ou la signature de l'artiste. Ce critère de sélection éliminait d'office toute œuvre contemporaine.

Intarissable sur la généalogie des familles royales européennes ou sur l'histoire des souverains anglais, elle n'avait que des connaissances très vagues en matière de littérature ou de musique. C'est seulement à l'âge de soixante-dix-sept ans qu'elle assista à sa première représentation d'*Hamlet*. On ignore ce qu'elle en pensa. En revanche, on connaît l'opinion de son époux lorsqu'il découvrit, à l'âge de soixante-cinq ans, un autre chef-d'œuvre de Shakespeare : *Le Songe d'une nuit d'été*. Son verdict tint en trois mots : « Fatigant et ennuyeux. »

Détail surprenant, une bonne partie de l'entrevue quotidienne des enfants avec leur mère était consacrée aux travaux d'aiguille, un domaine dans lequel Mary excellait. Un psychanalyste aurait sans doute beaucoup à dire sur le comportement d'une mère qui, incapable d'exprimer son affection avec ses enfants, se contentait de leur apprendre à tricoter ou à faire de la tapisserie. Des années plus tard, la duchesse de Windsor devait raconter dans ses *Mémoires* sa stupéfaction le jour où, rendant visite à son futur époux, elle le trouva installé derrière un métier à tapisserie. Aujourd'hui encore, dans l'une des résidences privées, la reine Elisabeth II conserve une série de chaises et de fauteuils dont les tapisseries au petit point ont été entièrement réalisées par son propre père.

L'illustration la plus poignante de ce mur de froideur qui séparait les enfants royaux de leurs parents est la manière dont le prince John, le plus jeune des cinq fils du couple royal, avait été relégué à l'écart de tous, en raison de son épilepsie. Le mode de vie de la famille royale étant tout entier tourné vers la représentation et l'image exemplaire que devait recevoir le public, il était impensable d'y intégrer un enfant capable de se rouler par terre en bavant lorsqu'une crise le terrassait. Le problème était devenu particulièrement délicat lorsque John avait atteint son douzième anniversaire. Il était désormais impossible de le confiner dans la nursery, loin des regards du public, ne le sortant qu'occasionnellement le temps de prendre une photo. Au début de l'année 1917, ses parents avaient donc décidé de l'installer discrètement dans une ferme isolée du domaine de Sandringham. Heureusement pour lui, l'enfant n'y était pas totalement abandonné. Sa nurse, la fidèle Charlotte Knight, avait accepté de partager sa réclusion. Seule sa grand-mère, la reine Alexandra, avait continué à lui témoigner un peu d'affection. Plusieurs fois par semaine, lorsqu'elle séjournait à Sandringham, elle envoyait sa voiture chercher le petit prince afin qu'il vienne passer l'après-midi avec elle. Seules, Alexandra et Charlotte Knight étaient d'ailleurs présentes, lorsque l'enfant était mort le 18 janvier 1919. Une lettre de David, l'aîné de ses frères, alors âgé de vingt-cinq ans, résume l'opinion du reste de la famille royale à son sujet : « Il a été quasiment enfermé pendant deux ans afin que personne ne le voie en dehors de la famille. Sa mort est un grand soulagement et ce pourquoi nous avions toujours prié. Personne que moi n'aurait plus de chagrin si l'un de mes trois autres frères venait à disparaître, mais ce pauvre garçon était plus un animal qu'autre chose. » La corvée des funérailles achevée, les souverains s'étaient empressés de regagner la capitale. Seule la reine Alexandra, qui ne pouvait retenir ses larmes, était restée un long moment sur la tombe de l'enfant.

Rien de surprenant à ce que le bilan de cette triste éducation se soit révélé terrible. A vingt ans passés, le prince de Galles ne pouvait s'empêcher de fondre en larmes chaque fois qu'il essuyait une algarade de son père. Lorsqu'il se retrouvait en public, le prince Albert se mettait à bégayer au point de ne plus pouvoir prononcer une phrase. Le prince Henry manifestait un penchant très net pour la bouteille. Quant au prince Edouard, il devait trouver très jeune un refuge dans les paradis artificiels de la drogue. Le plus étrange est que George V, père tyrannique qui avait réussi à anéantir ses quatre fils au point de les transformer en zombies chaque fois qu'ils étaient en sa présence, fut sans doute un des meilleurs rois que l'Angleterre ait jamais connus. Courageux, démocrate, il parvint à triompher de tous les bouleversements. Chacune de ses apparitions en public était saluée par un enthousiasme indescriptible. Comment aurait-il pu imaginer qu'il n'avait pas compris grand-chose à l'éducation de ses enfants ?

Dans l'existence dénuée de toute chaleur humaine du pauvre Bertie, l'apparition de la pétulante Elisabeth Bowes-Lyon avait pris la dimension d'une aurore boréale. La légende veut que leur première rencontre ait eu lieu en 1904, lors d'un goûter d'enfants donné par la comtesse de Leicester. Elisabeth, âgée de quatre ou cinq ans, aurait, ce jour-là, offert à son futur époux la cerise confite qui se trouvait sur son gâteau. Geste touchant dont le prince aurait toujours gardé le souvenir. L'anecdote est sans doute trop belle pour être vraie. Encore qu'il soit fort possible que les enfants du comte de Strathmore aient pu côtoyer ceux du roi George V dans leurs jeunes années. En fait, leur première véritable entrevue remonte au printemps 1920. Elle a lieu, d'une manière très classique, lors d'un bal donné à Londres par lady Farquar, une lointaine parente des Bowes-Lyon. Détail qui ne manque pas de piquant, les deux jeunes gens sont présentés par James Gray Stuart, le soupirant d'Elisabeth qui vient d'être nommé écuyer du prince. Rassemblant tout son courage, ce dernier invite Elisabeth à danser. Que s'est-il passé au cours de cette valse ? Sans doute pas grand-chose. Une de ces conversations futiles et légères comme peuvent en avoir deux jeunes gens qui dansent ensemble pour la première fois. Ou plus vraisemblablement un monologue amusant d'Elisabeth auquel Bertie s'est contenté de répondre par oui ou par non. Quoi qu'il en soit, cet aimable bavardage l'a mis à son aise pour la première fois de sa vie. Cela a suffi pour qu'il s'estime conquis. A jamais. Malheureusement pour lui, ce rapide tour de valse n'a pas eu le même effet sur Elisabeth. En dépit des multiples attentions dont il fait preuve au cours de l'année qui suit, la jeune fille ne fait que repousser ses timides et maladroits hommages. Et lorsqu'un an plus tard, au printemps 1921, il demande à un de ses aides de camp de l'approcher afin de connaître ses sentiments au sujet d'un éventuel mariage, la réponse tombe sans une once d'hésitation : un non courtois mais ferme.

Quelques semaines plus tard, la saison des bals s'achevant, c'est donc un prince bien déconfit qui prend ses quartiers d'été à Balmoral, la résidence écossaise de la famille royale. Seule note d'optimisme dans cette période morose de son existence, son père, le terrible roi George V, semble enfin reconnaître ses mérites. Le 3 juin 1920, il lui a accordé officiellement les titres très prestigieux de duc d'York, baron Killarney et comte d'Inverness. Pour une fois, l'irascible souverain s'est même laissé aller à déployer un brin de tendresse dans la lettre qu'il a envoyée à son deuxième fils à cette occasion :

« Mon très cher Bertie,

Je suis enchanté d'apprendre que vous êtes heureux de porter ce vieux titre de duc d'York qui est le plus ancien duché du royaume et que j'ai moi-même porté pendant neuf années. Je sais que vous vous êtes toujours parfaitement conduit et que vous avez toujours fait ce que je vous ai demandé de faire. Je sens que ce splendide vieux titre sera en sécurité entre vos mains et que vous ferez tout pour que rien ne vienne jamais le ternir. J'espère que vous me considérerez toujours comme votre meilleur ami et que vous me ferez toujours confiance. Vous me trouverez toujours disposé à vous aider et à vous donner de bons conseils.

Pour toujours mon cher garçon,

Votre très dévoué papa.

G. R. I. (George, Roi d'Angleterre, Empereur des Indes). »

La surprise a beau être agréable, il en faudrait bien plus pour compenser la déception que vient de lui causer le refus d'Elisabeth.

Contre toute attente, c'est James Gray Stuart qui va renouer les fils brisés de l'idylle royale. Inconscience ? Imprudence ? Ou simple souci de faire sa cour à son maître ? Il est difficile de cerner ses motifs. La facilité avec laquelle il se laissera écarter quelques mois plus tard permet de supposer que ses sentiments envers Elisabeth n'avaient jamais dépassé le stade de la simple amourette. Quoi qu'il en soit, c'est lui qui, au cours de l'été 1921, propose au duc d'York de se rendre à Glamis où le comte et la comtesse de Strathmore donnent un bal pour leur fille. Comme on peut l'imaginer, Bertie ne se fait pas prier longtemps. Il met la soirée à profit pour faire, directement cette fois, sa deuxième demande en mariage. Elle est déclinée tout aussi clairement que la première. Au grand désespoir du jeune homme qui rentre à Balmoral avec la mine que l'on imagine. Son roman d'amour a fait long feu. C'est du moins ce qu'il croit. Et Elisabeth Bowes-Lyon tout autant que lui.

C'était compter sans la volonté de la redoutable reine Mary. Les années passant, la reine avait fini par comprendre que l'éducation de ses enfants n'avait pas été couronnée de succès dans tous les domaines. Elle savait que le peu de maturité affective de ses fils en faisait des proies faciles pour n'importe quelle ambitieuse. Dans le cas de Bertie, il était évident qu'un mariage avec une jeune femme équilibrée et attentionnée était le seul remède à son manque d'assurance chronique. Sur cette constatation d'ordre personnel venait se greffer un début de crise dynastique. Aucun des quatre princes n'étant marié, la succession à la couronne n'était pas assurée. A vingt-six ans, le prince de Galles refusait obstinément toutes les propositions qui lui étaient faites. Il revenait donc à son frère cadet de montrer l'exemple. Restait à trouver la bonne candidate et la chose était beaucoup moins facile qu'il n'y paraissait au premier abord. Les princesses allemandes que les rois d'Angleterre avaient épousées pendant des siècles étaient frappées du sceau de l'infamie depuis la fin de la Première Guerre mondiale, trois ans auparavant. Un prince de Grande-Bretagne n'ayant pas le droit d'épouser une catholique, les infantes d'Espagne ou de Portugal, les princesses de France, d'Italie ou de Belgique étaient hors course. Quant aux orthodoxes, la révolution russe en avait éliminé une bonne partie. Seules restaient en lice dans la course au mariage quelques princesses balkaniques, yougoslaves, grecques ou roumaines. A moins que l'heureuse élue ne soit choisie parmi une des nombreuses familles de la haute aristocratie britannique. Ce qui était sans doute la solution la plus commode. Dans ce contexte de pénurie matrimoniale, l'idylle du duc d'York était une véritable aubaine.

Quelques apparitions bredouillantes du jeune prince à la table familiale du petit déjeuner, ses airs de chien battu et ses soupirs à fendre l'âme donnaient suffisamment d'indices pour que sa mère comprenne de quoi il retourne. Une enquête rapide lui fournit le nom de l'heureuse élue qu'elle s'empresse d'aller inspecter à l'occasion d'une visite impromptue à Glamis. L'impression qu'elle en rapporte est excellente. Elisabeth est douce, bien élevée et, ce qui est encore plus important, très équilibrée. A défaut d'être royale, ses origines, britanniques à 100 %, ne manqueront pas d'emporter l'adhésion populaire. Pour le reste, peu importe qu'elle n'ait aucune envie de devenir princesse, ses désirs personnels n'ayant pas d'importance. Du moins du point de vue de sa future belle-mère.

Rentrée à Londres au début du mois de septembre, la reine met ses batteries en place avec une rigueur toute militaire. La première étape consiste à éliminer le rival. Ce qu'elle fait en quelques semaines avec l'accord des parents du jeune homme. A la fin du mois de septembre 1921, James Gray Stuart est en effet informé par son père qu'il doit partir pour l'Oklahoma où il est chargé d'explorer les champs de pétrole. Les manœuvres d'encerclement de la future duchesse d'York commencent. Au début du mois de novembre, Elisabeth reçoit une invitation en bonne et due forme, lui demandant de faire partie du cortège des demoiselles d'honneur de son altesse royale la princesse Mary, unique fille du couple royal. Cette dernière doit en effet convoler le 23 février 1922 avec le vicomte Lascelles, héritier du comté de Harewood. La demande a beau être faite en langage de cour, elle est parfaitement claire. Et la jeune fille ne s'y trompe pas. Elle n'a jamais fait partie des intimes de la princesse. Un tel honneur après les deux demandes en mariage du prince ne peut signifier qu'une chose. Le Palais souhaite la voir revenir sur sa décision.

Le somptueux mariage de la princesse Mary n'est pas fait pour la convaincre. Cette union, Elisabeth s'en rend vite compte, n'a rien d'un mariage d'amour. Le marié est assez laid, il a quinze ans de plus que sa future épouse, laquelle est amoureuse depuis des années du comte de Dalkeith, fils aîné du duc de Buccleuch. Hélas ! le jeune homme a un défaut. La reine Mary ne l'apprécie pas. Aucun argument n'a pu la convaincre. Elle s'est au contraire hâtée de bâcler l'union de sa fille avec lord Lascelles. Dans une lettre adressée à l'un de ses frères, le prince de Galles avait commenté ce gâchis en deux phrases : « Lascelles est trop vieux pour elle et il n'est pas très séduisant. Mais au moins, la pauvre fille pourra enfin s'évader de Buckingham Prison. » Le moins que l'on puisse dire est que l'évasion ne s'accomplissait pas dans l'allégresse.

La cérémonie à laquelle Elisabeth assiste aux premières loges se déroule dans une ambiance sinistre. La tristesse de chacun des participants transparaît parfaitement sur les photos officielles qui sont prises lors du déjeuner de mariage. La reine, couverte de diamants suivant son habitude, fixe l'objectif du photographe comme si elle était à deux doigts de se mettre en colère. Le roi semble effondré à l'idée de perdre sa fille. Lord Lascelles et la princesse ont le regard vide de deux condamnés à perpétuité qui n'ont pas encore complètement compris ce qui leur arrive. Quant aux demoiselles d'honneur, on leur a demandé de ne pas figurer sur la photo. L'une d'entre elles, Elisabeth Bowes-Lyon, faisait trop triste mine. Sans doute pensait-elle que ce mariage malheureux était une préfiguration de l'avenir qui l'attendait.

Tout au long des six mois suivants, la jeune fille fait l'objet d'un véritable siège. En dépit des deux rebuffades qu'il a essuyées, le duc d'York poursuit sa cour à coups d'invitations au théâtre et de visites impromptues à Glamis. De discrètes dames d'honneur dépêchées par la reine se chargent de faire comprendre au comte et à la comtesse de Strathmore que le Palais souhaite fortement cette union. La mère d'Elisabeth est la première à se laisser convaincre. Suivant les conventions du temps, elle est persuadée que le bonheur de sa fille passe par un brillant mariage. Et quelle union pourrait être plus prestigieuse ?

Quels sont les sentiments de la principale intéressée ? On ne peut que les supposer. Déception évidemment en voyant James Gray Stuart renoncer si facilement au rêve qu'ils avaient ébauché tous les deux. Agacement devant l'insistance de la Cour à organiser des rencontres « fortuites » entre elle et le duc d'York. Attendrissement sans doute aussi devant l'adoration totale que lui voue Bertie. En fait, il semble bien que ce soit la profondeur de l'amour du jeune homme qui ait emporté sa décision plus que les pressions auxquelles elle est soumise de tous côtés. En bonne Anglaise romantique, Elisabeth se veut la femme d'un seul amour. Et elle finit par comprendre que jamais elle ne retrouvera un sentiment plus profond que celui du duc d'York. Elle rend donc les armes au début de l'année 1923 lorsque le prince formule sa demande pour la troisième fois. La légende veut qu'elle lui ait répondu : « Si vous devez continuer à me demander en mariage jusqu'à la fin de votre vie, je ferais aussi bien de vous répondre oui maintenant. » Présentée par la presse de l'époque comme une aimable plaisanterie, cette phrase illustre parfaitement l'état d'esprit de la jeune fiancée que l'on pourrait résumer par l'expression : faire contre mauvaise fortune bon cœur. Bertie quant à lui est au septième ciel. Sitôt sa demande acceptée, il envoie un télégramme à ses parents. Son bonheur se résume en trois mots : « Tout va bien. »

Les noces se déroulent le 26 avril 1923. A travers les fenêtres de la voiture d'apparat qui conduit la jeune fille du domicile de ses parents à l'abbaye de Westminster, un million de Britanniques, massés sur le parcours, découvrent le visage de leur nouvelle princesse. Sa robe de mariée a été réalisée par Madame Handley-Seymour, une couturière en vogue. D'une coupe très simple, elle ressemble étrangement à une tunique moyenâgeuse, toute droite, taille basse, sans volants ni falbalas. La soie moirée est simplement brodée sur le devant du corsage de sequins d'argent et de petites perles. Les cheveux de la jeune femme sont emprisonnés dans un voile de dentelles de Flandres prêté par la reine Mary. Quelques mèches s'échappent sur les côtés. La matinée étant fraîche, Elisabeth porte sur ses épaules une étole d'hermine, cadeau de son beau-père. Pour seul bijou, elle arbore deux rangs de perles autour de son cou. Une mariée pas franchement souriante qui a l'air de se demander ce qui lui arrive. Quelques jours auparavant, elle a donné sa première et unique interview à un reporter qui a réussi à forcer la porte de ses parents. Avec ce sourire ingénu qui va devenir légendaire et un brin de fausse modestie, elle lui a déclaré : « Pensez-vous réellement que le récit de ma vie puisse intéresser vos lecteurs ? » Cette simplicité avait évidemment enchanté les lecteurs. En revanche, le palais de Buckingham avait modérément apprécié cette intrusion du grand public dans l'intimité de la famille royale. Une note rédigée par le roi lui-même était arrivée le lendemain chez le comte et la comtesse de Strathmore : « Les membres de la famille royale ne donnent pas d'interviews. »

Aucun journaliste n'est donc présent lors du déjeuner

33

de mariage, mais le menu, rédigé en français, a été communiqué aux journaux. D'une manière que l'on peut trouver assez cocasse aujourd'hui, il rend les honneurs gastronomiques aux mariés et à leur famille. Le consommé célèbre les Windsor. La reine Mary patronne les suprêmes de saumon. Les côtelettes d'agneau sont présentées à la prince Albert en l'honneur du marié. Les chapons à la Strathmore rendent hommage à la mère d'Elisabeth. Ils sont suivis de jambons et langues découpés à l'aspic, d'une salade royale, d'asperges sauce mousseline et de fraises duchesse Elisabeth. Le gâteau de 1,80 mètre pèse 400 kg. Il est l'œuvre d'un pâtissier d'Edimbourg.

Le soir même, les jeunes époux s'embarquent en train pour la première étape d'une lune de miel prévue pour durer six semaines et qui doit les conduire à Polesden Surrey dans le Surrey, à Glamis et à Windsor. Juste avant de partir pour la gare, Bertie a trouvé dans ses appartements cette lettre de son père :

« Très cher Bertie,

Vous êtes réellement un veinard d'avoir une femme aussi charmante et délicieuse qu'Elisabeth et je suis sûr que vous serez tous deux très heureux ensemble. Je suis persuadé que vous avez beaucoup, beaucoup d'années heureuses devant vous et je suis certain que votre bonheur égalera celui que votre mère et moi-même partageons depuis trente ans. Je ne peux rien vous souhaiter de mieux. Cela doit être difficile de quitter votre foyer après vingt-sept années. Vous me manquez déjà beaucoup et je regrette votre départ mais bientôt vous aurez votre propre foyer qui je l'espère sera aussi heureux que celui que vous venez de quitter. Vous avez toujours été un garçon sensible et avec qui il était agréable de travailler. Vous vous êtes toujours efforcé d'écouter mes conseils et de vous conformer à mes opinions à propos des gens et des événements. Je crois que nous

nous sommes toujours bien entendu vous et moi (pas comme avec le cher David). Je suis sûr que ce rapport de confiance réciproque durera toujours et que vous n'hésiterez jamais à venir me demander conseil quand vous en sentirez le besoin. Je suis certain qu'Elisabeth sera une parfaite compagne dans votre vie future et vous aidera autant qu'elle le pourra. Je vous souhaite à vous et à Elisabeth toute la chance possible et une très heureuse lune de miel.

Pour toujours mon cher garçon,

Votre très dévoué papa.

G. R. I. »

Un mois et demi plus tard, les York prennent possession de leur nouvelle résidence. Le roi George V leur a attribué White Lodge, une vaste demeure appartenant à la couronne construite au début du XVIIIᵉ siècle dans le parc de Richmond. Le cadeau a beau être somptueux, il est empoisonné. La maison, dont la plomberie et le chauffage remontent aux dernières années du règne de Victoria, présente deux inconvénients majeurs : elle est éloignée de Londres et son petit jardin ouvre directement sur le parc public de Richmond. En penchant un peu la tête, les promeneurs – et ils sont nombreux – peuvent apercevoir tout ce qui se passe dans le salon. De plus, c'est là que les parents de la reine Mary ont vécu jusqu'à leur mort. Elle-même y a passé toute sa jeunesse et s'y considère toujours un peu comme chez elle. Elle a d'ailleurs présidé à la restauration et à l'aménagement des lieux. Le résultat, un décor lourd et pompeux où dominent le marron et le rouge, n'est pas vraiment du goût d'Elisabeth. Fidèle à sa tactique de souplesse, elle feint de s'incliner, provisoirement.

La cote de popularité du jeune ménage est florissante. Elle atteint des sommets lorsqu'à l'automne 1925, la Cour annonce officiellement que la duchesse d'York attend la naissance de son premier enfant. Pudibonderie victorienne oblige, l'annonce n'est pas aussi directe. Le communiqué officiel précise simplement qu'à la fin du mois de décembre S A R la duchesse d'York suspendra le cours de ses activités officielles.

En dépit de la joie que lui cause cette nouvelle, le roi George refuse pourtant d'accorder aux futurs parents le changement de résidence qu'ils réclament depuis des mois. Pour une fois, le duc d'York passe outre et entame des pourparlers pour louer une vaste maison en plein centre de Londres sur Piccadilly. Malheureusement, les travaux indispensables pour remettre les lieux en état prendront de longs mois. Elisabeth décide donc de s'installer chez ses parents au 17, Bruton Street. C'est là que son premier enfant verra le jour. Les York y emménagent à la fin du mois de janvier 1926, au retour du traditionnel séjour de Noël de la famille royale à Sandringham.

Pour la jeune duchesse d'York, la naissance se révèle une épreuve particulièrement pénible. C'est seulement après vingt-quatre heures de travail que son médecin se décide à pratiquer une césarienne, heureusement couronnée de succès. Tôt dans la matinée du 21 avril, le bulletin officiel est rédigé par un fonctionnaire du ministère de l'Intérieur : « Son altesse royale, la duchesse d'York, a donné le jour vers deux heures quarante du matin à une princesse. » Le digne gentleman sait de quoi il parle car, suivant une tradition remontant à la fin du XVIIᵉ siècle, il a assisté à la naissance. La formule lapidaire illustre mal l'importance dynastique de l'événement : la jeune princesse est en effet troisième dans l'ordre de succession à la couronne, juste après son oncle le prince de Galles et son père le duc d'York. Le même matin, le duc d'York adresse une lettre enthousiaste à ses parents qui séjournent à Windsor :

« Vous ne pouvez pas imaginer la joie que représente pour Elisabeth et moi la naissance de notre petite fille.

Nous avons toujours souhaité avoir un enfant afin de compléter notre bonheur, et aujourd'hui notre vœu s'est réalisé. Cela me semble si étrange et merveilleux. Je suis très fier d'Elisabeth après tout ce qu'elle a enduré au cours des derniers jours, et je suis reconnaissant que tout se soit finalement bien déroulé. J'espère que vous-même et papa êtes aussi enchantés que nous le sommes d'avoir une petite-fille. Ou peut-être auriez-vous préféré un petit-fils ? »

II

« JE SUIS SON ALTESSE ROYALE
LA PRINCESSE ELISABETH »

L'ANGLETERRE dans laquelle la fille du duc et de la duchesse d'York voit le jour n'est déjà plus tout à fait la nation florissante qu'elle a été pendant toute la deuxième moitié du XIXᵉ siècle. La Première Guerre mondiale a fait voler en éclats l'équilibre politique de la planète. Les grands empires, Russie, Autriche-Hongrie et Allemagne, se sont effondrés. Leurs dynasties séculaires ont perdu pouvoir et puissance quand elles n'ont pas été décimées lors de sanglantes exécutions collectives comme ce fut le cas pour les Romanov. Pour la première fois dans l'histoire, le sceptre de la suprématie est passé de l'autre côté de l'Atlantique lorsqu'en s'engageant dans la guerre les Etats-Unis ont affirmé leur rôle d'arbitre international.

La vieille Albion n'a pas été épargnée par ces bouleversements. Sa splendeur a vécu. Depuis 1918, elle est secouée par des mouvements sociaux consécutifs aux difficultés économiques qu'elle traverse. Signe frappant de ce changement d'époque, le roi George V a dû se résoudre à nommer le premier chef de gouvernement travailliste que le pays ait jamais connu : Ramsay Mac Donald. En signant le décret de nomination, le 22 janvier 1924, le souverain n'a pu s'empêcher d'évoquer le souvenir de sa formidable aïeule Victoria. Le soir même, il notait dans son *Journal* :

« J'ai tenu un conseil au cours duquel monsieur Ramsay Mac Donald a prêté serment en tant que membre du gouvernement. Je lui ai ensuite demandé de former le cabinet, ce qu'il a accepté de faire. J'ai eu un entretien d'une heure avec lui. Il m'a beaucoup impressionné. Il n'a qu'une seule ambition : faire son devoir.

« Cela fait exactement vingt-trois ans aujourd'hui que chère Grand-Maman est morte. Je me demande ce qu'elle aurait pensé d'un gouvernement travailliste ? »

Malgré toute sa bonne volonté et ses idées nouvelles, Mac Donald ne parviendra pas à enrayer la crise économique. Et la venue au monde, deux ans plus tard, de la petite-fille du roi coïncide avec la pire période de grèves qu'ait jamais connue le pays. Le chômage atteint des taux records. Certaines régions minières sont quasiment en état de siège. La capitale n'est pas épargnée par l'agitation. Elle est le cadre d'émeutes dont la dispersion violente nécessite souvent l'intervention de la police. Sans tomber dans un art divinatoire de complaisance, on peut affirmer que cette naissance dans une période agitée préfigure assez bien ce qui sera l'une des caractéristiques du règne de la future Elisabeth II : la nécessité de s'adapter en permanence à des changements, culturels, sociaux et politiques rapides. La Grande-Bretagne, stable, riche et sûre de son bon droit, commence à changer de visage à peu près à l'époque de sa venue au monde. Tout au long de son règne, elle sera le témoin privilégié de cette transformation radicale.

Mais n'anticipons pas et revenons aux premières heures du 21 avril 1926. L'heureuse nouvelle est parvenue au château de Windsor vers quatre heures du matin. Compte tenu de l'importance de l'événement, les aides de camp du roi ont cru bon de réveiller leur maître. A 14 h 30, les souverains franchissent le seuil du 17, Bruton Street pour venir admirer leur petite-fille. Une foule de plusieurs milliers de personnes monte la garde en permanence devant la maison. Tous guettent une apparition, sinon de l'enfant elle-même, du moins de l'un ou l'autre de ses parents. Ils devront se contenter des grands-parents. La visite des souverains est accueillie avec la chaleur que l'on imagine. Dès son retour à Windsor, la reine Mary note dans son *Journal*, dans son style concis et presque sec : « C'est un tel soulagement et une telle joie. A 14 h 30 nous nous sommes rendus à Bruton Street afin de féliciter Bertie. Nous avons vu le bébé qui est une petite chérie avec un très joli teint et de ravissants cheveux blonds. » Dotée en outre de grands yeux bleus, la petite princesse a effectivement toutes les qualités physiques que l'on peut attendre d'un parfait bébé britannique. Une véritable « Rose d'Angleterre », selon une expression chère à nos voisins d'outre-Manche.

En ces temps de crise, l'arrivée de ce beau bébé, symbole de renouveau, est accueillie avec une joie bien compréhensible. Dans certaines parties de l'Empire, l'enthousiasme dépasse largement les limites imposées par le protocole. Ainsi la presse quotidienne australienne, un territoire assez rebelle à l'autorité royale, n'hésite pas à titrer familièrement et en première page : « Betty est née ! »

Quatre jours après la naissance de l'enfant, ses prénoms ont en effet été révélés : Elisabeth, Alexandra, Mary. A son père le roi George V qui aurait sans doute préféré poursuivre la tradition des Alexandra, Victoria ou Alice, le duc d'York a réussi à imposer ce prénom d'Elisabeth qui est bien sûr un nouvel hommage à sa chère épouse. Il lui en a demandé la permission par courrier, avec toutes les précautions nécessaires :

« Elisabeth et moi-même avons longuement réfléchi au sujet des prénoms que nous pourrions donner à notre petite fille et nous aimerions l'appeler : Elisabeth Alexandra Mary. J'espère que vous approuverez ce choix et je suis certain que le fait qu'il y ait deux Elisabeth dans la famille n'entraînera aucune confusion. Nous sommes extrêmement désireux que son premier prénom soit Elisabeth car c'est un si joli prénom. Personne ne l'a porté dans notre famille depuis si longtemps. En plus, Elisabeth d'York sonne si bien. »

La référence historique étant flatteuse – Elisabeth Ire avait été l'une des souveraines les plus populaires de l'histoire d'Angleterre –, le vieux monarque se laisse fléchir sans trop de peine. Afin d'adoucir cette timide manifestation d'indépendance, son fils a cru bon d'ajouter le prénom de sa grand-mère, la reine Alexandra, décédée le 20 novembre 1925, et celui de sa propre mère, la reine Mary. Ce double choix a en outre l'avantage de donner à l'enfant les mêmes initiales que sa mère dont les trois prénoms n'étaient autres que : Elisabeth, Angela, Marguerite. Mais de cela, personne, à part peut-être le duc d'York, ne s'est rendu compte.

Conséquence évidente des difficultés économiques du pays, les cérémonies du baptême sont entourées d'une relative simplicité. A une époque où tout le monde espère encore que le prince de Galles se marie un jour avec une jeune fille de son rang dont il aura une descendance, les espoirs de cette petite fille de monter sur le trône sont assez minces. Il n'est donc pas question de déployer les pompes réservées à un prince héritier. La cérémonie a lieu le 29 mai 1926 dans l'intimité de la chapelle de Buckingham Palace. Tradition oblige, certaines coutumes ancestrales sont respectées. Les fonts baptismaux en vermeil, qui sont généralement conservés dans le trésor de la Chapelle Saint George à Windsor, sont transportés à Londres. En fait de bassin, il s'agit d'une grande coupe ouvragée d'une trentaine de centimètres de hauteur qui est disposée très simplement sur une table en bois. C'est Monseigneur Cosmo Lang, archevêque d'York, la ville dont les parents du bébé portent le nom, et l'une des plus hautes autorités religieuses du royaume, qui administre le sacrement avec de l'eau du Jourdain. Elisabeth porte sa première toilette d'apparat, une robe en dentelles de Bruxelles, fabriquée quelques décennies auparavant pour les enfants de sa grande aïeule Victoria. La liste des parrains et marraines est prestigieuse car elle comprend le roi et la reine, le comte de Strathmore, le vieux duc de Connaught, dernier fils survivant de la reine Victoria, et deux des tantes de l'enfant, la princesse Mary et lady Elphinstone. Naturellement, la presse donne à ses lecteurs un compte rendu détaillé de la journée :

« Le cortège des jeunes garçons composant les chœurs, marchant depuis la Chapelle Royale du palais de Saint James jusqu'au palais de Buckingham, était particulièrement pittoresque. Toutefois, la cérémonie était strictement privée et seules 25 personnes étaient présentes. Peu après l'arrivée du bébé dans la chapelle, il a commencé à pleurer jusqu'à ce qu'on l'installe dans les bras de sa nurse.

« Au moment approprié, la princesse a été remise entre les bras de Sa Majesté la reine, sa première marraine. Ses tentatives pour la calmer ne furent malheureusement pas couronnées de succès et les cris continuèrent après que l'enfant ait été remise par Sa Majesté à l'archevêque d'York. Après avoir tracé le signe de la croix sur le front de la petite princesse, le prélat trempa ses doigts dans de l'eau du Jourdain, et lui donna trois généreuses aspersions. Puis, il se pencha sur le front de l'enfant qu'il baisa tendrement. »

43

Nullement impressionnée par ce premier contact avec les fastes de la vie royale, Elisabeth continue à hurler de plus belle. Sa fureur prend de telles proportions que l'archevêque d'York juge plus prudent de la remettre entre les bras de sa nanny. Ce poste de confiance a été pourvu longtemps avant la naissance du bébé. Plus soucieuse du bien-être de son futur enfant que ne l'avaient été ses beaux-parents, la duchesse d'York ne s'était pas remise au hasard. Elle avait choisi de confier cette charge à une personne qu'elle connaissait bien. En l'occurrence, sa propre nanny, Clara Knight, dont elle a conservé le meilleur souvenir. Durant près de vingt années, cette robuste Ecossaise a éduqué des générations de Bowes-Lyon. Ses nourrissons se révélant incapables de prononcer correctement son prénom, toute la famille la surnomme affectueusement Alla. C'est donc à elle qu'échoit l'honneur de calmer les fureurs de la jeune princesse qui vient d'entrer dans la communauté chrétienne.

Une semaine après le baptême de leur fille, les York quittent définitivement le 17 Bruton Street. Bien décidés à ne pas regagner White Lodge qui leur plaît décidément de moins en moins, ils emménagent à Chesterfield House, la résidence londonienne de la sœur et du beau-frère du duc. Installation toute provisoire, puisqu'elle dure à peine sept mois. Le gouvernement, souhaitant utiliser au maximum la popularité du jeune couple, a inscrit à leur programme officiel un « Royal Tour ». Ce type de voyage consistait, et consiste toujours, en une somptueuse tournée de propagande qui conduisait l'un ou l'autre membre de la famille royale dans une région reculée de l'Empire, le but de ces lointaines expéditions étant évidemment de raviver l'attachement des populations locales à la couronne. Grâce aux avions, ce genre de déplacement s'effectue aujourd'hui en une ou deux semaines. Au milieu des années vingt, le voyage ayant lieu en bateau, il s'étirait généralement sur plusieurs mois. Leur mission d'ambassadeurs de la couronne va conduire les York en Nouvelle-Zélande et en Australie où ils devront inaugurer le nouveau Parlement de Canberra. Leur périple, qui doit durer six mois, les mènera des Canaries à la Jamaïque, puis grâce à la route maritime du canal de Panama, jusqu'à l'océan Pacifique. De là, cap sud-ouest vers les territoires les plus reculés de l'Empire britannique. En cette période de crise, la tournée royale suscite quelques commentaires acerbes chez les députés les plus à gauche. Ils y voient non seulement une manifestation supplémentaire d'un esprit colonialiste déplacé mais aussi une dépense inutile pour le pays. A la grande fureur du roi George V, deux d'entre eux, Messieurs Ammon et Kirkwood, s'indignent en pleine réunion de la Chambre des Communes sur l'opportunité de « dépenser 7 000 livres sterling, pour offrir un voyage d'agrément au duc et à la duchesse d'York ». Un débat politique assez cruel pour la jeune mère qui se serait volontiers passée de ce voyage au bout du monde.

Le départ a lieu le 7 janvier 1927. La séparation entre la duchesse et son bébé de huit mois est pénible. Au moment de quitter son enfant, Elisabeth ne peut retenir ses larmes. « Nous n'avons pas le droit d'être humains », confiera-t-elle plus tard à une de ses amies en évoquant cet instant difficile. En montant dans la voiture, elle demande au chauffeur de prendre un itinéraire détourné afin de rallonger de quelques minutes le chemin qui la conduit à la gare Victoria. Le temps pour elle d'effacer les traces de ses larmes et de retrouver un sourire un peu forcé pour affronter les photographes qui l'attendent sur le quai. Elle sait déjà qu'elle ne sera pas là le jour du premier anniversaire d'Elisabeth, ni sans doute le jour où elle fera ses premiers pas ou prononcera ses premiers mots. C'est donc le cœur bien gros qu'elle entame son voyage.

Cet épisode met parfaitement en lumière le sens des priorités qui règne à l'époque dans la famille royale. Le devoir envers la couronne et le pays y occupe la première place hiérarchique au détriment de toute considération d'ordre sentimental. Cette intrusion dans la vie familiale des contraintes liées à la charge royale et ce, dès son plus jeune âge, ne sera pas sans influence sur la formation du caractère de la future reine et sur son évolution psychologique et affective. Souvent, au cours de sa vie, on la jugera insensible. Sans doute à tort. En fait, l'habitude de ne rien laisser transparaître de ses sentiments, prise très tôt, deviendra chez elle une seconde nature.

Séparée de ses parents, la jeune princesse n'est pas abandonnée pour autant, loin s'en faut. Il n'est pas question de la reléguer au fond d'une quelconque nursery en la seule compagnie de Clara Knight. Des relais postaux et télégraphiques ont été mis en place afin que sa mère puisse suivre ses moindres progrès, en dépit des milliers de kilomètres qui les séparent. Une fois par mois, un photographe viendra prendre quelques clichés de l'enfant qui seront acheminés par bateau vers la prochaine escale de ses parents. Plusieurs fois par semaine, lady Strathmore et la reine Mary adresseront à leur fille et belle-fille des rapports détaillés sur son état de santé. De plus, l'emploi du temps d'Elisabeth a été minuté avec le plus grand soin. Ses familles maternelle et paternelle doivent se charger de veiller alternativement sur elle. Ainsi, durant le mois de janvier 1927, elle séjourne à la campagne à Saint Paul's Waldenbury chez lord et lady Strathmore. Ces premières vacances achevées, elle s'installe à Buckingham Palace où l'attendent le roi George V et surtout la reine Mary. Fidèle à la promesse faite à sa belle-fille, la vieille reine lui écrit dès le début du mois de mars 1927 :

« Je suis contente de pouvoir vous donner les meilleurs rapports possibles au sujet de votre charmante petite fille. Elle a maintenant quatre dents, ce qui est bien à 11 mois. Elle est très heureuse et se promène en voiture à cheval tous les après-midi, ce qui semble l'amuser énormément. »

Contre toute attente, la plus amusée des deux n'est pas celle que l'on croit. Au grand étonnement de son entourage, la reine se révèle en effet une grand-mère beaucoup plus attentionnée qu'on n'aurait pu le supposer. Elle s'intéresse à sa petite-fille avec un soin véritablement maternel. En quelques jours, la nursery spécialement installée au deuxième étage du vieux palais est devenue son lieu de promenade favori. Elle s'y rend au moins trois fois par jour. Une série de photos datant de cette époque et diffusées auprès du grand public présentent la double image d'une grand-mère admirative devant sa merveilleuse petite-fille. Elisabeth, le cheveu un peu ébouriffé, est posée plutôt que véritablement assise sur une pile de coussins damassés. Elle est vêtue d'une robe à volants bordée de dentelles blanches et porte autour de son cou un petit collier de perles de corail. La reine Mary, habillée de vaporeuses mousselines bordées de fourrure et parée elle aussi de perles, se penche affectueusement vers l'enfant. Le cliché est signé Mary R et Bébé Elisabeth. De la main de la reine bien sûr. Une véritable image de propagande qui proclame haut et fort que tout va pour le mieux dans l'univers exemplaire de la première famille du royaume.

S'étonnant de cette relation chaleureuse entre la reine et sa petite-fille, certains historiens ont suggéré que le voyage officiel en Australie et en Nouvelle-Zélande avait été organisé par la reine Mary elle-même qui souhaitait ainsi kidnapper Elisabeth. Cette thèse semble aujourd'hui très excessive. D'une part, il paraît douteux que la reine Mary ait eu l'influence nécessaire auprès des membres du cabinet pour leur imposer un voyage officiel inutile. Surtout si l'on tient compte de la polémique financière qui avait entouré ses préparatifs. De plus, la décision d'envoyer le duc et la duchesse d'York, les membres les plus populaires de la famille royale après le prince de Galles, redonner un peu de souffle à la popularité de la couronne en Australie et Nouvelle-Zélande tombait sous le sens. Cela dit, il n'est pas douteux non plus que la reine ait été enchantée de tenir sous sa coupe pendant six mois un bébé qui faisait ses délices. Qu'une mère détestable se révèle une grand-mère affectueuse est un phénomène courant qui suffit amplement à justifier sa conduite inhabituelle.

Curieux personnage en vérité que cette souveraine. L'histoire et la légende en ont tracé un portrait sans nuances. Celui d'une femme revêche, sans cœur et avide de richesses. Les photographies officielles sur lesquelles elle apparaît invariablement cloutée de pierres précieuses de la tête aux pieds renforcent cette image d'une reine chez qui la raison d'Etat a annihilé tous les sentiments. Le célèbre humoriste et parlementaire britannique Chips Channon n'avait-il pas déclaré un jour à son sujet : « Lui parler, c'est un peu comme parler à la cathédrale Saint Paul. » Que la reine Mary ait été incapable d'exprimer ses sentiments n'est pas douteux. Cela ne veut pas dire qu'elle en ait été totalement dépourvue. Bien au contraire. Un, au moins, semble avoir dominé toute sa vie : l'admiration et la reconnaissance éperdue qu'elle éprouvait à l'égard de son mari. En l'épousant, il l'avait faite reine et arrachée à un destin médiocre de princesse pauvre. Parvenue au faîte des honneurs, la princesse de Teck, dont les parents avaient par deux fois été obligés de fuir Londres pour éviter d'affronter la meute de leurs créanciers, n'aura de cesse tout le reste de sa vie de se montrer digne de sa position. Elle y montrera d'ailleurs un certain mérite car la rudesse dont le roi faisait preuve dans ses rapports familiaux ne l'épargnait pas non plus. Une anecdote est restée célèbre : la reine, ayant un jour manifesté l'envie de rétrécir de quelques centimètres l'ourlet de ses jupes et n'osant passer à l'acte, suggéra à une de ses dames d'honneur de faire un essai. La pauvre femme s'attira une rebuffade si violente du roi que la reine Mary se le tint prudemment pour dit. Toute sa vie, elle gardera des ourlets traînant quasiment jusqu'à terre.

Il est toutefois un point sur lequel le couple royal était en parfait accord : la priorité absolue accordée à la couronne. Dans le cas de la reine, ce principe était devenu tellement naturel que la hiérarchie de ses affections familiales s'établissait à peu près en fonction de la liste de succession au trône. Pendant des années, son fils favori avait été le prince de Galles. A partir des années 1925, époque à laquelle elle entrevoit que David risque de ne pas se comporter suivant les aspirations de son père, elle commence à reporter ses attentions sur le deuxième, le fragile Bertie qu'elle a tant négligé lorsqu'il était enfant. Son mariage avec une jeune fille parfaite, la naissance de sa fille achèvent de conforter l'image d'une famille modèle dans laquelle les Britanniques aiment à se reconnaître. La reine n'en demandait pas plus. C'est donc vers ce jeune ménage exemplaire qu'elle dirige dorénavant ses attentions. Elisabeth en est le centre le plus évident. Cette complicité avec sa grand-mère paternelle, la future reine la revendiquera d'ailleurs toute sa vie. Nombre de ses familiers l'ont entendue déclarer un jour ou l'autre avec une fierté évidente : « Plus je vieillis, plus je ressemble à Grand-Maman. »

Reste que cette entente affichée entre une grand-mère et sa petite-fille n'est pas dénuée d'un certain intérêt. Avec un sens de la publicité qu'on ne peut qu'admirer,

la reine Mary s'emploie à tirer le meilleur parti média-
tique de ce bébé dont l'Angleterre tout entière est tombée amoureuse. Elle ne fait d'ailleurs que se conformer
à un usage bien établi dans la famille royale. A une
époque, la nôtre, où les princesses et les stars de cinéma
sont la cible permanente des photographes et où le
moindre écart de conduite est disséqué par les médias, il
est difficile d'imaginer les rapports extrêmement courtois
que la presse britannique entretient avec ses souverains
entre les deux guerres. Le modus vivendi est simple.
L'attitude respectueuse des journaux qui ne livrent que
les nouvelles les plus autorisées est contrebalancée par
des fournitures régulières de photos et d'informations
tout aussi filtrées en provenance directe du Palais. Ce
« gentleman's agreement » trouvera son illustration la plus
frappante lors de l'affaire Windsor, en 1936. Pendant
que les gazettes italiennes, françaises et américaines s'en
donneront à cœur joie en publiant le feuilleton ininterrompu des amours du nouveau roi Edouard VIII avec
Wallis Simpson, une Américaine divorcée, les quotidiens
britanniques observeront un silence total quasiment
jusqu'à l'abdication. Cette « omerta » tacite sur les faits et
gestes de la famille royale sera en grand partie responsable du choc que les Anglais éprouveront lorsqu'ils
apprendront l'abdication de leur souverain à la radio, le
11 décembre 1936. L'affaire durait depuis des années,
mais personne ne les en avait avertis.

Dans le cas d'Elisabeth, l'accord tacite est respecté à
la lettre. Dès le lendemain de sa naissance, la pâture
quotidienne déversée aux médias se révèle abondante.
De ses premiers bégaiements au berceau à ses premiers pas en passant par les portraits posés dans les
bras de sa mère ou de sa grand-mère, tous ses faits et
gestes s'étalent à la une. Chose inimaginable aujour-
d'hui, certaines dames d'honneur du Palais sont même
autorisées, sinon encouragées, à publier des témoignages

dans les colonnes des journaux. Le résultat dépasse toutes les espérances de la Cour. La popularité de l'enfant atteint très vite des sommets. L'enthousiasme suscité par ses apparitions commence même à devenir inquiétant. Ses promenades en landau dans les jardins publics de la capitale donnant lieu à de véritables émeutes, sa nanny est obligée de les supprimer pour se cantonner à la stricte intimité du parc bordé de hauts murs du palais de Buckingham. Dans une lettre adressée à la reine Mary depuis l'Australie, la duchesse d'York s'inquiète d'ailleurs des proportions que prend ce phénomène : « Cela me fait presque peur de voir à quel point le peuple aime Elisabeth. Je suppose que c'est une bonne chose et j'espère que cette pauvre petite en sera digne. »

Le roi lui même succombe à l'enchantement. Ce qui n'est pas un mince exploit. Entre deux audiences, il passe volontiers une demi-heure dans la nursery. Au grand étonnement de la Cour, il arrive même qu'Elisabeth, assise sur les genoux de son grand-père, s'amuse à lui tirer la barbe. Le souverain ne s'en offusque pas. Bien au contraire, il rit aux éclats. Cet attendrissement du vieux roi devant sa petite-fille donnera lieu à l'éclosion de nombreuses légendes comme on en trouve souvent autour des souverains. Une des plus niaises veut qu'Elisabeth ait pris très tôt l'habitude de désigner son grand-père paternel par le sobriquet de « Grand-Papa England », ce qui correspond à peu près à « Grand-Papa Angleterre ». Bien des années plus tard, sa sœur cadette, la princesse Margaret, fera justice de cette bêtise en avouant : « Nous avions bien trop peur de lui pour l'appeler autrement que Grand-Papa. » De la même manière, on prêtera pendant des années à l'enfant royale une autre habitude particulièrement « touchante » : celle d'écarter tous les matins un des rideaux de sa chambre afin d'envoyer un baiser en direction de

51

Buckingham Palace à l'intention de son grand-père. Certains hagiographes de la famille royale ajouteront même que George V, qui apparemment avait bien changé, avait lui aussi pris l'habitude de soulever le rideau de son bureau afin de recevoir le baiser affectueux de sa petite-fille. Beaucoup plus véridique est sans doute l'anecdote rapportée par l'archevêque d'York, le même Cosmo Lang qui avait baptisé Elisabeth. Reçu un jour en audience au palais de Buckingham, il eut la surprise, en pénétrant dans le bureau du roi, de découvrir le souverain à quatre pattes devant sa petite-fille. Tenant dans sa main la barbe de son grand-père, Elisabeth rampait allégrement sur le tapis. Mais la meilleure illustration des excellentes relations qu'Elisabeth entretenait avec son grand-père est sans aucun doute le surnom dont il la baptisa. L'enfant se révélant incapable de prononcer correctement son propre prénom et ne parvenant qu'à balbutier un informe Lilibeth, le roi prendra la charmante habitude de la nommer ainsi. Ce surnom la poursuivra toute sa vie.

Réelles ou fabriquées de toutes pièces, ces anecdotes enchanteront le public britannique pendant plusieurs décennies. Les loyaux sujets de Sa Majesté auraient certainement été très désappointés s'ils avaient su que l'émerveillement de leur bon roi devant les facéties de sa petite-fille ne l'empêchait nullement de continuer à se montrer grincheux et autoritaire dans ses rapports avec ses propres enfants. Ainsi, durant tout le voyage de son deuxième fils en Australie, il épluchera les journaux avec une obsession maniaque du détail. Chaque manquement à l'étiquette étant sanctionné par une note assez sèche envoyée au duc d'York : « J'ai vu une photo de vous alors que vous passiez en revue une garde d'honneur (je ne dirai rien de leur tenue). Votre écuyer marchait à votre droite, du côté de la garde. Il aurait dû être derrière vous. Cela n'est pas du tout convenable. » On voit que son adoucissement ne dépassait pas certaines limites.

Le 27 juin 1927, le paquebot qui depuis six mois sert de résidence au duc et à la duchesse d'York accoste enfin à Portsmouth. Dans ses soutes, il transporte, en plus des bagages royaux, trois tonnes de jouets et vingt perroquets vivants que les populations australiennes et néo-zélandaises ont offert à la princesse Elisabeth. Certains enfants, s'inquiétant sans doute de son avenir financier, lui ont même fait parvenir des pièces de monnaie pour sa tirelire. Accueillis sur le quai par le prince de Galles et les ducs de Gloucester et de Kent, les voyageurs prennent place à bord du train royal pour l'ultime étape de leur périple. Les souverains les attendent à Londres à la gare Victoria. Fidèle à son habitude, le roi a soigneusement codifié les retrouvailles. Quelques jours avant leur arrivée à Portsmouth, les York ont reçu une note manuscrite extrêmement précise à ce sujet : « Nous ne nous embrasserons pas à la gare devant tant de monde, écrit notamment George V à son fils. En revanche, vous embrasserez votre mère, mais n'oubliez pas d'enlever votre chapeau. »

Dans le programme de cette journée plus officielle que chaleureuse, la jeune Elisabeth n'a pas sa place. Elle attend bien sagement à Buckingham Palace le retour de ses parents qu'elle ne connaît pour ainsi dire pas. Toute sa vie, la duchesse d'York se souviendra du pincement au cœur qu'elle ressentit lorsqu'enfin elle put embrasser son enfant. Elisabeth ne la reconnaît pas. Le protocole reprend ses droits une dernière fois lorsque la famille princière regagne son domicile en fin d'après-midi. Le cérémonial pour ce retour très officiel prévoit une ultime apparition du couple et de leur fille au balcon de leur résidence. Un spectacle que la foule massée dans la rue attend avec impatience. En dépit de la fatigue et d'un désir bien naturel de se retrouver enfin dans l'intimité, les ambassadeurs itinérants de la couronne se soumettent de bonne grâce à cette dernière épreuve. Après quelques minutes d'acclamations, ils disparaissent enfin derrière les murs de leur nouveau foyer, le 145 Piccadilly.

Après trois années de lutte courtoise mais ferme, la duchesse d'York a enfin gagné la bataille qui l'opposait à son beau-père. Ses arguments ont fini par l'emporter. Non seulement White Lodge était trop éloignée de la capitale, mais l'entretien de cette immense demeure s'était vite révélé trop coûteux pour le budget princier. En recevant le titre de duc d'York, le deuxième fils de George V avait aussi reçu une liste civile annuelle d'un montant de 25 000 livres sterling. Somme considérable pour l'époque puisqu'elle représente près de 10 millions de francs actuels et qu'elle était exemptée d'impôt sur le revenu à hauteur de 80 % de son montant. Enviable pour le commun des mortels, la fortune du duc d'York ne lui permettait pourtant pas toutes les extravagances. A titre de comparaison, son frère aîné, le prince de Galles, avait, depuis 1915, année de sa majorité, l'usufruit du duché de Cornouailles dont les revenus s'élevaient à 92 000 livres sterling. Le budget personnel de l'héritier de la couronne était donc quatre fois supérieur à celui de son frère cadet. White Lodge, ses innombrables pièces, ses toitures d'un autre âge et ses jardins, engloutissant 11 000 livres sterling par an, était une charge beaucoup trop lourde pour ce dernier. Bravant la mauvaise humeur de son père qui avait bien du mal à admettre que l'on refuse ses présents, il s'était donc mis à la recherche d'une demeure plus conforme à ses moyens et aux goûts de son épouse. Au bout de plusieurs mois d'enquête, il avait fini par la découvrir au numéro 145 de Piccadilly, la grande artère qui relie Piccadilly Circus à Park Lane, un des quartiers les plus élégants de Londres. Située au dernier numéro, la vaste maison de style classique était sise au cœur d'un véritable îlot de verdure. Jouissant d'un petit jardin à l'arrière, elle donnait à la fois sur Green Park et sur Hyde Park. Le site existe toujours, la maison en revanche a disparu. Démolie par les bombardements durant la Seconde Guerre mondiale, elle a été remplacée par l'Hôtel Intercontinental de Londres. C'est donc dans cette demeure, la première qu'ils aient véritablement choisie, que les York s'installent au retour de leur long voyage. Dans un décor, sinon royal, du moins extrêmement confortable.

N'en déplaise aux journalistes londoniens qui, sur la foi d'informations officielles divulguées par la Cour, décrivent : « Une maison ni grande ni luxueuse qui aurait put être celle de n'importe quel couple un peu fortuné », le 145 Piccadilly est une résidence luxueuse. Selon le rapport officiel établi par les agents immobiliers chargés de la louer, la maison est une : « Importante demeure contenant de nombreuses pièces spacieuses et claires. Elle comprend notamment un hall d'entrée, un escalier principal, un escalier secondaire avec ascenseur électrique, un salon principal, une salle de bal, une salle à manger, un bureau, une bibliothèque et vingt-cinq chambres à coucher. » De quoi loger plusieurs « jeunes ménages un peu fortunés ». Durant le voyage en Australie, toutes les pièces ont été redécorées dans des tons lumineux beiges et vert clair choisis par la duchesse. Grâce aux centaines de cadeaux reçus à l'occasion de leur mariage, les York n'ont eu aucune peine à les aménager confortablement. Le piano du salon est un présent de la ville de Windsor. Le linge de maison a été offert par la princesse Mary et le vicomte Lascelles. Les membres du gouvernement se sont cotisés pour la garniture de bureau du duc. Elle comprend un encrier, une boîte à timbres, un plumier et quatre petits chandeliers, le tout en argent massif. Au-dessus de la cheminée de ce même bureau, est accroché le portrait de la duchesse par Sargent, un cadeau de mariage du prince Paul de Yougoslavie. La splendide argenterie vient de la Cité de Londres. Le roi Harald et la reine Maud de Norvège l'ont complétée en envoyant deux coffrets comprenant vingt-quatre couverts à dessert et vingt-quatre couteaux à fruits en or. La porcelaine a été fabriquée gratuitement par la célèbre manufacture de Worcester. Quelques achats personnels de la duchesse, qui affectionne particulièrement les meubles XVIIIe, complètent le décor. Le train de maison est en rapport avec l'importance du bâtiment. Un intendant, un maître d'hôtel, une cuisinière, une gouvernante, un maître d'hôtel assistant, deux valets de pied, un homme à tout faire, trois femmes de chambre, trois filles de cuisine, une femme de chambre pour la nursery, une camériste, un valet personnel pour le duc, un gardien de nuit et un chauffeur assurent le service. A cette domesticité déjà nombreuse viennent s'adjoindre durant la journée les aides de camp personnels du duc d'York et les dames d'honneur de son épouse.

Au dernier étage s'ouvre le domaine réservé de la princesse Elisabeth. De dimensions assez réduites, il comprend principalement une petite cuisine, un cabinet de toilette et deux vastes chambres, la nursery de jour où l'enfant et sa nurse se tiennent durant la journée, et la nursery de nuit où elles dorment toutes les deux. L'une et l'autre sont peintes de couleurs claires avec, seule note de fantaisie, une somptueuse moquette rouge. L'ameublement, simple et pratique, est en bois laqué blanc. Dans la nursery de nuit, il se compose de deux lits, d'une coiffeuse à neuf tiroirs disposée devant la cheminée, d'une table de toilette sur laquelle sont placés cuvettes et brocs à eau en porcelaine décorée de fleurs et de quelques chaises. Il est encore plus spartiate dans la nursery de jour. Il est vrai que cette pièce est très encombrée puisque c'est là qu'ont pris place quelques-unes des caisses de jouets offertes à la princesse par ses admirateurs d'Australie et de Nouvelle-Zélande. Quelques-unes seulement, car la plupart d'entre elles ont été expédiées directement à des orphelinats. Quant aux vingt perroquets, la duchesse d'York a jugé qu'ils seraient beaucoup plus à leur place dans un zoo londonien que dans les appartements de sa fille. Plus que les poupées dont elle possède des dizaines, Elisabeth est attirée par les amusements traditionnellement réservés aux garçons. Elle prodigue des soins quotidiens et attentifs à son écurie de chevaux à bascule. Dès l'âge de deux ans, elle insistera d'ailleurs pour les seller tous les soirs. Devant de telles dispositions, ses parents ne pourront faire moins que de lui offrir un vrai poney pour son quatrième anniversaire. Il sera le premier symptôme de ce goût pour l'équitation qu'elle conservera toute sa vie. Second clin d'œil du destin au futur chef des forces armées britanniques, parmi ses autres jouets favoris figure aussi un régiment de soldats de plomb qu'elle s'amuse à faire manœuvrer tous les jours.

En dehors des repas, des siestes et des moments de jeu, l'une de ses activités principales consiste à se changer ou plutôt à se laisser changer. Nulle trace d'une précoce coquetterie dans cette habitude qui est en fait le résultat du perfectionnisme de sa nounou. Femme de tradition, Clara Knight est une maniaque de l'ordre et de la propreté. Elle tient tout particulièrement à ce que les enfants qui lui sont confiés soient impeccablement habillés et coiffés en toute occasion. S'agissant d'une princesse, les règles sont encore plus strictes. Il est hors de question que la petite-fille du roi puisse être vue dans une tenue négligée. Plusieurs fois par jour, notamment lorsqu'elle descend aux étages inférieurs afin de rendre visite à ses parents, Elisabeth arbore donc une nouvelle toilette. Il est vrai que sa garde-robe a déjà de quoi satisfaire la plus tatillonne des femmes de chambre. Un seul chiffre en donne une idée : elle compte plus de cent bonnets tuyautés, brodés et ornés de dentelles. Le rangement est la seconde manie de nanny Knight. Chaque objet à sa place est une règle qu'elle applique à la lettre et qu'elle inculquera très tôt à sa jeune protégée. Y compris en lui demandant de mettre la main à l'ouvrage lorsqu'on lui offrira à l'occasion d'un de ses anniversaires une pelle à poussières et un balai miniature. Ce sera sans doute la seule période de son existence durant laquelle Elisabeth aura à faire le ménage. Cette mise impeccable en toutes circonstances et ce goût de l'ordre porté à l'extrême seront le principal héritage des années que la princesse passera sous la férule d'Alla Knight. Ces deux habitudes la poursuivront toute sa vie. Au grand agacement d'ailleurs de certains de ses proches.

Hors des murs de la nursery s'étend le domaine réservé aux adultes. Une zone dont les règles sont très codifiées mais à laquelle Elisabeth a un accès assez large. L'époque des visites protocolaires en fin d'après-midi est révolue et elle entretient des rapports affectueux et quotidiens avec ses deux parents. Chaque journée débute vers 7 h 30. Lavée, coiffée, habillée et nourrie, la petite princesse est conduite au premier étage dans leur chambre. Elle y passe en général une demi-heure. Le bain du soir est un autre rite familial auquel le duc et la duchesse participent quotidiennement. Entre ces deux rendez-vous fixes, les rencontres varient en fonction de l'emploi du temps princier. En fait, elles sont assez nombreuses et plutôt chaleureuses. Contrairement à sa belle-mère, la duchesse d'York n'hésite jamais à prendre dans ses bras ou à embrasser ce bébé qu'elle a nourri elle-même. Moins expansif que son époux, le duc se montre tout aussi attentif. Régulièrement, il demande à nanny Knight d'installer

Lilibeth sur le tapis de son bureau. Tout en travaillant, il la regarde jouer et gambader tout autour de la pièce. Mais son plus grand plaisir est de l'accompagner en promenade. Au retour d'une de ces balades, il lance fièrement à un passant qui admire sa fille : « Apparemment, mon plus beau titre de gloire est d'être le père de la princesse Elisabeth ? »

Afin de compléter le tableau de cette intimité familiale, on ne peut résister au plaisir de citer, avec beaucoup de précautions, le témoignage de Mrs Anne Ring. En 1929, cette ancienne dame d'honneur de la reine Mary publie, avec l'autorisation du Palais, la première biographie de la princesse Elisabeth. Que peut-on bien avoir à raconter sur la vie d'une enfant de trois ans ? Evidemment peu de chose à moins de sombrer dans l'anecdote naïve. Ce que Mrs Ring ne manque pas de faire. Son récit, très enjolivé, donne en tout cas une idée de l'adoration dont l'enfant fait l'objet :

« Depuis le moment de sa naissance, explique-t-elle, notre petite princesse a toujours été protégé non seulement par le tendre amour de ses parents, de ses chers grands-parents, de ses cousins, oncles et amis, mais elle a été l'objet de l'admiration de milliers de personnes qui ne l'ont jamais vue dans le pays et bien au-delà des mers. »

Quelques pages plus loin, Anne Ring donne une description particulièrement angélique du coucher de la petite princesse : « Lorsque la nurse de la princesse Elisabeth descend au salon et annonce d'une voix douce : "Je crois qu'il est l'heure d'aller se coucher maintenant, Elisabeth", il n'y a aucune protestation, juste quelques pas de danse improvisés et les derniers éclats de rire en écoutant quelques-unes des délicieuses plaisanteries que maman ne manque jamais de lui adresser au moment d'aller au lit. Puis, Elisabeth prend la main de sa nurse et toutes deux s'en vont gaiement jusqu'à l'ascenseur qui, en deux secondes, les transporte jusqu'au cher domaine familier qu'elles partagent. » Devant un exemple aussi édifiant, les petits enfants anglais n'ont qu'à bien se tenir. Quelques années plus tard, aux Etats-Unis, Shirley Temple fera l'objet d'un culte similaire. La future reine d'Angleterre et l'enfant star d'Hollywood y perdront une partie de leur enfance et une bonne dose de naturel.

L'unique élément qui manque à ces premières années somme toute heureuses, est l'absence quasi absolue de camarades de jeux. A part quelques cousins, qu'elle voit assez rarement, Elisabeth vit dans un monde d'adultes dont les règles sont invariables. Jamais elle ne sera confrontée à un univers étranger dont les usages ou les coutumes divergent de ceux qui sont en vigueur dans le sien. Jamais non plus elle ne sera obligée de confronter son opinion avec celle d'autres enfants de son âge, venus d'horizons différents. Cette vie repliée sur un univers exclusivement familial était l'une des traditions séculaires de la famille royale britannique. Sous le règne de Victoria, époque à laquelle la monarchie sacralisée s'était de plus en plus coupée du reste du pays, elle était devenue une véritable règle d'or. Ses successeurs, Edouard VII et George V, l'avaient maintenue. Le duc d'York, quant à lui, y est attaché pour des raisons beaucoup plus sentimentales. Le cocon familial qu'il a finalement réussi à constituer est l'unique endroit où il se sent bien et il met un soin jaloux à en interdire l'accès à quiconque. Au risque de se couper, lui et sa famille, du reste du monde. Sa fille sera la première à en supporter les conséquences. Cette raideur de pensée, cette difficulté à admettre le point de vue des autres qu'on lui reproche parfois n'ont pas d'autre origine que cette enfance en vase clos.

Autre conséquence de cette éducation claustrophobe et de l'adulation dont elle fait l'objet, au fur et à mesure qu'elle grandit, Elisabeth se transforme en une redoutable peste.

Très tôt, elle développe une conscience aiguë de son rang. Chaque fois qu'elle pénètre à Buckingham Palace ou à Windsor en compagnie de sa nounou, la garde royale lui présente les armes. Lorsqu'elle se rend chez ses grands-parents Strathmore à Glamis, elle s'étonne qu'il n'en soit pas de même. Il lui faut peu de temps pour comprendre que l'agitation qui précède ses arrivées ou ses départs et que les acclamations qui entourent chacune de ses apparitions publiques lui sont directement destinées. Son assurance dégénère parfois en une franche grossièreté. Elle a à peine quatre ans lorsqu'elle reprend vertement le Lord Chambellan, l'un des plus vieux officiers de la couronne. Croisant la petite fille dans les couloirs de Buckingham Palace où elle est venue rendre visite à ses grands-parents, il lui lance un joyeux : « Bonjour, petite Dame. » La réponse est cinglante : « Je ne suis pas une petite Dame, je suis son altesse royale la princesse Elisabeth. » Fort heureusement, l'incident est immédiatement rapporté à la reine Mary. Quelques minutes plus tard, la souveraine pénètre dans le bureau du Lord Chambellan. Elle pousse devant elle une Elisabeth assez piteuse qui bredouille des excuses. Afin de souligner la mauvaise conduite de sa petite-fille, la reine annonce : « Voici son altesse royale la princesse Elisabeth qui vient présenter ses excuses et qui, un jour peut-être, deviendra une dame. » A peu près à la même époque, une invitée de la duchesse d'York fait les frais du caractère ombrageux de l'enfant. Venue pour prendre le thé, elle a le malheur de s'attarder un peu trop au goût de la petite fille. Sans se démonter, Elisabeth prend alors l'initiative de sonner un domestique et lui annonce froidement : « Veuillez commander un taxi, notre invitée nous quitte. » Le moins que l'on puisse dire est que son intervention n'était pas très polie. Cette tendance assez marquée à l'insolence vaudra à la future reine un certain nombre de fessées et de punitions. Mais l'étape décisive qui va adoucir la courbe de son caractère et de son orgueil, c'est la naissance de sa sœur le 21 août 1930.

Alors qu'Elisabeth avait vu le jour dans la quiétude de l'élégante résidence londonienne des Strathmore, la seconde fille du duc et de la duchesse d'York pousse son premier cri sous les voûtes antiques du vieux château de Glamis. Si l'on en croit ses biographes et les guides qui font aujourd'hui visiter Glamis, l'événement a lieu par un beau soir d'orage. Présage d'une existence tourmentée. Installés depuis quelques semaines en Ecosse, les York avaient pourtant prévu de rentrer à Londres à temps pour que la duchesse pût y faire ses couches. Le destin avait malheureusement déjoué leurs plans et leur seconde fille était venue au monde un peu plus tôt que prévu.

Cette fois encore, la naissance a lieu par césarienne. Heureusement, la mère et l'enfant se remettent facilement de l'épreuve et c'est avec une joie sincère que Bertie peut téléphoner la nouvelle à ses parents qui sont installés à Balmoral. Une semaine plus tard, les souverains prennent la route de Glamis pour venir admirer l'enfant. Le soir même, de retour à Balmoral, la reine confie ce bref commentaire à son cher *Journal* : « Elisabeth (la duchesse d'York) avait l'air en parfaite santé et le bébé est charmant. »

Suivant la coutume familiale, les York soumettent leur choix de prénoms à l'approbation royale : « J'ai très envie de la nommer Ann Margaret, écrit la duchesse d'York à sa belle-mère. Ann d'York sonne très bien et les deux prénoms Elisabeth et Ann vont parfaitement ensemble. Je me demande ce que vous en pensez. Beaucoup de gens nous ont suggéré de l'appeler simplement Margaret, mais il n'y a aucun précédent familial. »

LA VÉRITABLE ELISABETH II

Hélas pour la duchesse d'York, le prénom d'Ann semble n'avoir remporté aucun succès auprès de George V. D'une nature assez superstitieuse sous ses dehors bourrus, le souverain l'associait au souvenir de la dernière reine de la dynastie Stuart, morte au début du XVIIIᵉ siècle sans héritiers, aucun de ses nombreux enfants n'ayant vécu plus de quelques années. Déçue, mais contrainte de s'incliner, la duchesse ne peut qu'entériner l'opposition de son beau-père. Quelques jours après sa première lettre, elle en fait parvenir une seconde à sa belle-mère : « Bertie et moi-même avons maintenant décidé de l'appeler Margaret Rose au lieu de Ann Margaret, puisque Papa n'aime pas Ann. J'espère que cela vous plaira. Je trouve que cela sonne très bien. » Et Margaret Rose ce fut. Au grand étonnement de la petite Elisabeth qui, avec toute l'assurance de ses quatre ans, devait déclarer : « Ce n'est pas une rose, tout juste un bouton de rose. Je l'appellerai donc bouton. »

Cette naissance marque une étape fondamentale dans la vie de la jeune Elisabeth. Désormais, elle n'est plus le centre d'attraction principal de ses parents et même de la nombreuse domesticité du 145 Piccadilly. On ignore quels furent ses sentiments exacts devant l'apparition soudaine de cette petite sœur qui la faisait brusquement descendre du piédestal où elle était installée depuis quatre ans. La seule indication précise dont nous disposons tient sans doute dans un rapide commentaire de lady Airlie. La vieille dame d'honneur de la reine Mary, qui aura fréquemment l'occasion de voir les deux princesses ensemble, remarquera : « Dans son environnement familial, Elisabeth m'a toujours semblé être une des petites filles les moins égoïstes que j'aie jamais rencontrée. Elle était toujours la première à céder lors des petits conflits quotidiens qui l'opposaient à sa sœur et qui se produisent dans n'importe quelle

63

famille. Je crois que jamais deux sœurs n'ont été aussi différentes l'une de l'autre que les princesses. L'aînée était simple et calme. La cadette avait beaucoup plus d'entrain et une expression très mutine. » Quoi qu'il en soit, l'entente entre les deux sœurs se révélera profonde et durable. Toute sa vie, Elisabeth se sentira responsable de sa cadette. Laquelle lui en fera d'ailleurs voir de toutes les couleurs. Sans que jamais leur affection mutuelle en souffre le moins du monde.

La première conséquence de l'arrivée de Margaret est la transformation immédiate de l'entourage affectif de sa sœur aînée. Désormais, c'est dans sa chambre qu'Alla Knight passera ses nuits. Afin qu'Elisabeth ne demeure pas seule, le duc et la duchesse d'York décident toutefois d'engager une aide-nurse qui lui sera particulièrement attachée. Il s'agit une fois de plus d'une robuste jeune fille écossaise de vingt-deux ans, miss Margareth Mac Donald. Fort heureusement l'entente entre elles se révèle immédiate. Suivant la tradition familiale, Margareth Mac Donald se voit rapidement gratifiée d'un surnom, inventé par Elisabeth elle-même : Bobo. Et Bobo elle restera jusqu'à sa mort en 1993 au palais de Buckingham. Toute sa vie, elle demeurera l'amie la plus proche et la plus dévouée de sa pupille. De nurse, elle deviendra femme de chambre et de confiance, occupant pendant près d'un demi-siècle une position stratégique dans l'entourage royal. Et cela dans tous les sens du terme. Jusqu'à sa mort, elle résidera dans un appartement situé juste au-dessus de celui d'Elisabeth et sera ainsi la première personne à lui parler le matin et la dernière à lui parler le soir. Un jour, Elisabeth laissera échapper ce commentaire qui en dit long sur l'influence que son ancienne gouvernante conservera sur elle : « Bobo est la seule personne avec laquelle je puisse discuter de tout. »

III

« ONCLE DAVID VEUT ÉPOUSER MRS BALDWIN... »

1935 est une année importante dans la vie de la jeune Elisabeth puisqu'elle est celle durant laquelle elle fait son entrée dans la vie officielle. Pour la première fois, elle remplit publiquement son rôle de membre de la dynastie royale britannique et ce à l'occasion du jubilé de son grand-père. Certes, il s'agit d'un rôle de second plan, mais il est assez important pour marquer le souvenir d'une enfant de neuf ans. Le 6 mai 1935, George V célèbre en effet le vingt-cinquième anniversaire de son accession au trône. Une promenade en calèche dans les rues de Londres sous les acclamations de la foule et un service d'action de grâces à l'abbaye de Westminster marquent cette journée historique durant laquelle le vieux roi vit son apothéose. Il est vrai qu'après avoir traversé de sombres années, il a enfin quelques occasions de se réjouir. Sous sa conduite, le pays a surmonté une Guerre mondiale et la crise économique la plus dure qu'il ait jamais connue. La classe politique tout entière le salue comme un monarque exemplaire dont chacun vante l'honnêteté et la vie privée sans tache, ce qui constitue un agréable contraste avec les mœurs de ses prédécesseurs Hanovre ou même de son père Edouard VII, tous notoirement infidèles et dépensiers. En cette période d'après-guerre, où la morale rigide héritée du XIXe siècle commence à se faire pesante sur les épaules des jeunes générations, le mode de vie rangé et bourgeois du roi rassure les classes moyennes.

En tant que chef de famille, il a tout autant de raisons d'être satisfait. Au mois de novembre 1934, le plus fragile de ses quatre fils, George, duc de Kent, s'est enfin décidé à convoler en justes noces. Et, à l'immense surprise de ses proches, il a choisi une épouse parfaitement qualifiée pour devenir princesse de Grande-Bretagne. Il s'agit de la princesse Marina de Grèce, fille du prince Nicolas de Grèce et de la grande-duchesse Hélène de Russie. La jeune femme est d'une beauté à couper le souffle. Son allure et son élégance innée ont même fait la conquête de la plus jeune de ses nièces, Margaret, qui, avec toute l'effronterie de ses quatre ans, a déclaré : « Quand je serai grande, je ne m'habillerai pas comme maman, mais comme tante Marina. » Sa naissance est irréprochable. Son seul défaut est son absence totale de fortune. Exilés de leur pays comme toute la famille royale grecque, ses parents vivent depuis des années en France. A part quelques bijoux qu'ils vendent pour subsister, ils n'ont pas réussi à sauver grand-chose des deux ou trois révolutions successives qu'ils ont dû traverser. Mais ce détail a peu d'importance puisque, comme tous ses frères, le duc de Kent perçoit une confortable liste civile en attendant d'hériter un jour de sa part de la considérable fortune de son père.

Il ne fallait pas moins que cette royale sirène pour ramener dans le droit chemin un prince dont la jeunesse avait été des plus agitées. Ses premières amours avaient plutôt été orientées vers la conquête de jeunes gens de son âge. Ces vagabondages sexuels, peu à l'honneur dans la famille royale anglaise, auraient pu demeurer discrets si certains amants du jeune prince n'avaient eu la fâcheuse idée de monnayer leurs traces écrites. L'un d'entre eux notamment ne s'était pas gêné pour le faire chanter en menaçant de publier certaines lettres enflammées. Grâce à l'action efficace de Scotland Yard et à la générosité du prince de Galles, l'affaire avait été étouffée. Ses expériences sentimentales féminines n'avaient pas été couronnées de beaucoup plus de succès. L'une de ses premières maîtresses, une Américaine assez délurée nommée Kiki Whitney Preston, n'avait pas trouvé mieux que de l'initier aux plaisirs troubles de la morphine et de la cocaïne. Malheureusement, le prince y avait pris goût et il avait fallu une longue cure de désintoxication, surveillée par le prince de Galles, pour le guérir. Le succès du traitement, et les soins attentionnés dont David avait entouré son jeune frère, avaient suscité l'admiration du roi George qui, pour une fois, n'avait pas ménagé ses louanges à son fils aîné. « Prendre soin de lui durant ces longs mois a dû être une lourde charge pour vous et je trouve que vous vous êtes occupé de lui d'une manière merveilleuse », lui avait-il notamment écrit. Il s'en était même suivi une brève éclaircie dans les relations tumultueuses du souverain et de son héritier. Trois ans plus tard, le prince George, devenu duc de Kent, était définitivement rentré dans le droit chemin grâce au sourire de la jolie Marina. Au grand soulagement de ses parents. Et à la grande joie de sa nièce Elisabeth à qui l'on avait demandé d'être l'une des huit demoiselles d'honneur chargées d'accompagner la mariée à l'autel.

A cette première satisfaction familiale doit bientôt s'en ajouter une seconde. Le prince Henry, duc de Gloucester, troisième fils du couple royal, courtise depuis quelques mois déjà lady Alice Montagu Douglas

67

Scott. La jeune fille n'est autre que la sœur du comte de Dalkeith, futur duc de Buccleuch, celui-là même que la princesse Mary avait souhaité épouser autrefois. Autres temps autres mœurs. Autant la reine s'était opposée au mariage de sa fille avec le frère, autant elle a accepté de bonne grâce le mariage de son fils avec la sœur. Il est vrai que la fâcheuse tendance du duc de Gloucester à boire un peu plus que de raison en faisait un célibataire difficile à caser. Les deux familles ayant donné leur accord, les noces sont programmées pour la fin de l'année 1935. Quant au duc et à la duchesse d'York, ils forment toujours un couple heureux de Grande-Bretagne et, en compagnie de leurs deux filles, une famille parfaite. Eux aussi comptent leurs plus chauds partisans dans les rangs de la classe moyenne qui apprécie leur manque total d'extravagance et leur simplicité.

La seule incertitude reste l'avenir du prince de Galles. A plus de quarante ans, l'héritier de la couronne s'obstine à demeurer célibataire. Bien sûr, la rumeur mondaine, confirmée par les services de renseignements du ministère de l'Intérieur, lui a déjà attribué plusieurs liaisons. Hélas, toutes ont pour héroïnes des femmes mariées, parfois issues d'un milieu discutable. La dernière en date est d'ailleurs la pire du lot puisqu'il s'agit d'une Américaine, une certaine Wallis Simpson. Une femme non seulement roturière et mariée, mais de plus déjà divorcée une fois. En un mot, une aventurière, n'ayant aucune des qualités nécessaires à une future reine d'Angleterre. En apprenant cette nouvelle aventure, le vieux roi a piqué une colère mémorable dont le prince de Galles a fait les frais. Convoqué au palais de Buckingham, ce dernier s'en est tiré assez lâchement en jurant ses grands dieux que madame Simpson n'avait jamais été pour lui qu'une amie. Son serment n'a fait qu'exaspérer encore plus son père qui

LA VÉRITABLE ELISABETH II

disposait de rapports de police très explicites sur la nature exacte des relations que son fils entretenait avec sa dulcinée. Quelques jours plus tard, George V a confié à une dame d'honneur de son épouse : « Je prie Dieu pour que mon fils aîné ne se marie jamais et n'ait pas de descendance afin que rien ne vienne se mettre entre la couronne et Bertie et Lilibeth. » A l'intention de l'un de ses ministres, il a même ajouté ce commentaire extrêmement pessimiste : « Quand je ne serai plus là, ce garçon se ruinera en douze mois ! »

Fort heureusement, grâce à la discrétion de la presse britannique, le grand public est resté à l'écart de ces querelles familiales et c'est sans arrière-pensée qu'il s'apprête à célébrer le jubilé de son monarque. Le 6 mai, vingt-cinq ans après leur accession au trône, George V et la reine Mary reçoivent l'hommage délirant de leurs loyaux sujets. Des centaines de milliers de personnes sont rassemblées dans les rues de la capitale. Et lorsque la calèche royale s'arrête devant Mansion House où le Lord-Maire de Londres remet, suivant la tradition, une somptueuse épée au roi, l'enthousiasme se déchaîne. Impressionné et agréablement surpris par l'ampleur des acclamations, le roi notera le soir même dans son *Journal* : « Je n'avais aucune idée des sentiments que le peuple pouvait avoir à mon égard. Je commence à penser qu'ils m'aiment réellement. »

Un tableau de Franck Salisbury immortalise l'entrée de la famille royale dans l'abbaye de Westminster. George V en grand uniforme, bardé de décorations, s'apprête à remonter la nef. A ses côtés la reine Mary, vêtue de soie rose et de fourrure blanche, dix rangs de diamants autour du cou, a une allure plus martiale que jamais. Tous deux incarnent à la perfection la majesté royale. A leur suite, suivant l'ordre protocolaire, vient le prince de Galles qui semble avoir passé une nuit blanche et regarde en direction du peintre avec un air furieux. Juste derrière lui, le duc et la duchesse d'York précèdent les Kent et le duc de Gloucester. La duchesse d'York pousse devant elle deux poupées vêtues de rose : Elisabeth et Margaret. Cette cérémonie est le premier événement officiel auquel elles participent et elles ne semblent pas en être particulièrement intimidées. Elisabeth se comporte avec toute la retenue et le sérieux que sa position d'aînée implique. Plusieurs fois au cours de la cérémonie, on l'entend murmurer à l'intention de sa sœur : « Margaret, tiens-toi correctement ! » En fait, la seule chose qui a impressionné les deux petites filles, c'est le somptueux cadeau que leur grand-père leur a remis quelques jours auparavant. Afin de marquer l'événement, il a en effet pris l'initiative de leur offrir leur premier bijou. Chacune d'entre elles a reçu un collier de perles. Celui d'Elisabeth a trois rangs. Celui de Margaret n'en comporte que deux. Ce collier de trois rangs de perles est aujourd'hui encore le bijou favori de la reine Elisabeth. Depuis soixante-sept ans, elle le porte quasiment tous les jours.

A l'exception de cette brève parenthèse officielle, la vie des deux princesses se poursuit sereinement à l'abri des murs du 145 Piccadilly. L'arrivée d'un nouveau visage a considérablement modifié leur paysage quotidien. Alla, la dévouée nurse que leur mère avait choisie pour guider leurs premiers pas, n'est plus seule à régner sur la nursery. Au début de l'année 1933, elle a dû abdiquer une partie de son pouvoir absolu entre les mains de Marion Crawford, une jeune Ecossaise, choisie par la duchesse d'York pour être l'institutrice de ses filles. La passation des pouvoirs ne s'est pas faite sans quelques heurts, les deux femmes s'opposant dans bien des domaines. Entre autres celui de la propreté. A l'obsession maniaque d'Alla qui interdisait à ses royales pupilles de sortir sans gants, « Crawfie » oppose un certain libéralisme qui la pousse notamment, à la grande colère de son adversaire, à les laisser jouer à mains nues dans des bacs à sable. Informée de la querelle, la duchesse d'York tranche avec sagesse en faveur de Crawfie dont elle apprécie le comportement informel. L'un des points qui ont fait pencher la balance en faveur de la jeune femme lorsqu'elle a été recrutée est justement son goût pour la vie au grand air et à la campagne. Pendant plus de quinze années, « Crawfie » restera au service de la famille royale en contact quotidien avec les deux princesses. Sa disgrâce sera à la mesure de la faveur dont elle avait joui. La publication au début des années cinquante d'un livre de souvenirs intitulé *Les Petites Princesses* lui vaudra une inimitié qui durera jusqu'à sa mort. Considéré comme une trahison par ses anciens employeurs, son livre est un témoignage irremplaçable sur l'enfance d'Elisabeth. Non content de révéler les détails de la vie quotidienne au 145 Piccadilly et plus tard au palais de Buckingham, il présente une précieuse série de portraits de famille.

« Je me suis très vite retrouvée sous le charme de la petite duchesse d'York, raconte ainsi miss Crawford. Elle était menue, comme sa fille Margaret l'est aujourd'hui. Elle avait un rire joyeux, un abord très facile et des manières très amicales. Il était impossible de se sentir intimidée en sa présence. Le duc était très séduisant, mais je me rappelle avoir pensé qu'il n'avait pas l'air en très bonne santé. Il était très mince et ressemblait plus à un garçon de dix-huit ans qu'à un homme de trente-cinq, bien qu'il fût à l'époque beaucoup plus âgé que moi... Personne n'a jamais eu des employeurs aussi discrets. J'ai très vite eu le sentiment que le duc et la duchesse, très heureux dans leur vie de couple, n'étaient pas extrêmement concernés par la formation intellectuelle de leurs filles. Ce qu'ils souhaitaient le plus pour elles, c'était une enfance heureuse, pleine de joyeux souvenirs à emmagasiner en prévision des jours plus

71

sombres, et plus tard, évidemment de beaux mariages. »
La destinée confortable et classique de deux jeunes filles
de la très haute société britannique. Une existence pas
très différente de celle qu'avait connue leur mère jusqu'à
son mariage.

Inutile de préciser que, dans ce programme, les études
académiques sont réduites à la portion congrue. Pour ses
jeunes élèves, Crawfie met sur pied un emploi du temps
qui laisse une grande part aux arts d'agrément et aux loisirs. Elle dispose dans ce domaine d'une latitude presque
totale. Le duc d'York s'est contenté de lui recommander
d'apprendre à ses filles à tourner une lettre élégante.
Quant à la duchesse, ses directives assez vagues concernent surtout la bonne santé physique d'Elisabeth et de
Margaret. Réparti sur cinq jours de la semaine, le programme purement scolaire semble incroyablement léger
si on le compare à celui de n'importe quel écolier
d'aujourd'hui. Les leçons débutent à 9 h 30. Le lundi
matin, la première demi-heure est consacrée à la lecture
de la Bible. Les autres jours, cette même demi-heure est
réservée à l'arithmétique. De dix heures à onze heures,
histoire, grammaire, géographie ou composition écrite
se succèdent. A onze heures, pause d'une demi-heure
et collation de lait et de biscuits. De 11 h 30 à l'heure
du déjeuner, lecture silencieuse ou à haute voix des
classiques de la littérature anglaise. Les après-midi
sont réservés à la lecture, au chant ou aux danses
d'agrément qu'une célèbre ballerine, mademoiselle Betty
Vacani, vient enseigner deux fois par semaine aux petites
princesses. En tout, huit à dix heures par semaine sont
consacrées aux matières académiques. Autant dire pas
grand-chose, surtout pour une future reine. Des années
plus tard, Elisabeth se plaindra amèrement de ce qu'on
ne lui ait rien appris lorsqu'elle était enfant : « J'ai souvent peur de ne pas comprendre de quoi on parle »,
avouera-t-elle. A la décharge de Crawfie, on peut faire

remarquer que ce programme n'est pas différent de celui que suivaient la plupart des jeunes filles issues de milieux aisés dans les années trente. Engagée pour « débroussailler » l'éducation des deux princesses, la jeune Ecossaise restera en place jusqu'au mariage d'Elisabeth en 1947, sans que jamais vienne à l'idée de qui que ce soit qu'il aurait fallu lui adjoindre quelques enseignants plus spécialisés.

Seule la reine Mary semble s'être inquiétée de la légèreté de l'emploi du temps de ses deux petites-filles. Après en avoir pris connaissance, elle adresse une note précise à Crawfie lui demandant notamment d'insister sur « la poésie apprise par cœur qui est un excellent apprentissage de la mémoire, la géographie, surtout celle des colonies et des Indes, et l'histoire et la généalogie qui, toujours selon la reine Mary, intéressent tous les enfants ». L'intention de la vieille reine était sans nul doute excellente, mais ses recommandations dataient d'un autre âge.

En revanche, il est un domaine dans lequel Crawfie rencontre plus de succès, celui des loisirs. Dans la mesure de ses moyens et en tenant compte le plus possible des impératifs de sécurité, elle s'efforce de remédier à l'isolement dont les deux fillettes souffrent. « Les autres enfants leur semblaient absolument fascinants, racontera-t-elle. Ils étaient comme des êtres mythiques venus d'une autre planète. Lorsqu'il leur arrivait, rarement, d'en rencontrer à l'occasion d'une promenade, elles leur souriaient timidement. Elles auraient beaucoup aimé leur parler et s'en faire des amis, mais cela demeurait un sujet tabou dans la famille royale. J'ai souvent pensé que cela était très dommage. D'autant plus que dans certaines autres familles régnantes comme celles des Pays-Bas ou de Belgique, les princes avaient déjà le droit de se promener dans les rues comme ils le souhaitaient. » La réaction des deux princesses face à ce mur invisible qui les sépare du reste du monde est très révélatrice de leurs caractères futurs. Elisabeth, déjà consciente de son rang et de ses inconvénients, se résigne facilement. Margaret en revanche s'insurge à sa manière en s'inventant des camarades de jeux. Le « Cousin Halifax » qui n'existe que dans son imagination deviendra ainsi une figure habituelle de la nursery du 145 Piccadilly. Un autre indice de ces barrières qui entourent la vie des deux enfants réside sans doute dans leurs goûts en matière de lecture. Elles n'aspirent qu'à une chose, découvrir la vie des autres. Les seuls récits qui les passionnent sont ceux qui sont liés au quotidien d'autres enfants. Le célèbre *Black Beauty*, histoire d'une petite fille et de son cheval, aura notamment leurs faveurs. A l'inverse, les contes ou les récits dans lesquels intervient le merveilleux n'auront jamais aucun attrait pour elles. *Alice au pays des merveilles*, classique de la littérature enfantine anglaise, les laissera toujours indifférentes. La reine et sa sœur avoueront avoir tenté de le lire plusieurs fois, en vain.

Leurs rares incursions dans le monde extérieur sont évidemment parées de tous les charmes de l'aventure. Une ou deux fois, Crawfie réussit à leur faire prendre le bus. Juchées sur la plate-forme supérieure en compagnie de leur institutrice et d'un détective, Elisabeth et Margaret découvrent Londres. Une autre expédition, beaucoup plus téméraire, puisqu'elle a lieu dans le métro, se terminera assez mal. Reconnues par les autres voyageurs, les deux princesses deviennent en quelques secondes le centre d'attraction de tout le wagon dans lequel elles ont pris place. Les voyageurs se donnent le mot d'une voiture à l'autre. Crawfie, devant la foule qui se presse aux portes à chaque arrêt, décide de descendre sur le quai. L'attroupement ne diminuant pas, le chef de station alerté doit se résoudre à appeler la police pour dégager les princesses et leur institutrice qui achèvent le voyage dans une voiture entourée de deux motards. Cet épisode signe la fin des aventures d'Elisabeth et de Margaret dans les transports en commun.

Cette enfance cloisonnée, à l'écart de la vie réelle, marquera profondément le caractère de la future reine. Elle n'est certainement pas étrangère à cette raideur, cette difficulté à comprendre le point de vue des autres, qu'on lui reproche souvent en l'assimilant à un manque d'humanité. Elle aura aussi pour effet secondaire de mettre en place à jamais une hiérarchie bien précise dans ses affections. Depuis toujours, sa mère, l'actuelle reine mère, et sa sœur la princesse Margaret y occupent une place à part, bien au-dessus de tous les autres. Tous les jours, les trois femmes se téléphonent longuement, quand elles ne se voient pas. Pour sa mère et sa sœur, Elisabeth a toujours fait preuve de toutes les indulgences. Le noyau familial qui se construit durant cette enfance se révélera indestructible et parfois impénétrable pour les étrangers.

Il existe toutefois un jardin secret derrière les murs duquel toute la famille peut laisser libre cours à sa fantaisie, à l'abri des regards curieux : c'est la résidence de Royal Lodge dans le parc de Windsor que le roi George V a offerte à son deuxième fils quelques mois avant l'arrivée de miss Crawford. Construit au début du XIXe, ce pavillon de chasse est situé à quelques kilomètres du château lui-même et de Fort Belvédère, la maison de campagne du prince de Galles. Parfait exemple d'architecture néo-gothique, il est de dimensions relativement modestes. Ses petits créneaux ne sont pas sans rappeler l'architecture médiévale de Glamis et chaque membre de la famille s'y sent particulièrement à son aise. En y emménageant, les York se sont contentés de donner un coup de peinture à la façade et d'installer des salles de bains. C'est là que le duc s'adonne à sa passion pour le jardinage et que ses filles découvrent les joies de la vie à la campagne.

L'hommage triomphal du peuple britannique à son souverain devait aussi être le dernier événement marquant de son règne. A soixante-dix ans, c'est un homme usé, fatigué et terriblement marqué par les crises publiques et familiales qu'il a dû affronter au cours de sa vie. La mort de sa sœur aînée, la princesse Victoria, le 3 décembre 1935, le frappe douloureusement. Tous deux étaient liés par une relation très forte depuis leur plus tendre enfance. Chaque journée du roi débutait invariablement par un long coup de téléphone à sa sœur. Leur complicité était telle qu'il arrivait souvent que la reine Mary s'en agace, se sentant exclue de leurs confidences. Très abattu par cette disparition, le souverain décide d'annuler l'ouverture officielle du Parlement et d'avancer la date des traditionnelles vacances de la famille royale à Sandringham. C'est là, dans cette demeure du Norfolk où il se sent réellement chez lui, qu'il va finir ses jours au début de l'année 1936. Ses dernières joies, il les doit à ses petits-enfants. Il passe de longs moments avec Elisabeth et Margaret, toutes deux émerveillées devant l'arbre de Noël de sept mètres de hauteur qui a été dressé dans le grand hall du château. Chaque soir, il assiste aussi au bain de son petit-fils, le prince Edouard de Kent, âgé de trois mois. Trois jours après le Nouvel An, alors que ses enfants et petits-enfants sont rentrés à Londres, le roi qui s'affaiblit de plus en plus est contraint de garder la chambre. Dans l'après-midi du 16 janvier, le prince de Galles qui se trouve à Windsor reçoit un télégramme envoyé par sa mère : « Dawson (le médecin du roi) n'est pas très satisfait de l'état de santé de papa. Je pense que vous devriez venir à Sandringham, mais sans avoir l'air de rien, afin de ne pas l'alarmer. »

Le lendemain matin, le prince et deux de ses frères, les ducs d'York et de Kent, quittent Londres à bord d'un avion privé. Le duc de Gloucester qui se remet d'une forte grippe n'a pu se joindre à eux. Ils vont arriver juste à temps pour assister aux derniers instants de leur père. Dans l'après-midi du 20 janvier, le vieux roi remplit pour la dernière fois ses devoirs constitutionnels. Après avoir écouté la lecture d'un texte de loi qui vient d'être voté par le Parlement, il murmure péniblement la formule traditionnelle : « Approuvé », avant de tracer deux initiales informes sur le document officiel. C'est le dernier acte de son règne. Un peu avant minuit, il rend son dernier soupir. On sait aujourd'hui qu'en accord avec la reine, le prince de Galles et ses frères, le docteur Dawson a pris l'initiative de lui administrer une forte dose de sédatif afin d'abréger son agonie. Le lendemain, la reine Mary note dans son *Journal* : « A minuit moins cinq, mon cher mari est mort paisiblement. J'ai le cœur brisé. Mes enfants se sont montrés angéliques. » Son premier geste, sitôt la mort de son époux constatée par le médecin, a été de faire une profonde révérence devant son fils aîné et de lui baiser la main. L'hommage normal d'une reine douairière à son nouveau souverain.

Il est extrêmement difficile de déterminer de quelle manière ce décès affecte Elisabeth. Elle-même ne s'est jamais exprimée, en public ou en privé, sur ce sujet. Toutefois, il semble évident que des cinq petits-enfants du roi, elle est celle qui ressent le plus douloureusement cette disparition. On le sait, un lien affectif particulier l'unissait à son grand-père. On peut imaginer qu'avec le sens aigu qu'ils ont de la nécessité de préserver le plus possible leurs enfants, le duc et la duchesse d'York tiennent leurs filles à l'écart des moments trop pénibles. Ni l'une ni l'autre ne participent aux funérailles, il est vrai qu'à neuf ans et cinq ans, elles sont encore très jeunes. Toutefois, la veille de la cérémonie, leur mère les conduit à l'abbaye de Westminster où le catafalque du souverain est exposé. Elisabeth qui tient la main de sa mère a parfaitement compris que la circonstance est exceptionnelle. Tout le monde n'est-il pas vêtu de noir ? Elle sait aussi que tout cela concerne Grand-Papa puisque le soir même, de retour au 145 Piccadilly, elle commente rapidement cette visite en insistant sur le fait que tout le monde a été silencieux afin de « ne pas réveiller Grand-Papa ». Le jour des funérailles, alors qu'elle se trouve seule dans la nursery avec Margaret et Crawfie, elle pose cette question très révélatrice : « Avons-nous le droit de jouer ? » Confrontée pour la première fois avec la mort, elle n'en a pas une image très précise. Cela dit, elle a parfaitement compris que quelque chose d'important est en train de se passer. Un événement qui dépasse largement les limites de l'intimité familiale. Cette absence dont on lui a expliqué qu'elle sera définitive ne lui appartient pas entièrement puisque, dans les rues, des milliers de personnes pleurent son grand-père. On peut considérer que son enfance s'arrête à cet instant précis, car si les conséquences de la mort de son grand-père demeurent encore assez vagues dans son esprit, celles de la terrible année qui va suivre ne lui échapperont pas. Quoi de plus normal ? C'est au cours de ces douze mois que va se jouer son destin de reine. Et le moins que l'on puisse dire est qu'il se jouera dans des circonstances pénibles.

Le climat « angélique » que la reine Mary évoquait dans son *Journal* n'a pas duré très longtemps. Trois jours après la mort de George V, c'est une famille royale déjà extrêmement tendue qui se rassemble une nouvelle fois à Sandringham pour assister à l'ouverture du testament. L'ombre de madame Simpson pèse déjà sur le destin du roi. Ni sa mère ni ses frères ne peuvent ignorer qu'elle était à ses côtés, la veille, lorsqu'il a assisté derrière une fenêtre du palais de Saint James à la lecture officielle de l'acte qui le proclamait roi. Ce geste, pourtant discret, leur a suffi pour comprendre qu'Edouard VIII – c'est le nom de règne qu'il a choisi – entend associer aux moindres actes de sa vie la femme qu'il aime. Reste à savoir de quelle manière, et c'est la question que chacun se pose. Dans une Angleterre très pudibonde et au sein d'une famille royale particulièrement attachée aux apparences, le mariage du roi, chef suprême de l'Eglise anglicane, semble impensable. La situation est d'autant plus délicate que ce n'est pas un, mais deux divorces qu'il faudrait accepter, Wallis étant toujours mariée à son second époux, Ernest Simpson.

La lecture du document officiel par lequel George V a disposé de sa fortune n'arrange rien. Le patrimoine du défunt, soit près de quatre millions de livres sterling, est partagé à parts égales entre son épouse, sa fille et ses trois fils cadets. L'aîné reçoit simplement les deux domaines de Sandringham et de Balmoral qui sont estimés à peu près 400 000 livres. Ces dispositions ne semblent pas lui convenir, puisque sitôt la lecture des dernières volontés de son père achevée, il sort de la pièce après s'être exclamé plusieurs fois : « Mais il ne me reste rien. » Le lendemain, il quitte Sandringham, sans se douter qu'il n'y reviendra jamais. Rentré à Londres, il charge le duc d'York de mettre sur pied un plan de réformes qui permette de réduire rapidement les coûts d'entretien de la propriété qu'il surnomme le « vorace éléphant blanc ». Les économies proposées par son frère ne lui semblant pas suffisantes, il reprendra lui-même les choses en main et décidera le licenciement d'un quart des cinq cents employés de la propriété et la vente de plusieurs fermes du domaine. Une manière comme une autre de remplir ses caisses.

La décision est d'autant plus choquante lorsque l'on sait que le nouveau roi dispose de moyens financiers extrêmement importants. En plus de sa fortune personnelle qui est estimée à plus d'un million de livres, il a dorénavant à sa disposition les revenus de la liste civile, soit 470 000 livres, et ceux du duché de Lancastre qui s'élèvent à 67 000 livres. Le total se monte à plus de 600 000 livres. En 2001, cette somme représenterait à peu près 28 millions de livres sterling ou 300 millions de francs, c'est-à-dire trois fois le montant de la liste civile actuelle d'Elisabeth II. Les frais d'entretien de Sandringham totalisant, pour l'année 1936, 50 000 livres sterling, il n'est pas très difficile de mesurer le poids que la charge des cinq cents employés du domaine représente pour la bourse du roi. Surtout à l'époque où l'Europe tout entière commence à peine à se remettre des dures années de crise économique. A peu près à la même époque, il acquitte chez Cartier et chez Van Cleef et Arpels à Paris deux factures de plusieurs dizaines de milliers de livres correspondant au prix des bijoux qu'il a offerts à Wallis à l'occasion des fêtes de Noël.

De ces discussions pécuniaires, Elisabeth n'aura l'écho que beaucoup plus tard. En revanche, elle se rend parfaitement compte du refroidissement très net qui commence à affecter les relations que ses parents entretiennent avec son oncle David. L'avarice du nouveau roi n'est pas seule en cause. Loin de là. Le motif principal de tension est la présence de plus en plus envahissante de Wallis Simpson que ni le duc d'York ni surtout son épouse n'apprécient particulièrement. Le moins que l'on puisse dire est que les relations entre les deux femmes n'ont jamais été chaleureuses. Milieu, éducation, caractère, goûts, tout les oppose. Nulle part cet antagonisme ne semble plus évident que lorsque l'on compare leurs photos. Face à une Wallis impressionnante d'élégance, toujours à la pointe de la mode, impeccablement vêtue, les cheveux presque laqués à force d'être bien coiffés, Elisabeth se présente comme une femme douce, souriante, affable, qui n'éclipse les autres que par une sorte de grâce intemporelle qui se déploie dans un halo de fourrures, de dentelles et de perles. A l'obsession presque maniaque du chic qui caractérise la première, la seconde oppose l'aisance d'une aristocrate qui sait que, de toute façon, elle n'a rien à prouver sur un territoire qu'elle connaît parfaitement bien. Wallis s'est d'ailleurs très vite rendu compte que le sourire de la duchesse n'avait rien de bienveillant lorsqu'il lui était destiné. Elle en témoignera dans ses *Mémoires* en racontant une de leurs premières rencontres à Royal Lodge. Le prince de Galles et sa maîtresse sont venus en voisins de Fort Belvédère afin de faire admirer au duc d'York le camping-car que le prince vient d'acquérir.

« Le duc et la duchesse d'York vinrent à la rencontre de David sur le perron. David insista pour qu'ils viennent visiter son camping-car. C'était amusant d'observer les contrastes entre les deux frères. David, très enthousiaste et volubile, expliquait les points forts de l'engin. Le duc d'York, silencieux et timide, était apparemment très réservé quant aux qualités réelles de cette mécanique américaine. C'est seulement quand David a commencé à lui faire une démonstration du système de frein qu'il a commencé à s'animer. Après quelques minutes, les deux frères sont revenus vers la maison et nous avons commencé à nous promener dans le jardin. J'avais déjà rencontré la duchesse d'York à plusieurs reprises au Fort et à Londres. Son célèbre charme était particulièrement évident. C'est ce jour-là que j'ai remarqué la beauté de son teint et de son regard bleu. Notre conversation, je m'en souviens très bien, était surtout consacrée aux mérites comparés des jardins du Fort et de Royal Lodge. Nous sommes retournés à la maison pour le thé qui était servi dans le salon. Pendant quelques instants, les deux petites princesses se sont jointes à nous. La princesse Elisabeth avait alors dix ans. La princesse Margaret en avait presque six. Elles étaient toutes deux si blondes, si bien élevées, si nettes qu'elles avaient l'air de sortir d'un livre de contes pour enfants. Sur la table à côté de l'argenterie du thé était posé un pot d'orangeade pour elles. David et sa belle-sœur ont entamé une longue conversation. Occasionnellement, le duc d'York intervenait. Ce fut un moment agréable, mais je suis partie avec l'impression très nette que si le duc d'York avait fini par admettre les avantages du camping-car américain, son épouse était loin d'apprécier l'autre centre d'intérêt américain de David. »

La scène est d'autant plus intéressante que, grâce à Crawfie, qui la rapporte elle aussi dans son livre de souvenirs, on connaît indirectement l'opinion des York sur cette visite impromptue. Si l'on en croit la gouvernante des princesses, Mrs Simpson se montre beaucoup plus autoritaire dans ses propos qu'elle ne le laisse supposer dans ses *Mémoires*. Elle n'hésite pas à couper plusieurs fois la parole au futur roi. Une négligence tolérable dans une éducation américaine mais inimaginable au sein de la famille royale anglaise et qu'Edouard n'aurait sans doute admise de personne d'autre. Elle insiste aussi sur les commentaires peu obligeants que la maîtresse royale fait à son amant à propos du jardin de Royal Lodge. Sans se préoccuper de la présence du duc et de la duchesse d'York, elle désigne du doigt les arbres qui devraient être abattus afin d'améliorer la vue. Toujours d'après Crawfie, après avoir bavardé quelques instants avec leur oncle, les deux fillettes sont invitées par leur mère à aller se promener dans le jardin. Naturellement, leur gouvernante les accompagne. Lilibeth lui demande alors qui est cette femme venue rendre visite à ses parents avec son oncle David. Cette brève entrevue restera pendant très longtemps la seule rencontre de la future duchesse de Windsor et la future reine d'Angleterre. Elles ne se reverront que trente-six ans plus tard, quelques jours avant la mort du duc de Windsor.

Ces relations froides mais encore courtoises vont peu à peu devenir glaciales. Force est d'ailleurs de constater que le roi et sa maîtresse accumulent les maladresses. Plus Edouard VIII s'obstine à afficher Wallis à qui il demande notamment de présider des dîners auxquels sont conviés des membres de sa famille et même le Premier ministre Stanley Baldwin et son épouse, et plus sa famille semble s'acharner à l'ignorer. La crise avec la duchesse d'York parvient à son paroxysme à la fin du mois de septembre 1936. Comme tous les ans, la famille royale a prévu de passer la fin des vacances d'été en Ecosse. Le roi séjourne à Balmoral alors que le duc et la duchesse d'York et leurs deux filles sont installés à Birkhall, une résidence plus modeste située à quelques kilomètres du château de la reine Victoria. Le roi a commis un premier impair en négligeant d'inviter l'archevêque de Canterbury à passer quelques jours à Balmoral comme le veut la tradition. Un oubli fâcheux que les York se sont empressés de réparer en conviant le prélat à Birkhall. Un second incident, directement lié à l'arrivée de madame Simpson, survient le 23 septembre. Depuis des semaines, l'hôpital d'Aberdeen demande au roi de venir inaugurer sa nouvelle aile. Edouard VIII a refusé en prétextant que le deuil de Cour consécutif à la mort de son père l'empêchait de participer à des manifestations publiques. Le prétexte de son refus est d'autant plus désobligeant pour la direction de l'hôpital que chacun sait pertinemment que le deuil officiel fixé après la mort du roi George s'est arrêté à la fin du mois de juin. Une fois encore les York sauvent la situation en annonçant leur présence. Le lendemain de la fameuse inauguration, quelle n'est pas leur surprise lorsqu'ils découvrent dans la presse locale une photo du roi prise la veille à la gare d'Aberdeen alors qu'il venait accueillir une amie venue passer quelques jours à Balmoral. Fidèles à la règle de respect de la vie privée de la famille royale qu'ils observent depuis toujours, les journalistes ne citent pas le nom de l'amie. Mais, pour le duc et la duchesse d'York, son identité ne fait aucun doute. L'affrontement direct entre les deux femmes a lieu le soir même lors d'un dîner donné par le roi. Avec un certain sans-gêne, Wallis, qui a été installée dans les appartements autrefois occupés par la reine Mary, joue à la maîtresse de maison. Lorsque le duc d'York et son épouse arrivent, elle se précipite à leur rencontre pour les accueillir. Ce geste malheureux, peut-être dicté par le souci de bien faire, est interprété comme la manifestation flagrante de la grossièreté d'une parvenue. Suivant l'étiquette des maisons royales, le roi étant célibataire, c'est en effet la duchesse d'York qui reçoit aux côtés de son beau-frère. Sans même regarder Wallis qui s'approche d'elle, la duchesse poursuit son chemin en annonçant clairement et sans se départir de son sourire : « Je suis venue dîner avec le roi. » Parvenue dans la salle à manger, elle se dirige directement vers la chaise située en face de celle du roi afin de bien démontrer qu'en l'absence d'une reine c'est à elle qu'il revient de présider. De la même manière, à la fin du repas, elle met un point d'honneur à se lever la première afin de signifier aux autres femmes présentes que, suivant la tradition britannique, elles doivent se retirer au salon afin de laisser aux hommes le temps de savourer cigares et porto. Assenée avec tout l'aplomb d'une princesse royale, la claque est magistrale. Elle équivaut à une déclaration de guerre. Ce que Wallis et Edouard VIII ignorent, c'est qu'à ce jeu-là, la duchesse d'York est une adversaire beaucoup plus coriace qu'ils ne l'imaginent. D'ailleurs, les jeux sont déjà faits.

Tout au long du printemps et de l'été 1936, le roi et son Premier ministre Stanley Baldwin ont eu des entretiens serrés à ce sujet. Baldwin n'a pas dissimulé au souverain l'opposition très forte que son projet de mariage rencontrait au sein du gouvernement et du Parlement. La solution d'un éventuel mariage morganatique a même été évoquée sans succès. Curieusement, c'est le Parlement australien et son Premier ministre pourtant réputés libéraux qui ont refusé cette possibilité avec le plus de véhémence. Au début du mois d'octobre, Baldwin expose clairement la situation au souverain. Le débat se résume à deux options : soit le roi renonce à madame Simpson et il conserve sa couronne, soit il l'épouse et dans ce cas il doit renoncer au trône. Détail amusant, grâce aux conversations de ses parents, Elisabeth a eu vent de ces rencontres entre le roi et son Premier ministre. Elle a aussi compris qu'il y était question du mariage de son oncle. A Margaret qui lui demande pourquoi papa et maman sont si préoccupés par les discussions entre monsieur Baldwin et oncle David, elle répond avec beaucoup d'aplomb : « Je crois qu'oncle David veut se marier avec madame Baldwin et cela ne fait pas très plaisir à monsieur Baldwin. »

Le 3 décembre 1936, les quotidiens britanniques se décident enfin à rompre la loi du silence. Tous titrent en première page : « Le mariage du roi. » C'est le discours prononcé par l'évêque de Bradford deux jours auparavant qui a mis le feu aux poudres. S'adressant à la conférence des évêques d'Angleterre, il n'a pas hésité à déclarer : « Le roi a particulièrement besoin de la grâce divine en ce moment s'il veut faire son devoir correctement. Nous espérons qu'il est conscient de ce besoin. Certains parmi nous souhaitent qu'il nous en donne des signes plus convaincants. » L'attaque en règle de la presse, qui, elle non plus, n'est pas favorable aux amoureux royaux, a pour première conséquence le départ de madame Simpson qui quitte l'Angleterre le soir même. Lorsque sa voiture s'éloigne de Fort Belvédère où elle est venue faire ses adieux au roi, un valet de pied lance à un de ses collègues : « – Enfin, nous en avons fini

85

avec elle. – N'en soyez pas si sûr, répond l'autre et croisez vos doigts. » Deux phrases qui donnent une idée de la popularité du couple. Edouard VIII les a-t-il entendus ? Sans doute pas. Mais il ne peut ignorer l'impopularité dont la femme qu'il aime est l'objet. Sa décision est prise. Il l'annonce à sa famille le lendemain. Le 10 décembre, après un lugubre dîner de famille qui s'est déroulé à Royal Lodge en l'absence de la duchesse d'York, clouée au lit par la grippe, l'ex-roi retourne pour la dernière fois à Windsor. Le matin même, il a signé son acte d'abdication et s'apprête à s'adresser pour la dernière fois à la nation par l'intermédiaire de la radio.

« Il y a quelques heures je me suis déchargé de mes derniers devoirs de roi et mon frère le duc d'York m'a succédé. Mes premiers mots seront donc pour déclarer mon allégeance à sa personne et je le fais de tout mon cœur... Cette décision a été rendue moins difficile par la certitude que j'ai que mon frère, grâce à sa longue expérience des affaires publiques de ce pays et grâce à ses qualités exceptionnelles, est parfaitement capable de prendre ma place sans qu'il en résulte la moindre interruption ou le moindre dommage dans la conduite des affaires de l'Empire. Il jouit en outre d'une bénédiction particulière que vous êtes nombreux à partager avec lui, celle de former une famille heureuse avec son épouse et leurs deux enfants. Je lui souhaite, ainsi qu'à vous, son peuple, joie et prospérité. Dieu vous bénisse tous. Dieu sauve le roi. »

Cet ultime message de leur oncle, diffusé tard dans la nuit, ni Elisabeth ni Margaret ne l'ont sans doute entendu. En revanche, elles ont déjà compris que leur père est devenu roi. Dans la biographie qu'elle a consacrée à Elisabeth, lady Longford donne un compte rendu extrêmement précis de la scène : « C'est dans l'après-midi du 11 décembre qu'Elisabeth alors âgée de dix ans entendit la foule rassemblée à l'extérieur du 145 Piccadilly acclamer le nom de son père. Elle descendit au rez-de-chaussée et demanda à un domestique ce qui se passait. L'homme lui répondit que son père était maintenant roi, ce qui signifiait qu'elle-même serait peut-être un jour reine. Remontant à la nursery en courant, elle fit part de cette nouvelle excitante à sa sœur Margaret.

— Est-ce que cela veut dire qu'un jour tu seras la prochaine reine ? lui demanda alors Margaret.

— Oui, un jour, sans doute, lui répondit Elisabeth.

— Tu n'as vraiment pas de chance. »

La scène paraît trop belle pour être vraie. Il n'y manque que l'intervention d'une bonne fée ou d'une devineresse quelconque qui aurait prophétisé le brillant avenir qui attendait la petite princesse de dix ans. Le processus de l'abdication d'Edouard VIII avait duré de longues semaines et il semble douteux que des échos n'en soient pas parvenus d'une manière ou d'une autre à la nursery. Il existe d'ailleurs une seconde version, plus sobre, de cette fameuse journée du 11 décembre au cours de laquelle Elisabeth et Margaret apprirent que leur père montait sur le trône. Elle est due à Marion Crawford qui, comme on s'en doute, est aux premières loges : « Quand le roi est rentré, Lilibeth et Margaret l'ont salué pour la première fois d'une profonde révérence. Je crois que pour lui c'est sans doute la chose qui a marqué de la manière la plus significative possible le changement qui était arrivé au cours de ces dernières semaines. Il est resté immobile devant elles, très surpris par leur geste, puis il les a embrassées chaleureusement. Quelques jours plus tard, apercevant une enveloppe adressée à "Sa Majesté la Reine", Elisabeth demande à l'une des dames d'honneur de sa mère : "C'est maman, maintenant, n'est-ce pas ?" »

IV

« POUR PAPA ET MAMAN,
EN SOUVENIR
DE LEUR COURONNEMENT... »

« L E 12 mai 1937, jour du couronnement.

« A cinq heures ce matin, j'ai été réveillée par la fanfare des "Royal Marines" qui répétait juste en dessous de ma fenêtre. J'ai sauté hors de mon lit et Bobo a fait de même. Nous avons enfilé nos robes de chambre et nos pantoufles. Bobo a insisté pour que je porte aussi une liseuse car il faisait très froid. Ainsi équipées, nous avons ouvert la fenêtre et nous nous sommes penchées pour découvrir cette froide et grise matinée. De nombreuses personnes attendaient déjà le début des cérémonies. Il en arrivait d'autres tout le temps et de tous côtés. Nous avons fait plusieurs allers-retours entre nos lits et la fenêtre afin d'observer les orchestres et les soldats. A six heures du matin, Bobo s'est levée. Quant à moi, au lieu de sortir de mon lit à mon heure habituelle, je me suis levée à sept heures trente. »

Rédigé sur une feuille de papier blanc par la princesse Elisabeth elle-même, ce petit compte rendu est certainement le témoignage le plus émouvant qui soit de la

89

journée du couronnement du 12 mai 1937. Ce jour-là, cinq mois après leur accession officielle au trône, le nouveau roi George VI et son épouse reçoivent l'onction divine qui sanctionne leur pouvoir sur les royaumes d'Angleterre, d'Ecosse, d'Irlande, l'Empire des Indes, les dominions du Canada et d'Australie. Afin de renouer avec la stabilité institutionnelle ébranlée par l'abdication, le gouvernement a insisté pour que la cérémonie ait lieu le plus rapidement possible. En fait, rien, sinon la personne du monarque, n'a été modifié. Même la date choisie, le 12 mai, est celle qui avait été prévue pour le couronnement d'Edouard VIII. Pour la première fois dans l'histoire de l'Angleterre, la cérémonie, retransmise à la radio, est suivie en direct par des millions de personnes. Car la souveraineté qui échoit au nouveau monarque a beau être symbolique, puisqu'elle est constitutionnelle, elle s'étend à cette époque sur un bon quart de la planète.

De quoi susciter bien des interrogations dans la tête d'une petite fille de onze ans, qui commence à peine à envisager qu'un jour, peut-être, il lui reviendra de diriger cet Empire. Son petit essai, elle l'a rédigé comme un souvenir, une sorte de compliment comme on en écrivait autrefois à l'occasion de la fête des mères ou de l'anniversaire de ses parents. La seule différence tient dans l'en-tête. Certes, le document est bien adressé à : « Papa et Maman ». Mais au lieu d'avoir été rédigé à l'occasion d'une fête de famille, il l'a été « en souvenir de votre couronnement ». Soixante-cinq ans plus tard, cet hommage touchant d'une enfant à ses parents est devenu un document historique qui résume assez bien le paradoxe perpétuel que sera la vie d'Elisabeth à partir de ce 12 mai. Appelée à monter un jour sur le trône, elle va peu à peu cesser d'être une personne privée pour devenir un personnage historique. En a-t-elle déjà conscience ? Sans doute pas totalement. Mais il lui a été difficile de ne pas se rendre compte que depuis la fameuse abdication de l'oncle David, sa vie quotidienne a changé d'une manière radicale.

L'installation à Buckingham Palace a été la première étape marquante de sa nouvelle existence. Toujours dans le souci de bien marquer la continuité du système royal, le gouvernement a insisté pour que le déménagement se fasse dans les semaines qui ont suivi l'abdication. De toute façon, le Palais officiel des souverains britanniques était vide depuis de longues semaines. La reine Mary l'avait quitté trois mois après la mort de son époux pour aller s'installer à Marlborough House, une somptueuse résidence de briques rouges appartenant à la couronne et située à quelques dizaines de mètres du palais de Saint James. Edouard VIII qui ne l'avait jamais aimé n'avait même pas eu le temps de s'y installer. Il s'était simplement aménagé un appartement de fortune dans la « Suite Belge », une série de quatre pièces en enfilade situées au rez-de-chaussée du Palais et ouvrant directement sur le jardin. C'est donc une maison un peu abandonnée qu'Elisabeth, Margaret et leurs parents ont découverte le 17 février 1937 lorsqu'ils ont pris possession des lieux.

La demeure, dans laquelle ses grands-parents avaient vécu durant plus de vingt-cinq ans, avait beau lui être familière, Elisabeth n'avait pu s'empêcher de marquer une légère appréhension lorsque ses parents lui avaient annoncé qu'elle allait devenir leur nouveau foyer. Il est vrai que la perspective de vivre dans cet antique Palais avait bien de quoi impressionner une enfant de onze ans. Construit à la fin du XVIIe siècle, il s'était d'abord nommé Gore House, puis Arlington House, du nom de ses deux premiers propriétaires, avant d'être acquis et largement transformé au début du XVIIIe siècle par le duc de Buckingham qui lui avait donné son nom définitif. La famille royale était entrée en possession de cette demeure en 1760 lorsque George III en avait fait l'acquisition afin de l'offrir à son épouse, la reine Charlotte. A ce moment seulement, Buckingham House était devenu Buckingham Palace. Toutefois, c'est plus d'un demi-siècle plus tard, au début des années 1820, que le Palais avait commencé à devenir une véritable résidence royale lorsque George IV, souhaitant s'y installer, l'avait considérablement agrandi. Le pavillon central, qui comprenait à l'origine deux étages et neuf fenêtres de façade, avait été élargi sur ses deux côtés et augmenté de deux ailes au nord et au sud. Sous le règne de Victoria, une quatrième aile, édifiée à l'est du côté qui regardait la ville de Londres, était venue fermer le quadrilatère. Tel qu'il se présentait en 1937, Buckingham Palace comptait 600 pièces, des dizaines d'escaliers et de cours intérieurs, d'interminables corridors et des centaines de fenêtres. Une véritable ville où vivaient près de 800 personnes.

Les appartements d'apparat réservés à la vie officielle étaient situés dans le corps de bâtiment central ouvrant à l'ouest, sur le jardin. Cette partie du Palais plus que toute autre avait fait l'objet des soins attentifs de la reine Mary. Très attachée aux traditions et à l'histoire de la dynastie, l'épouse de George V en avait fait un véritable musée surchargé de portraits d'ancêtres, de meubles précieux et de dorures à la feuille. Le décor qu'elle y avait créé ne manquait pas d'allure mais n'avait rien d'intime. L'aile sud abritait la salle des banquets, ou salle de bal, la chapelle, les communs et les services administratifs de la couronne. L'aile nord et une partie de l'aile est étaient réservées à l'usage privé de la famille royale. C'est là que le nouveau roi, son épouse et leurs deux filles s'étaient installés. Les souverains avaient emménagé au premier étage dans les appartements qu'avaient occupés le roi George V et la reine Mary. Elisabeth et Margaret avaient tout naturellement

92

pris leurs quartiers un étage au-dessus, dans la nursery, un ensemble de pièces plus simples situées à l'angle nord-est du Palais. Si l'on en croit le témoignage de Crawfie, quelques jours après leur arrivée, les deux fillettes avaient suggéré que l'on creuse un tunnel qui leur permettrait de rejoindre tous les soirs leurs anciennes chambres du 145 Piccadilly. Leurs parents leur ayant expliqué qu'un tel projet était malheureusement impossible à réaliser, elles avaient alors déclaré : « Dans ce cas, il nous faudra une bicyclette si nous voulons vivre ici. »

L'une et l'autre s'étaient pourtant résignées à accepter cette nouvelle maison. Elles avaient même fini par lui découvrir des charmes insoupçonnés. Les fenêtres de la nursery, au deuxième étage, juste au-dessus de l'entrée principale, s'étaient révélées un emplacement stratégique d'où elles pouvaient observer toute la vie du Palais, des spectaculaires changements de garde jusqu'aux arrivées des invités les soirs où leurs parents recevaient. Le parc, l'un des plus vastes de Londres puisqu'il couvrait, et couvre toujours, près de vingt hectares, ne manquait pas d'attraits, lui non plus. On y trouvait des oiseaux, des écureuils et des cygnes qui glissaient sur une pièce d'eau surmontée d'un petit pont. Un terrain de jeux et de promenade autrement plus intéressant que le petit square se trouvant à l'arrière du 145 Piccadilly. Le plus important était que la vie familiale chaleureuse qu'elles avaient connue jusqu'alors ne soit pas étouffée par les contraintes du protocole. Leurs parents y avaient veillé en supprimant dès leur arrivée quelques coutumes d'un autre âge. Ainsi, la reine avait-elle mis fin à l'usage suranné des révérences que chaque princesse se devait autrefois de faire lorsqu'elle saluait son père ou sa mère.

L'autre changement, beaucoup plus subtil et dont Elisabeth commençait à peine à se rendre compte, la concernait plus directement. Il résidait dans l'attitude particulière que certains membres de l'entourage et même de la famille avaient dorénavant à son égard. De la plus âgée de ses grand-tantes au plus jeune des domestiques du Palais, chacun semblait lui marquer un respect nouveau. Même sa grand-mère, la reine Mary, lui portait dorénavant une attention particulière. La vieille reine, pressentant que sa belle-fille n'aurait peut-être jamais d'autres enfants, avait décidé de prendre en main l'éducation historique de ses deux petites-filles. Une ou deux fois par semaine, les princesses étaient donc conviées à l'accompagner dans une promenade culturelle. Le but de la balade était invariablement lié à l'histoire du pays, qu'il s'agisse d'un monument comme la Tour de Londres ou d'un château comme celui de Hampton Court où Henry VIII avait tenu sa cour. Avec une énergie remarquable, la vieille dame arpentait inlassablement ces lieux chargés d'histoire, expliquant en détail les événements dont ils avaient été les témoins.

Un autre indice de ce changement de statut avait été la décision prise par la reine de faire suivre à sa fille aînée des cours d'histoire constitutionnelle. Dans ce but, elle s'était assurée les services de la plus haute autorité qui soit en ce domaine en la personne de sir Jasper Ridley, vice-doyen de la célèbre école d'Eton et auteur d'une *Histoire d'Angleterre* sur laquelle des générations d'étudiants avaient planché pendant plus de trente ans. Ayant fait ses propres études du temps de la splendeur du règne de Victoria, cet aimable gentleman était d'un âge plus que respectable. Il avait néanmoins accepté de dispenser ses lumières deux fois par semaine à l'héritière présumée de la couronne. Aimablement distrait, il expliquait à sa royale élève les bienfaits du gouvernement de Disraeli en croquant des morceaux de sucre dont il bourrait ses poches avant chaque leçon. Emporté dans son élan, il oubliait régulièrement qu'il avait affaire à une petite fille de onze ans et s'adressait à elle en utilisant l'expression qu'il réservait à ses élèves masculins d'Eton : « Gentlemen. »

Conscient lui aussi du destin exceptionnel qui attendait sa fille aînée, George VI lui avait offert un volume, spécialement relié à son intention et expliquant la cérémonie du couronnement dans ses moindres détails. Chaque jour, depuis plusieurs mois, Elisabeth s'efforçait d'en lire une ou deux pages afin de ne pas faire d'impairs le grand jour.

Pour restituer l'atmosphère de la journée du sacre, nous disposons heureusement d'un témoignage de premier plan, celui de son acteur principal, le roi George VI lui-même. Fidèle à son habitude, il a en effet consigné dans son *Journal* les moindres détails de cette journée historique. Laissons-lui donc la parole :

« Nous avons été réveillés à trois heures du matin par les essais des haut-parleurs qui avaient été installés sur Constitution Hill. L'un d'entre eux était tellement puissant qu'il semblait avoir été placé dans notre chambre. Les orchestres et les soldats ont commencé à se mettre en place vers cinq heures et à partir de ce moment il nous a été impossible de nous rendormir. Je n'ai pas pu avaler un morceau de mon petit déjeuner. J'avais le sentiment permanent que j'étais à deux doigts de m'évanouir. Je savais que la journée qui m'attendait serait extrêmement dure et sans doute la plus importante de toute ma vie. Les heures d'attente avant de partir pour l'abbaye de Westminster ont été épuisantes pour mes nerfs. Finalement, le moment est arrivé et nous sommes partis dans le carrosse d'Etat, vêtus de nos robes d'apparat. A notre arrivée, les pages nous attendaient afin de nous aider à porter nos robes et manteaux jusqu'aux salons d'attente qui avaient été préparés à notre intention.

« La procession d'Elisabeth a démarré la première mais très vite il fallut l'arrêter lorsqu'on a découvert qu'un des chapelains presbytériens s'était évanoui et qu'on ne savait pas où le transporter. Après quelques minutes d'attente, on a fini par l'emporter et la procession a pu poursuivre son chemin à l'intérieur de l'Abbaye jusqu'au chœur. A cause de cet incident, on m'a fait attendre pendant ce qui m'a semblé être des heures. Finalement, ma procession a pu commencer à avancer. Tout s'est bien déroulé et mes pages et moi-même sommes venus à bout de la volée de marches qui conduit au "Sacrarium". En arrivant, je me suis incliné devant maman et la famille qui étaient installées dans la galerie et j'ai pris place sur mon siège. Après l'introduction, on m'a ôté mes robes et on a commencé à m'habiller avec les vêtements du sacre. Entre autres le "Colobium Sindonis", un surplis blanc dont le doyen de Westminster ne s'était pas rendu compte qu'il me le faisait enfiler à l'envers. Heureusement, grâce à l'intervention d'un de mes pages, tout a pu s'arranger. Je me suis agenouillé devant l'autel pour prononcer le vœu du couronnement. Trois évêques, Durham, Bath et Wells, se tenaient à mes côtés et devant moi avant de me soutenir et de me présenter le livre sur lequel était inscrite la formule du serment. Ils étaient censés me souffler les mots, malheureusement aucun d'entre eux n'a pu se rappeler quoi que ce soit. Si bien que j'ai dû me résoudre à lire. Et comble de l'horreur, le doigt du prélat qui tenait le livre était posé juste sur la formule du serment.

« Mon grand chambellan était supposé m'aider à me vêtir, mais ses mains tremblaient tellement que j'ai dû fermer moi-même la ceinture retenant l'épée de Justice. Il était tellement nerveux qu'il a failli m'envoyer le pommeau de l'épée dans le menton en essayant d'attacher cette fameuse ceinture. Finalement, tous les attributs étant disposés, l'archevêque m'a remis les deux sceptres. Le moment suprême est arrivé lorsque l'archevêque a posé la couronne de Saint Edouard sur ma tête. J'avais pris toutes mes précautions afin de vérifier que la couronne était disposée de la bonne manière car elle pèse trois kilos et demi et n'a pas de coiffe, mais l'archevêque et le doyen l'avaient tellement manipulée que je ne suis pas certain qu'elle ait été posée correctement. A ce moment je me suis levé et j'ai commencé à me diriger vers le trône au centre de l'amphithéâtre. Quand je me suis retourné après avoir quitté le fauteuil du couronnement, j'ai failli tomber de tout mon long car un des évêques avait ses deux pieds sur ma robe. J'ai été obligé de lui demander assez dure-ment de s'écarter. En revanche, l'hommage des évêques et des pairs s'est déroulé sans encombre. »

Durant toute la cérémonie, la princesse Elisabeth observe un silence parfait. Pour la première fois, elle porte une robe longue, un manteau de velours rouge accroché à ses épaules par de gros cordons de fil d'or et une petite couronne du même métal. Elle a pris place dans la loge royale juste au-dessus du trône de sa mère. A sa droite, se tient la reine Mary qui vit cette journée pour la troisième fois. La vieille reine a déjà été le témoin privilégié des couronnements de son beau-père Edouard VII et de son époux George V. Contrairement à la tradition qui veut que les reines douairières n'assis-tent pas aux couronnements, elle a tenu à être présente afin de marquer l'unité de la dynastie. Il faut bien admettre que l'image de cette femme âgée, croulant sous les diamants et les fourrures, avec, à ses côtés, une petite fille de onze ans que certains nomment déjà la princesse héritière, a quelque chose d'impression-nant. « Grand-maman était très très belle dans sa robe dorée, brodée de fleurs d'or, racontera Elisabeth. Ce qui m'a un peu surprise, c'est qu'elle ne se souvenait pas de son propre couronnement. J'aurais au contraire pensé que ce genre de souvenir restait gravé dans la

mémoire pour toujours. » Lorsque, à l'issue de la cérémonie, le « carrosse de Verre » dans lequel elles ont pris
place toutes deux en compagnie de Margaret, remonte
le Mall en direction de Buckingham Palace, le public
qui attend depuis des heures de voir passer la procession ne s'y trompe pas. La vieille reine et ses deux
petites-filles, qui symbolisent pour l'une le passé et
pour les deux autres l'avenir de la monarchie, reçoivent
un délire d'acclamations. Et pour une fois, il ne s'agit
pas d'une formule toute faite. Un applaudimètre installé sur le parcours leur donnera deux points de plus
que lors du passage des souverains.

Le correspondant du magazine américain *Time* est
l'un des rares à comprendre la signification profonde
de cette cérémonie d'un autre âge : « C'était comme si
le Moyen Age ressuscitait à l'époque moderne, écrit-il.
Des appareils photos, des projecteurs, des microphones
suspendus très haut aux voûtes de l'abbaye. Des câbles
pour les pneumatiques que les journalistes installés dans
leur loge envoyaient aux télégraphistes un étage plus
bas. La foule qui s'était assemblée autour de l'abbaye
afin d'accueillir son roi était consciente de l'importance de tout cela. Cinq mois de propagande intense
lui avaient permis de comprendre la signification de ce
couronnement de 1937 : une extravagante et coûteuse
démonstration de l'unité de l'Empire et de la permanence des institutions britanniques dans un monde en
plein changement. »

Le changement le plus significatif que le monde est
en train de vivre est bien sûr la montée du péril fas-
ciste. Depuis déjà de nombreuses années, les ambitions
territoriales de l'Allemagne nazie, soutenue par ses
alliés italiens, espagnols et bientôt russes, inquiètent le
gouvernement britannique. Au sein de la famille royale,
le problème prend une dimension très personnelle du
fait de l'attitude ambiguë du duc de Windsor. Elisabeth

elle-même s'en rend compte. Si l'oncle David a subitement disparu de la vie quotidienne, le moins que l'on puisse dire, c'est que l'on parle beaucoup de lui. Et pas en bien.

Dès les premiers mois de l'exil, les relations que l'ex-roi entretient avec ses proches n'ont pas tardé à se désagréger jusqu'à devenir inexistantes. Le premier motif de discorde a été purement financier. Arguant du fait qu'il n'avait reçu aucun capital à la mort de son père, le duc a menacé de vendre les domaines de Balmoral et de Sandringham si le nouveau roi et son gouvernement ne lui accordaient pas une indemnité substantielle afin qu'il puisse vivre décemment à l'étranger. Au terme de longues négociations, un accord a finalement été accepté par les deux parties. George VI acceptait de racheter les deux propriétés moyennant une somme de plusieurs centaines de milliers de livres, plus une pension à vie de 30 000 livres. Apprenant quelques semaines plus tard que son frère aîné, loin d'être démuni comme il l'avait laissé supposer, disposait déjà d'une fortune personnelle de plus d'un million de livres, le souverain s'était senti floué et en avait conçu un ressentiment assez légitime.

Puis, sont venus les problèmes protocolaires. Croyant de bonne foi que son épouse bénéficierait des mêmes titres et statuts que ceux dont il jouissait, le duc de Windsor a fort mal pris le refus ferme et définitif qu'on lui a opposé lorsqu'il a émis le désir de faire précéder le nouveau nom de son épouse du prédicat d'Altesse Royale. Plusieurs conversations téléphoniques assez aigres n'ont pas arrangé les relations entre les deux frères. Jugeant superflus les nombreux conseils dont l'ex-souverain ne manquait pas d'abreuver son frère cadet lors de ces entretiens téléphoniques orageux, la reine a pris sur elle de faire bloquer ces appels par le standard de Buckingham Palace. Soutenue par sa belle-mère la reine Mary, elle ne s'est pas gênée pour suggérer à toute la famille royale et à la Cour que désormais le duc de Windsor était *persona non grata*, non seulement au Palais mais aussi en Angleterre. Il s'en est suivi quelques belles déconvenues mondaines, notamment parmi les anciens amis de Wallis qui n'avaient pas hésité autrefois à adopter son attitude légèrement dédaigneuse à l'égard de la bourgeoise duchesse d'York. Lady Emerald Cunnard, une des plus célèbres hôtesses londoniennes, s'est ainsi vue signifier qu'il était désormais hors de question qu'elle reparaisse jamais au Palais. Très protectrice à l'égard de son époux, dont elle connaissait la santé fragile, la nouvelle reine ne devait jamais pardonner à son beau-frère d'avoir abandonné la charge du pouvoir en laissant à son frère le soin de redorer le prestige de l'institution royale. Le mariage du duc de Windsor, le 3 juin 1937, trois semaines après le couronnement, est une illustration parfaite des relations très tendues qu'il entretient désormais avec sa famille. Ni sa mère, ni sa sœur, ni aucun de ses frères n'y assistent.

La situation atteint son point de non-retour lorsque, trois mois plus tard, le secrétariat parisien du duc de Windsor publie un communiqué officiel : « En accord avec le communiqué délivré au mois de juin dernier qui annonçait que le duc de Windsor publierait directement toute information digne d'intérêt concernant ses projets ou déplacements, son altesse royale fait savoir que lui-même et la duchesse de Windsor visiteront prochainement l'Allemagne et les Etats-Unis afin d'étudier les problèmes de l'emploi et du logement dans ces deux pays. »

Aujourd'hui encore, on s'interroge sur la raison qui a poussé le duc de Windsor à entreprendre ce voyage alors qu'une grande partie de la classe politique anglaise et européenne condamnait déjà fermement la politique raciste de l'Allemagne nazie. Conviction politique,

assurent certains. Volonté de faire un pied de nez retentissant à son frère et au gouvernement britannique qui
lui avaient arraché son abdication, expliquent d'autres.
Il est difficile de le déterminer avec précision. Il est certain que comme bon nombre de membres de la classe
privilégiée, le duc de Windsor, opposant farouche au
communisme, voyait en Hitler un rempart contre les
ambitions de Staline. Sans doute n'était-il pas fâché
non plus de démontrer qu'il comptait toujours sur
l'échiquier politique européen.

En fait, son voyage triomphal en Allemagne se révèle
un marché de dupes. La photo sur laquelle on le voit
serrant la main d'Hitler fait le tour du monde. Dans la
plupart des journaux anglais, elle est accompagnée de
commentaires plutôt désobligeants. La presse se fait
aussi l'écho d'un moment particulièrement pitoyable.
Le duc visitant une usine est accueilli par des centaines
d'ouvriers le bras levé qui crient : « Heil Windsor. » Un
salut auquel le duc se sent obligé de répondre par « Heil
Hitler ». Son image ne devait jamais s'en remettre.

Quelques jours après leur retour en France, Edouard
et Wallis sont bien obligés de se rendre compte que
leur tournée triomphale leur a fermé bien des portes
parisiennes. Sans parler de celles du Nouveau Monde.
Devant les menaces de manifestations des syndicats, le
gouvernement américain a en effet chargé son ambassadeur à Paris de la mission désagréable de signifier au
duc de Windsor et à son épouse que leur voyage en
Amérique est annulé. Cruelle ironie du destin, c'est ce
moment précis que les gouvernements français et britannique choisissent pour organiser un voyage officiel
de George VI et de la reine Elisabeth à Paris. Au pied de
nez maladroit d'Edouard et Wallis, George et Elisabeth
vont répondre par une claque magistrale.

Au mois de juin 1938, la France républicaine
accueille les souverains anglais avec un enthousiasme

101

indescriptible. Une phrase s'étale à la une des quotidiens : « La France est à nouveau une monarchie. Nous portons la reine dans nos cœurs. Elle règne sur deux nations. » Ce voyage dans la capitale de la mode est effectivement un triomphe personnel pour la reine. Et c'est sans doute ce qui agacera le plus la duchesse de Windsor. Quelques semaines avant son départ, Elisabeth a eu la douleur de perdre sa mère. Afin de respecter le deuil de cour, extrêmement strict à cette époque, elle a demandé à son couturier, Norman Hartnell, de lui confectionner une garde-robe blanche, de la couleur du deuil des reines. Le résultat est romantique à souhait. Des mètres et des mètres de soie, de dentelles, de mousselines blanches, brodées de fils d'argent et de perles. L'ensemble est un peu indigeste, mais il convient parfaitement à l'image que l'on peut se faire d'une reine. D'autant plus qu'Elisabeth, suivant son habitude, relève ses toilettes grâce à quelques rangs de grosses perles. Quoi qu'il en soit, ce défilé de mode royale en provenance de Londres emporte l'adhésion des Français qui ne tarissent pas d'éloges sur l'élégance de la reine. Chaque article louangeur est une petite pique indirectement destinée à Wallis.

Les Windsor ont d'ailleurs été priés, poliment mais fermement, d'aller se faire pendre ailleurs. A son ambassadeur à Paris qui lui demandait s'il fallait les inclure dans la liste des invités officiels, le roi a simplement rétorqué : « Une invitation officielle conforterait leur position dans la société française. Des rapports récents indiquent qu'aucune femme à Paris ne souhaite la recevoir. Ils ne se sont pas montrés très polis envers nous. Il serait préférable qu'ils partent en voyage pendant notre visite. »

Un an plus tard, le théâtre de l'affrontement entre les deux couples se transporte en Amérique du Nord. Le 17 juin 1939, les souverains britanniques débarquent à Québec, ville traditionnellement hostile à l'Angleterre, qu'elle considère comme une puissance coloniale. Jouant une fois de plus la carte du charme, Elisabeth fait tomber les barrières avec une aisance qui laisse pantois les plus irréductibles des adversaires de la monarchie. Un journaliste, impressionné par son professionnalisme, fait ce commentaire : « Qu'elle inaugure une crèche, ou qu'elle visite un hôpital, on a toujours l'impression qu'elle vient de découvrir une manière particulièrement agréable de passer sa matinée. » Le voyage officiel se poursuit aux Etats-Unis où les compatriotes de la duchesse de Windsor prodiguent un accueil délirant à celle qu'ils surnomment la « reine des cœurs ». Wallis est vaincue. Et sur son propre terrain.

Ni Elisabeth ni Margaret ne participent à ces voyages. A treize et neuf ans, elles sont jugées trop jeunes pour entreprendre ces tournées qui peuvent s'étendre sur plusieurs semaines. Surtout, le gouvernement ne souhaite pas prendre de risque avec l'héritière de la couronne. La situation politique internationale se désagrège de plus en plus et en période de crise, il n'est pas question que le roi et sa fille aînée voyagent sur le même bateau. Elles ne sont pourtant pas totalement oubliées. Ainsi, le président de la République française leur a fait parvenir deux magnifiques poupées, accompagnées de leur trousseau contenu dans deux élégantes valises de cuir. Contrairement à Margaret, Elisabeth a modérément apprécié le cadeau. Heureusement, le président français lui a aussi offert, au nom de son pays, sa première montre-bracelet, une petite merveille de miniaturisation sur bracelet de platine. Elle la porte fièrement le 2 juillet 1939, lorsqu'elle visite en compagnie de ses parents et de sa sœur l'académie navale de Dartmouth.

Cette visite est l'une des dernières obligations officielles inscrites au programme de la famille royale avant les traditionnelles vacances à Balmoral. Inquiet devant la tension internationale qui s'accroît de jour en jour, le roi a tenu à la faire. L'Angleterre ne tire-t-elle pas sa plus grande force de sa marine ? Le collège naval ayant été victime d'une épidémie de varicelle, les deux jeunes princesses ne peuvent y pénétrer comme l'avait prévu le programme. Elles se contentent donc de visiter le parc et les installations extérieures. Afin qu'elles ne s'ennuient pas trop pendant que leurs parents inspectent les locaux, la direction de l'école a décidé de leur adjoindre un guide. Il se nomme Philippe et il est prince de Grèce et de Danemark. Il est âgé de dix-huit ans. Margaret, qui en est encore à l'âge des poupées, le trouve amusant. Elisabeth, quant à elle, est littéralement subjuguée par la personnalité et le physique du jeune homme. Lorsque Philippe saute d'un bond par-dessus le filet d'un court de tennis, elle murmure à l'oreille de Crawfie : « Il est extraordinaire, n'est-ce pas ? Comme il saute haut. » Crawfie, nettement moins impressionnée, notera dans ses *Mémoires* : « J'ai trouvé qu'il en faisait un peu trop, mais les deux princesses étaient très impressionnées. » Elle ne croyait pas si bien dire. Dans le cas d'Elisabeth, cette fascination va durer plus de soixante ans.

V

« MAIS QUI EST CET HITLER
QUI NOUS GÂCHE NOS VACANCES ? »

LES premiers mois de la Seconde Guerre mondiale,
Elisabeth et Margaret vont les vivre dans le calme
relatif du domaine de Balmoral. Au début du mois
d'août 1939, la famille royale y avait pris ses quartiers
d'été, comme tous les ans à la même époque. La nouvelle de l'invasion de la Pologne par les troupes allemandes avait subitement contraint le roi à rentrer à
Londres en laissant son épouse et ses filles en Ecosse.
La menace d'un conflit se précisant de jour en jour, les
souverains, en accord avec le Premier ministre Neville
Chamberlain et le gouvernement, décident d'y laisser
leurs deux filles, provisoirement en tout cas. Tous pré-
fèrent savoir la princesse héritière et sa jeune sœur en
sécurité dans le nord de l'Ecosse. Ils se doutent bien
que l'Angleterre s'apprête à vivre des heures difficiles
et que Londres sera la cible privilégiée des bombardements, si jamais le conflit se prolonge. A ceux qui lui
conseillaient d'adopter une solution encore plus radicale
en envoyant ses filles à l'étranger, au Canada ou aux
Etats-Unis, la reine a répondu avec ce courage audacieux

105

dont elle fera preuve pendant toute la guerre : « Elles ne partiront pas sans moi. Je ne quitterai pas le roi. Et le roi ne partira jamais. » Ce mot, et tant d'autres qu'elle prononcera au cours des années terribles qui s'annoncent, lui vaudront, ainsi qu'au roi et à leurs filles, une immense popularité en Grande-Bretagne et au-delà des mers.

Du haut de ses treize ans, Elisabeth a parfaitement saisi la gravité des événements. Suivant son habitude, elle en accepte les conséquences désagréables sans rechigner. Sa première réaction est de tenter de préserver Margaret le plus possible afin « de ne pas l'inquiéter ». Cette dernière a d'ailleurs un peu de mal à comprendre la situation. Elle se contente de demander : « Mais qui est ce monsieur Hitler qui se permet de gâcher nos vacances ? »

Immédiatement après le départ de son époux pour Londres, la reine ferme le grand château de la reine Victoria où elle sait que la famille royale ne reviendra pas avant longtemps. Pour des raisons de sécurité, il n'est pas question d'y laisser les princesses. La masse du bâtiment est une cible trop facile à repérer pour d'éventuels bombardiers allemands. En accord avec le roi, elle a décidé de les installer dans le manoir voisin de Birkhall avec un entourage réduit. En plus des quelques domestiques indispensables à la bonne marche de la maisonnée et des soldats chargés d'assurer la sécurité, Elisabeth et Margaret sont confiées aux soins de leurs gouvernantes respectives, Alla et Bobo. Crawfie dirige cet état-major de crise. Dorénavant, l'énergique institutrice ne se contente plus de prodiguer son enseignement à ses élèves, elle leur sert aussi de seconde mère. C'est vers elle que se tournent les princesses chaque fois qu'un problème ou une question se pose à elles. Elles n'ont d'ailleurs pas le choix. Durant trois mois, elles ne communiqueront avec leurs parents que par téléphone et encore, une seule fois par jour.

Le 29 août, la reine regagne Londres. Elle tient à être présente aux côtés de son époux, si jamais le pire doit arriver. Et effectivement le pire ne tarde pas. Le 1ᵉʳ septembre, les troupes allemandes violent sans vergogne la frontière polonaise. Depuis des années, Hitler guigne du côté de Dantzig, le port entouré d'une enclave de terre qui sépare l'Allemagne de ses possessions orientales. Le surlendemain, l'Angleterre et la France qui ont conclu des traités d'alliance défensive avec la Pologne déclarent la guerre au Reich. Sur les ondes de la radio anglaise, George VI prononce un des discours les plus difficiles de toute son existence. Il débute par ces mots : « Pour la deuxième fois dans la vie de la plupart d'entre nous, notre pays est en guerre. Et c'est pour défendre notre droit que je demande à mes concitoyens à l'intérieur du pays et au-delà des océans de rester calmes, fermes et unis. Des jours sombres nous attendent et la guerre ne sera sans doute pas limitée aux champs de bataille. Mais notre cause ne peut être que juste car nous sommes dans notre droit. »

Fort de ces conseils, le pays tout entier se prépare à un conflit dont personne ne sait encore qu'il va durer six années et qu'il sera le plus terrible que le monde ait jamais connu. Les consignes de sécurité et les restrictions se mettent en place un peu partout. A Buckingham Palace, les tableaux et les meubles les plus précieux sont retirés des salons et envoyés à Windsor où ils seront conservés dans les caves profondes du vieux château, à l'abri des bombes. L'argenterie, les bijoux, les bibelots les plus précieux sont enfermés dans les coffres. Chacun s'applique déjà à économiser le chauffage. Un seul feu électrique est allumé dans chacune des pièces où vivent le roi et la reine. L'hiver étant précoce, une chape de froid descend sur le Palais. La reine qui a toujours été frileuse ne se couche plus sans que trois bouillottes aient été disposées dans son lit. Même l'eau chaude est rationnée. Afin de se plier à la discipline qu'il a recommandée à ses compatriotes, le roi a demandé qu'une barre soit tracée dans chacune des baignoires du Palais. Elle indique le niveau d'eau qu'il ne faut pas dépasser pour respecter les consignes d'économie : quinze centimètres. George VI se résout même à réduire sa consommation quotidienne de cigarettes. Lui qui fumait près de deux paquets par jour se limite dorénavant à dix cigarettes. Ce sacrifice est certainement celui qui lui coûtera le plus.

Les fêtes de Noël vont donner un répit de quelques semaines à la famille royale. Le 18 décembre, la reine téléphone à ses filles afin de leur annoncer qu'elles peuvent quitter Birkhall et se rendre à Sandringham où elle les attendra dans quelques jours. Crawfie, exténuée par la tension des dernières semaines, en profite pour aller passer quelques jours de repos dans sa famille. Son départ, pourtant provisoire, perturbe beaucoup Margaret qui lui fait jurer de revenir dès qu'on le lui demandera. Ces brèves vacances achevées, les princesses et leur entourage emménagent dans une nouvelle demeure qu'elles connaissent bien puisqu'il s'agit de Royal Lodge, la résidence personnelle du roi et de la reine dans le parc de Windsor. C'est là qu'elles ont passé tous leurs week-ends d'enfance. Hélas ! leur séjour dans ces lieux familiers est de courte durée. Au début du mois de mai 1940, la reine, qui n'a pas quitté Londres, téléphone en urgence à Crawfie. Un bombardement, le premier de tous ceux que le pays va subir, est annoncé. Les princesses et leur suite doivent se réfugier immédiatement au château de Windsor. Les puissantes murailles et les caves profondes de la forteresse de Guillaume le Conquérant offrent un abri autrement plus sûr que Royal Lodge contre les bombes allemandes. L'installation est temporaire, le temps que l'alerte soit passée. En fait, Elisabeth et Margaret vont demeurer à Windsor pendant cinq années.

LA VÉRITABLE ELISABETH II

Le moins que l'on puisse dire est qu'il ne s'agit pas d'un cadre particulièrement riant, surtout pour deux adolescentes. Windsor, comme tout le reste du pays, a revêtu ses atours de guerre. De profondes tranchées ont été creusées dans le parc. Les tableaux ont été descendus dans les caves. Les longs couloirs du château sont éclairés par de petites ampoules qui diffusent une lumière blafarde. Et, bien entendu, il y règne un froid de gueux. Durant la journée, c'est encore supportable, mais le soir, traverser un couloir relève de l'expédition polaire. Les deux jeunes princesses ont emménagé dans l'une des plus robustes tours de la forteresse, la Tour Brunswick, à l'angle nord-est du château. Leur appartement est situé au premier étage. Chacune d'entre elles y dispose d'une chambre qu'elles partagent avec Bobo et Alla et d'un salon-bureau. Crawfie est installée au rez-de-chaussée, près de la salle de classe. Avec un certain soulagement, elle a abdiqué une partie de ses pouvoirs entre les mains de sir Hill Child, un proche du roi George, qui est dorénavant chargé de la sécurité des princesses. Les consignes sont strictes. Elisabeth et Margaret les connaissent par cœur. Si jamais les Allemands débarquent sur le sol britannique, sir Hill Child dirigera leur évacuation vers une base secrète où elles attendront leurs parents. L'une et l'autre ont dû se familiariser avec le maniement du masque à gaz qu'elles transportent partout avec elles. Les deux valises qui contenaient les trousseaux des poupées offertes en 1938 par le président de la République française ont été vidées. Chacune des fillettes y a entassé les objets personnels qu'elle souhaite emporter en cas de fuite précipitée.

Si l'on en croit le témoignage de Crawfie, qu'un peu de forfanterie n'effraie jamais, les princesses et leurs gouvernantes respectives ont un peu de mal à prendre au sérieux les alertes aériennes. Lors de la première

109

d'entre elles, Crawfie se précipite vers l'abri qui a été aménagé dans les sous-sols de la Tour Brunswick. Les bombes commencent à tomber lorsqu'elle s'inquiète de ne pas voir descendre les princesses. Elle décide alors de remonter au premier étage afin de presser le mouvement. Quelle n'est pas sa surprise lorsqu'elle découvre Alla et Elisabeth en train de boutonner tranquillement leurs vestes.

« Tout le monde vous attend déjà dans l'abri. Vous devez descendre immédiatement. Il ne s'agit pas d'une répétition en costume, lance-t-elle, passablement énervée.

– Mais, Crawfie, lui répond Elisabeth, nous devons nous habiller avant de descendre.

– Certainement pas, enchaîne une Crawfie au bord de la crise de nerfs. Vous devez simplement mettre un manteau sur votre chemise de nuit et descendre tout de suite. »

En arrivant quelques minutes plus tard dans l'abri, les deux princesses et leurs gouvernantes découvrent un sir Hill Child proche de l'évanouissement. Incapable d'imaginer que seules des raisons de convenances avaient motivé le retard de ses royales protégées, il était déjà en train d'imaginer la réaction des souverains à l'annonce de la mort de leurs deux filles, tuées par une bombe incendiaire. Nettement soulagé, il ne peut faire moins que de sermonner Alla en lui expliquant que la tenue des princesses lui importe beaucoup moins que leur vie. A deux heures du matin, l'alerte étant passée, sir Hill Child a retrouvé ses esprits. Il se tourne vers Elisabeth et en s'inclinant lui déclare le plus cérémonieusement du monde : « Vous pouvez aller vous coucher, Madame. » Le manque de réalisme des princesses face au danger était d'ailleurs un trait de famille. Durant toute la guerre, leur grand-mère, la reine Mary, réfugiée à Badminton chez sa nièce, la duchesse de Beaufort, observera à la lettre le protocole. Ce n'est

110

que dûment habillée et chapeautée, collier de perles autour du cou, qu'elle daignera descendre dans l'abri du château. Au grand agacement de ses hôtes et des soldats chargés de sa sécurité.

Au cours du printemps 1940, la guerre commence à prendre son visage définitif. Après la Pologne, Hitler s'est attaqué avec succès à la Belgique, aux Pays-Bas, à la France, au Danemark et à la Norvège. Gouvernements en exil, souverains découronnés et souvent désargentés encombrent les suites des hôtels de luxe de Londres. Tous ont été chassés par les hordes nazies et sont venus se réfugier à Londres. La reine Wilhelmine des Pays-Bas est quasiment arrivée en chemise de nuit. Obsédée par le fait de ne pas ennuyer les soldats qui ont assuré son transport depuis Amsterdam qu'elle a dû fuir au milieu de la nuit, elle tient à porter elle-même ses deux valises. C'est ainsi qu'elle débarque sur le tarmac de l'aéroport de Londres. Le roi Haakon de Norvège, lui aussi réfugié à Londres, est le héros involontaire d'un incident encore plus comique. Invité à déjeuner par son cousin le roi George, il s'enquiert auprès de ce dernier des consignes de sécurité en vigueur dans la résidence royale : « Que se passerait-il, demande-t-il, si des parachutistes allemands sautaient soudain dans le parc ? » Ravi de donner une preuve éclatante de l'efficacité britannique, le roi George se contente d'appuyer sur un bouton déclenchant une alarme générale. Après tout, un petit exercice d'entraînement ne saurait faire de mal aux troupes d'élite qui assurent sa sécurité. Mal lui en prend. Au bout de dix minutes, personne ne s'est manifesté. Seule la silhouette d'un vieux jardinier installé au beau milieu d'une pelouse anime les jardins. Un peu agacé d'avoir raté son effet, George VI demande à un aide de camp de se rendre au poste de sécurité du Palais afin de comprendre ce qui se passe. Cinq minutes plus tard, l'aide de

111

camp de retour bredouille une explication incohérente. En entendant la sirène, les hommes de la sécurité ont réagi au quart de tour. Malheureusement, au moment même où ils s'apprêtaient à sortir de leurs baraquements afin d'investir le parc, ils ont croisé deux agents de police qui leur ont demandé pourquoi ils couraient aussi vite. En entendant la réponse, ils ont éclaté de rire et assuré aux soldats qu'il devait s'agir d'une fausse alerte. L'un d'entre eux a même ajouté : « Si le Palais était attaqué en ce moment, nous le saurions. » Après quelques échanges verbaux acides et deux ou trois coups de téléphone du roi au poste de sécurité, la manœuvre se met finalement en marche. Une demi-heure après que le roi ait appuyé sur le fameux bouton, deux escouades de tireurs d'élite commencent à progresser dans le parc en affectant de prendre les plus grandes précautions afin de ne laisser aucune chance à leurs adversaires. L'effet est incontestablement manqué. Sans compter, et c'est sans doute le point le plus irritant pour le roi George, que la reine lutte depuis près d'un quart d'heure pour retenir un violent fou rire.

Au Parlement, les revers militaires successifs que les armées britanniques et françaises essuient devant leurs adversaires allemands ne vont pas tarder à provoquer une grave crise ministérielle. La personnalité de Neville Chamberlain est de plus en plus contestée. Dans les rangs mêmes de la majorité conservatrice, des voix commencent à s'élever afin de réclamer la démission d'un Premier ministre que l'on juge incapable et surtout manquant de fermeté. La défaite de Narvik au début du mois de mai 1940 déchaîne contre lui l'animosité de la presse et d'une bonne partie de la Chambre des Communes. Le 7 mai, Leopold Amery, un député conservateur, l'interpelle violemment en lui lançant cette phrase : « Vous êtes resté trop longtemps à votre poste si on en pense au peu de bien que vous y avez fait. Partez, afin que nous en ayons fini avec vous. Au nom de Dieu, partez ! » Le lendemain, Chamberlain n'obtient la confiance des Communes que par une majorité extrêmement courte. Le résultat du vote est proclamé aux cris de : « Démission, démission. » Tous ses efforts pour former un gouvernement de coalition qui rassemble conservateurs, libéraux et travaillistes demeurent vains en dépit du soutien appuyé de George VI qui déclare notamment : « Il est très injuste de traiter Chamberlain de cette manière après tout l'excellent travail qu'il a accompli. Les rebelles conservateurs comme Duff Cooper devraient avoir honte de le trahir en un pareil moment. » Apparemment, George VI était l'un des seuls à considérer que Chamberlain avait accompli un bon travail. Pour la majeure partie de la population et de la classe politique britannique, il était devenu l'homme de la défaite. Le soir du 10 mai, il se rend au palais de Buckingham afin de présenter sa démission à son souverain. Le roi songe un moment à confier la direction des affaires à lord Halifax, mais ses conseillers se chargent de lui faire comprendre qu'il n'a pas le choix. Un seul homme est capable de reprendre les choses en main avec la poigne qui permettra à l'Angleterre de relever la tête. Et cet homme se nomme Winston Churchill. Celui-là même qui s'était acharné quatre ans auparavant à soutenir, envers et contre tout, le roi Edouard VIII dans son désir d'épouser Wallis Simpson. Un homme que ni le roi ni la reine ne portent dans leur cœur. D'abord méfiantes, les relations entre le souverain et son Premier ministre vont très vite prendre un tour amical. Peu à peu, les deux hommes vont découvrir leur courage respectif. Le discours que le roi prononce à la radio, le 24 mai 1940, alors que le fameux « Blitz », les bombardements intensifs, vient à peine de commencer, est un parfait exemple de leur collaboration exemplaire.

113

Il est largement inspiré et en grande partie écrit par Churchill qui manie la plume avec une aisance rare :

« La lutte décisive est maintenant devant nous. Je vais vous parler clairement parce qu'en cette heure d'épreuve je sais que vous ne souhaitez pas me voir tenir un autre langage. Que personne ne se trompe. Nos ennemis ne cherchent pas seulement une conquête territoriale. Leur but est l'anéantissement total et défini-tif de cet Empire et de toutes les valeurs qu'il symbolise et, après cela, la conquête du monde. S'ils parviennent à leurs fins, ils porteront à un degré jamais vu toute la haine et la cruauté dont ils ont déjà fait preuve.

« Contre notre honnêteté, nous voyons le déshon-neur. Contre notre confiance, nous voyons la trahison. Contre notre justice, nous voyons la force brutale. La levée unanime des peuples, partout dans l'Empire, montre sans hésitation possible que nous l'emporte-rons. Chacun d'entre nous partageant le même idéal se battra pour défendre sa vie et ce qui la rend digne d'être vécue. »

Durant les semaines qui suivent, c'est un véritable déluge de bombes qui s'abat sur Londres et ses envi-rons. Le palais de Buckingham n'est pas épargné. Le 13 septembre 1940, une bombe particulièrement puis-sante tombe sur le Palais. La chapelle où a été baptisée Elisabeth est incendiée. Seul vestige, une vieille Bible où depuis Victoria le chapelain du Palais a l'habitude de noter tous les événements importants de la famille. La force de l'explosion l'a projetée dans le jardin. La réaction de la reine est plus que parfaite. Depuis des semaines, le quartier populaire de l'East End est ravagé par les attaques aériennes. Les souverains s'y rendent chaque semaine afin de constater les dégâts et prodi-guer quelques encouragements à une population qui souvent a tout perdu dans les bombardements. C'est à eux qu'Elisabeth a pensé lorsqu'elle a entendu la bombe tomber sur la chapelle. Une fois de plus, elle trouve le mot juste en déclarant simplement : « Je suis contente que nous ayons été bombardés. Maintenant je peux regarder les gens de l'East End en face. » C'est avec ce type de phrases que se forge une légende. Dès lors, chacune des apparitions en public du roi et de la reine est saluée par un tonnerre d'acclamation et des larmes de joie et de fierté. Au cours de l'une d'entre elles, un homme prend par le bras un des membres de l'escorte royale et lui lance en désignant les souverains : « Vous les voyez, c'est pour eux que nous chantons. Il y aura toujours une Angleterre. Dieu les bénisse ! » Quelques semaines plus tard, une femme, affligée d'un épouvantable accent cockney, le plus populaire que l'on puisse trouver à Londres, désigne la reine en criant : « Ain't she bloody Luverley ? Ain't she bloody Luverley ? » Ce qui peut se traduire par : « Est-ce qu'elle est pas foutrement merveilleuse ? »

Ce sourire qui semble inaltérable, cette bonne humeur, ce courage, George VI et Elisabeth ne les prodiguent pas qu'aux habitants de la capitale. Les bombardements touchent aussi les campagnes et les grandes villes de province, telle Coventry qui sera rasée en une nuit. Afin d'être plus près de leurs concitoyens, les souverains demandent donc au ministère des Transports de renforcer la carrosserie du Train royal afin que ce dernier soit à l'abri des balles tirées par d'éventuelles mitrailleuses. Accompagnés d'une suite réduite, ils s'embarquent une fois tous les quinze jours pour aller visiter une région ou une ville particulièrement éprouvée. Durant les cinq années de guerre, ils parcourront ainsi près de 70 000 km.

Les encouragements de la reine se dirigent aussi vers les pays alliés de la Grande-Bretagne qui subissent déjà sur leur territoire la terrible tutelle des armées nazies. Une véritable entreprise de propagande où elle se révélera extrêmement efficace et qui fera dire à Hitler : « Cette femme est le pire de nos ennemis. » Ainsi, au lendemain de la reddition des armées françaises, elle décide d'enregistrer un message de soutien qui sera diffusé sur les ondes de radio Londres. Elle demande à André Maurois de le rédiger. Le grand écrivain français d'origine juive s'est en effet réfugié à Londres. Lorsque la reine lui expose le motif de leur rencontre, il lui répond qu'il serait peut-être plus souhaitable de confier cette tâche au ministère des Affaires étrangères. « Non, lui répond la reine, je ne veux pas un discours officiel. Je veux un discours qui vienne du cœur et qui sonne juste. » Dans ses *Mémoires*, Maurois racontera la scène : « Les roses rouges sur une table, le portrait de la reine Victoria sur le mur, le visage sympathique de la reine. Tout cela semblait irréel. Je me suis dit : "Comment cela peut-il exister ? Mon pays a été envahi. Ma femme est dans Paris occupé. Demain sans doute des officiers nazis s'installeront dans mon appartement et saisiront mes papiers. Je suis malheureux au point d'avoir envie de pleurer et me voilà en train de parler à la reine d'Angleterre." Après de longues heures d'écriture et de répétition, car la reine tient à ce que son accent soit absolument parfait, le discours est diffusé. » A la Libération, André Maurois recevra une petite boîte envoyée par Buckingham Palace contenant une paire de boutons de manchettes en or.

Dans cet emploi du temps surchargé, il reste peu de place pour la vie de famille à laquelle le roi était autrefois si attaché. Dès qu'ils le peuvent, les deux parents se précipitent à Windsor pour aller embrasser leurs filles et passer quelques heures avec elles. Durant un bref moment, ils renouent avec la vie champêtre qu'ils apprécient tant. Ils sont évidemment présents lors des événements importants comme les fêtes de Noël et surtout les anniversaires. Pour ces occasions, le roi a d'ailleurs mis en place une charmante coutume familiale. S'étant aperçu qu'Elisabeth aimait le bleu alors que Margaret préférait le rouge, il a résolu une fois pour toutes le problème du choix des cadeaux qu'il offrirait à ses filles. L'aînée recevra invariablement une pièce de joaillerie sertie de saphirs. La cadette devra se satisfaire avec des rubis. Ainsi, lors de la confirmation d'Elisabeth en 1942, ses parents lui offrent deux broches rigoureusement identiques acquises chez le célèbre joaillier Cartier qui a une boutique à Londres. Chacune d'entre elles se présente comme une fleur composée de cinq pétales d'or au centre desquels est disposé un pistil de sept saphirs et sept diamants. Trois ans plus tard, Margaret recevra le même présent en rubis. Pour l'anniversaire de ses dix-sept ans, Elisabeth reçoit une autre broche de saphirs et de diamants, signée elle aussi Cartier. En 1944, le même joaillier vend au roi, en prévision des dix-huit ans de sa fille aînée, un bracelet de saphirs et de diamants. En 1945, il s'agit encore d'une broche, mais cette fois elle est sertie de saphirs roses. En cette période de guerre durant laquelle tout est rationné, le seul domaine dans lequel la famille royale ne semble pas avoir souffert de restrictions trop lourdes est curieusement celui des bijoux.

Les fêtes de Noël donnent lieu à un autre cérémonial familial. Et, cette fois, ce sont Elisabeth et Margaret qui y jouent les premiers rôles. Afin d'alléger un peu la morosité de la vie quotidienne, Crawfie leur a suggéré d'organiser des pantomimes de Noël. La formule, assez simple, consiste à choisir un conte pour enfants et à l'adapter sous la forme d'une pièce de théâtre qui sera représentée lors des fêtes de fin d'année. Le temps de rédiger et d'apprendre les textes, de répéter, de confectionner et d'essayer costumes et décors, la préparation de chacun de ces spectacles nécessite de longs mois de travail. Naturellement, Elisabeth et Margaret en tiennent les rôles principaux. Celui du prince charmant pour l'aînée et celui de la belle princesse pour la cadette. De 1941 à 1944, elles jouent ainsi *Cendrillon*, *La Belle au bois dormant*, *Aladin* et *Le Petit Chaperon rouge*. Chaque représentation a lieu en présence du roi et de la reine. Lors de la première de *Cendrillon* à Noël 1941, George VI, qui, avant que le rideau se lève, est allé vérifier dans les coulisses que les costumes de ses filles étaient décents, ne peut retenir ses larmes. Son épouse est encore plus émue de voir ses filles évoluer ainsi sur scène. A la fin de la représentation, les deux princesses qui se sont précipitées vers leurs parents afin de recevoir leurs félicitations n'en reviennent pas de les voir sangloter l'un et l'autre. La représentation d'*Aladin* en 1943 est marquée par un autre incident beaucoup plus important, en tout cas, pour Elisabeth. Au premier rang du public, à quelques places du roi et de la reine, est assis un beau jeune homme qui n'est autre que le prince Philippe de Grèce et de Danemark. Engagé dans la marine britannique à sa sortie de l'académie militaire de Dartmouth, il passe quelques jours de permission à Londres. Son père étant mort, sa mère vivant en Grèce et ses quatre sœurs en Allemagne, les souverains l'ont convié à passer les fêtes de Noël à Windsor. Dans ses *Mémoires*, Crawfie raconte que le matin de la représentation Lilibeth s'est précipitée vers elle en lui lançant : « Devinez qui vient nous voir jouer, Crawfie ? Philippe. » « Je n'ai jamais vu Lilibeth plus excitée, poursuit l'institutrice. Il y avait un éclat dans son regard que nous ne lui avions jamais vu. » C'est à partir de cette deuxième rencontre que les deux jeunes gens commencent à échanger une correspondance régulière.

Au début de l'année 1941, une autre personne vient se joindre à la petite suite qui entoure les princesses. Il s'agit une fois de plus d'une femme, la vicomtesse de Bellaigue. Issue d'une excellente famille belge, elle a fui son pays en compagnie de ses deux fils, une dizaine de jours avant l'invasion allemande. Douée d'un remarquable sens de l'humour, elle raconte volontiers qu'elle a décidé de partir juste après qu'un ministre de ses amis lui ait assuré que la Belgique ne risquait absolument rien. Le père de ce même ministre ayant donné la même assurance au père de Mme de Bellaigue en 1914, elle en avait conclu avec beaucoup de bon sens que les hommes politiques étaient trop optimistes et qu'il valait mieux prendre ses jambes à son cou plutôt que de se retrouver piégée dans une souricière comme ses propres parents l'avaient été, vingt-cinq ans auparavant. Appartenant à une famille de diplomates, elle s'est liée d'amitié avec une des sœurs de la reine, au début des années trente. Aussi a-t-elle été présentée à la Cour dès son arrivée à Londres. Vive, très à l'aise et cultivée, elle a beaucoup plu à la souveraine qui lui a demandé de devenir le professeur de français de ses deux filles. Elisabeth et Margaret ont déjà quelques notions de la langue de Molière, mais c'est Mme de Bellaigue, qu'elles ont surnommée Toni, qui va leur ouvrir les portes de la culture française. « Ce que je souhaitais offrir aux princesses, c'était surtout une culture générale, expliquera-t-elle plus tard. Au cours de nos conversations générales, je me suis efforcée de leur donner un aperçu des autres pays, de leurs modes de pensée, de leurs coutumes. Ce qui ne manquait jamais de les amuser beaucoup. Sir Henry Marten continuait à donner à la princesse Elisabeth des cours d'histoire constitutionnelle. Sous son contrôle, j'ai commencé à leur enseigner l'histoire continentale. De son côté, il leur faisait faire de petits essais concernant les matières qu'elles avaient étudiées avec moi ; naturellement ces essais devaient être rédigés en français. L'actuelle reine Elisabeth II a

119

toujours eu un bon jugement, depuis son plus jeune âge. Elle avait l'instinct de ce qui était juste. Elle était toujours fidèle à elle-même, très naturelle et sans artifices. Son caractère était un mélange de sens du devoir et de joie de vivre. » Contrairement à Crawfie qui laisse souvent sous-entendre que les princesses vivaient à Windsor en recluses, Mme de Bellaigue insiste sur l'aspect plutôt joyeux de l'ambiance qui régnait au château : « Les princesses n'y vivaient pas coupées du monde. C'est du moins ce qu'il me semblait, sans doute en partie parce que dans mon pays les jeunes filles ne vont pas en pension comme en Angleterre. Il y avait en fait beaucoup de monde autour d'elles. A chacun des repas, deux jeunes officiers en permission ou en convalescence étaient conviés. Les princesses avaient de nombreux amis qui venaient les voir au château, comme certains de leurs cousins, Margaret Elphinstone ou Libby Hardinge, qui à une époque ont même étudié avec elles. Personne n'oubliait que nous étions en guerre et chacun d'entre nous était parfaitement conscient de la tristesse des temps que nous vivions. Mais je ne me souviens pas avoir vécu dans une ambiance sinistre. »

Le sens du devoir d'Elisabeth auquel Mme de Bellaigue fait allusion va bientôt être mis à l'épreuve pour la première fois. Au mois d'avril 1943, la jeune fille fête son dix-septième anniversaire. Compte tenu des circonstances difficiles, Churchill décide qu'il convient de modifier l'acte solennel qui règle la succession à la couronne. Ce dernier prévoit en effet qu'un souverain britannique ne peut exercer ses devoirs constitutionnels avant son vingt-et-unième anniversaire. L'âge fatidique est ramené à dix-huit ans afin qu'Elisabeth puisse remplacer son père immédiatement en cas de malheur. Elle est amenée à le faire pour la première fois au début de l'année 1944, lorsque George VI quitte l'Angleterre afin d'aller inspecter les troupes britanniques qui ont débarqué en Italie. Pour la première fois de sa vie, elle siège au Conseil d'Etat et doit signer un décret. Le hasard veut qu'il s'agisse de la condamnation d'un assassin. Emue, elle fait ce commentaire : « Qu'est-ce qui peut conduire des gens à commettre de telles choses ? Il devrait y avoir un moyen de les aider. J'ai encore tellement de choses à apprendre. »

Deux ans auparavant, elle a participé à sa première revue militaire. A la mort de son parrain, le vieux duc de Connaught, dernier fils survivant de Victoria, elle a été nommée colonel honoraire du régiment de ce dernier, les Grenadiers de la Garde. Au début de l'année 1942, elle passe sa première inspection avec toute la fierté que l'on imagine. Détail amusant, il semble qu'au cours de cette première prise de contact avec son régiment, elle ait poussé le souci de bien faire un peu loin, en inspectant même les dents des chevaux. Son zèle prend de telles proportions que l'officier commandant se permet de lui faire remarquer qu'en temps de guerre, il faut savoir se montrer un peu plus compréhensif avec la tenue des hommes et des chevaux. Elisabeth en tire une leçon précise qui est tout à son honneur. Elle veut s'engager dans une unité de volontaires afin de participer directement à l'effort de guerre. Son père la jugeant trop jeune, il lui faudra attendre le début de l'année 1945 pour s'enrôler finalement dans le Service des Auxiliaires de Transport sous le matricule 230873. Le roi n'a émis qu'une réserve : la princesse doit rentrer tous les soirs à Windsor. Il n'est pas question qu'elle passe la nuit au centre de transport de Camberley auquel elle est affectée. En quelques semaines, la princesse héritière devient un chauffeur de poids lourds émérite, particulièrement douée pour la mécanique. Un beau jour d'avril 1945, ses parents qui inspectent le centre de Camberley ont la surprise de la voir émerger du dessous d'un camion, vêtue d'un bleu de travail et les mains couvertes de graisse. Cette courte initiation à la vie militaire sera surtout pour Elisabeth une occasion unique de vivre au contact de jeunes filles de son âge. Elle lui donnera aussi la joie de pouvoir paraître sur le balcon de Buckingham Palace, le 8 mai 1945, jour de la victoire, vêtue de son premier uniforme.

Un demi-siècle plus tard, à l'occasion d'un discours à la radio, Elisabeth donnera une version détaillée de cette journée qu'elle considérera toujours comme la plus mémorable de sa vie :

« Je me souviens de l'excitation et du soulagement que nous éprouvions tous après ces longues journées durant lesquelles nous avions attendu le discours du Premier ministre annonçant la fin de la guerre en Europe. Toutes les heures, mes parents faisaient une apparition sur le balcon du palais de Buckingham. En tout, je crois qu'ils y sont allés six fois dans l'après-midi. Ma sœur Margaret et moi-même nous tenions à leurs côtés et c'est là que nous avons pu sentir l'enthousiasme délirant de la foule qui les acclamait. Nous avons demandé à nos parents la permission de sortir du Palais afin d'aller voir par nous-mêmes ce qui était en train de se passer.

« Toutes les deux, nous étions terrifiées à l'idée d'être reconnues. J'avais enfoncé ma casquette d'uniforme sur mes yeux. Un officier de grenadiers de notre groupe a déclaré qu'il refusait d'être vu en compagnie d'un autre officier qui ne portait pas correctement son uniforme. J'ai donc dû remettre ma casquette normalement. Nous avons parcouru des kilomètres dans les rues. Je revois encore tous ces inconnus marchant bras dessus bras dessous en remontant Whitehall. Tous nous étions submergés par une vague de soulagement et de bonheur. Je me souviens aussi de l'émerveillement d'un de mes cousins qui venait juste de rentrer de quatre

122

années de captivité en Allemagne et qui n'en revenait pas de se promener librement dans les rues.

« Après avoir traversé Green Park, nous sommes revenues devant le Palais et, debout, nous avons crié comme toute la foule qui était rassemblée : "Nous voulons le roi. Nous voulons la reine." Finalement, nous avons vu nos parents apparaître au balcon. Mais aujourd'hui, je dois reconnaître que nous avions un peu triché. Nous avions envoyé un messager à l'intérieur du Palais afin de dire à nos parents que nous étions dehors en train d'attendre. »

VI

« C'EST AVEC PLAISIR
QUE LE ROI ANNONCE LES FIANÇAILLES
DE LA PRINCESSE ELISABETH... »

LES années immédiates d'après-guerre compteront parmi les plus belles de la vie du roi George VI. Après six années de conflit éprouvant, la Grande-Bretagne se retrouve finalement dans le camp des vainqueurs. Cette victoire, elle la doit à ses soldats et aux armées alliées qui sont venus à bout des nazis sur tous les fronts. Elle la doit aussi à son roi qui, depuis le premier jour, s'est conduit avec un courage et une force de caractère que personne n'aurait jamais soupçonnés chez lui. Inlassablement, il a tenu bon, donnant l'exemple d'une résistance opiniâtre à tout un peuple qui lui a emboîté le pas jusqu'à la victoire. Jamais aucun souverain britannique n'a joui de la popularité qui les entoure au lendemain de la victoire, lui, son épouse et leurs deux filles.

Cet enthousiasme répandu dans tout le pays se teinte bien un peu de nostalgie lorsque les derniers lambeaux de l'Empire colonial qu'avaient édifié ses ancêtres lui échappent. La défaite surprenante de Winston Churchill aux élections du 5 juillet 1945 et l'arrivée au pouvoir

125

des travaillistes en la personne de Clement Attlee son-
nent le glas d'une époque glorieuse mais révolue. Trois
semaines plus tard, le 26 juillet, le Vieux Lion vient
remettre sa démission à son souverain. Le soir même,
ce dernier note dans son *Journal* : « Un triste entretien.
Je lui ai dit que je trouvais le peuple très ingrat à son
égard après la manière dont il nous avait conduits à la
victoire et il a acquiescé. Je lui ai demandé s'il pensait
que je devais appeler Attlee aux affaires. Il m'a répondu
oui. Nous nous sommes dit au revoir et je l'ai remercié
une fois de plus pour toute l'aide qu'il m'avait appor-
tée durant les années de guerre. »

Avec l'arrivée des travaillistes au pouvoir, c'est tout
un monde qui va disparaître. Victoria est morte en
1901, mais son Empire s'évanouit au cours de cette
année 1945. La décolonisation a été un des thèmes de
campagne d'Attlee. Ayant soutenu la nation mère durant
toute la guerre, les colonies réclament le prix de leur
aide et celui-ci passe par l'indépendance. L'une des premières à partir est évidemment l'Inde. Tout un symbole pour la famille royale à qui la possession de ce
joyau assurait depuis près d'un siècle le titre d'empereur. Les autres suivront. L'Angleterre elle-même se
transforme en profondeur. L'augmentation des droits
de succession et des taux de l'impôt sur le revenu englou-
tit les grandes fortunes aristocratiques ; les immenses
demeures, entretenues par des nuées de domestiques,
le mode de vie insouciant de la gentry, tout cela
s'enfonce peu à peu dans les brouillards du passé. Le
monde dans lequel les souverains ont vécu jusqu'alors
change. Ils s'en rendent compte, mais beaucoup moins
que leurs concitoyens. Pour significatifs qu'ils soient,
ces bouleversements ne modifient en rien leur vie quotidienne. Bien au contraire. En raison de l'extraordinaire
popularité de la famille royale, la classe politique tout
entière s'accorde à préserver le statut très particulier

126

dont elle jouit. C'est d'ailleurs à cette époque que se met en place le régime fiscal de faveur qui l'exempte de toute taxe.

En dépit du rationnement qui sera encore imposé pendant plusieurs années au pays, la vie reprend un cours à peu près normal à Buckingham Palace et à Windsor. Les tableaux retrouvent leur place sur les murs, les salons d'apparat, leurs meubles précieux. En dépit du décor somptueux, le mode de vie de la famille royale est surtout familial. Il est organisé autour d'un cocon très uni et limité à quatre membres : père, mère, Elisabeth et Margaret. Elisabeth représente l'avenir et George VI imagine que, pendant encore de nombreuses années, il pourra continuer à la former peu à peu à son futur métier. Margaret, c'est la gaieté et la fantaisie. Dans cet univers-là, il n'y a de place pour personne d'autre. Du moins pas dans l'immédiat. Sans doute, un jour, dans quelques années, les deux jeunes filles se marieront. Mais elles ont encore largement le temps d'y réfléchir. C'est du moins ce que le roi imagine. A tort. Le précieux cocon familial qu'il construit depuis vingt ans et dans lequel il se sent si à l'aise va bientôt voler en éclats. Et cela du fait même d'un coup de tête de sa fille aînée, pourtant si raisonnable et si sérieuse.

Elisabeth n'a jamais oublié le jeune sous-lieutenant de dix-huit ans qui lui avait servi d'escorte lorsqu'elle avait visité le collège naval de Dartmouth en juin 1939. On s'en souvient, elle avait alors treize ans et lui dix-huit. Ce beau cousin qui jusqu'alors n'avait été qu'un nom dans l'arbre généalogique touffu des descendants de Victoria avait ce jour-là pris un visage. Et ce visage l'avait marquée. On l'aurait été à moins. Grand, mince, blond, les yeux bleus et d'allure athlétique, le jeune prince de Grèce avait toutes les qualités pour faire tourner la tête d'une femme. On imagine les effets de son charme dévastateur sur une adolescente. Si l'on en croit le témoignage de Crawfie : « Durant toute la visite, elle ne l'a pas quitté des yeux. »

Tout au long de la guerre, les deux jeunes gens ont échangé une correspondance régulière. Lettres de cousins qui, peu à peu, sont devenues plus tendres. Le coup de foudre classique qui frappe une adolescente et qui se transforme doucement en un véritable amour. Il suffit de contempler un portrait du prince Philippe de Grèce à cette époque pour la comprendre. Le jeune homme est d'une beauté à couper le souffle. Ce portrait, Elisabeth ne s'est pas privée de le contempler durant toute la guerre puisqu'elle possède une photo encadrée de Philippe. Selon l'indiscrète Crawfie, il lui arrivait même de l'embrasser timidement certains soirs de rêverie.

A ce physique exceptionnel s'ajoutent l'incontestable prestige de l'uniforme et un caractère enjoué. La décontraction du jeune homme, pour ne pas dire son impertinence, contraste agréablement avec l'atmosphère calme mais un peu confinée des palais royaux où la jeune fille vit depuis toujours. Il en donne une démonstration éclatante le jour où il vient passer quelques jours de permission à Balmoral, à la fin de l'année 1944. Un domestique l'ayant informé que le roi le prie de se conformer à la coutume qui veut que les membres masculins de la famille royale portent le kilt lors de leur séjour en Ecosse, il se plie d'assez mauvaise grâce à cette requête, bien décidé à en tirer le meilleur parti. Et le soir même, lorsque le roi pénètre dans le salon où chacun est rassemblé avant de passer à table, il s'effondre dans une splendide révérence. Elisabeth et Margaret éclatent de rire. Même la reine ne peut retenir un sourire. George VI apprécie beaucoup plus modérément la plaisanterie. Tout cela forme un ensemble extrêmement séduisant auquel Elisabeth n'a aucune envie de résister. D'autant plus qu'elle sait parfaitement combien la vie de son cousin a été difficile et que la tentation est grande pour une jeune fille romantique de devenir l'élue de ce beau solitaire. C'est d'ailleurs l'un des sentiments les plus touchants dans cette personnalité que l'on s'accorde généralement à considérer comme froide, voire dure. Tout au long de sa vie, Philippe restera son seul amour et l'objet de toutes ses indulgences.

Il est en revanche beaucoup plus difficile de cerner les sentiments réels du futur duc d'Edimbourg. Certes, Elisabeth est attrayante. Durant ces années de guerre, la petite cousine de treize ans qu'il avait escortée lors de sa visite à Dartmouth s'est transformée en une jeune femme séduisante : silhouette élégante, longues jambes fines, joli visage. Plus qu'une qualité physique qui lui ferait défaut ou qu'un élément réellement disgracieux, ce qui lui manque, c'est un peu de douceur dans le sourire et le regard. Son visage semble toujours un peu figé dans une pose sérieuse, presque autoritaire, idéale pour une future reine mais pas tout à fait aussi romantique qu'un soupirant pourrait l'espérer. Mais justement, dans le cas de Philippe, cela fait peut-être aussi partie de ses qualités. Elle apprécie ce léger parfum d'aventure qu'il met dans sa vie. Lui n'aspire qu'à une chose : se fixer dans un univers affectif et familial stable. Quoi de plus normal chez un jeune homme dont l'existence a été aussi agitée que la sienne ? Une véritable kyrielle de fées Carabosse s'est en effet penchée sur son berceau, le jour de sa naissance. Y avait-il même un berceau ? La tradition en tout cas le nie, puisqu'elle veut que Son Altesse Royale le prince Philippe de Grèce et de Danemark ait vu le jour sur la table de salle à manger de la maison de ses parents, sur l'île de Corfou, le 10 juin 1921.

Fils du prince André de Grèce et de la princesse Alice de Battenberg, il appartient à deux familles qui ont reçu plus que leur part de révolutions, d'exils, de

129

ruines et de drames. Sa grand-mère maternelle, née princesse Victoria de Hesse, n'est autre que la sœur de la dernière tsarine de Russie, Alexandra Fedorovna, assassinée avec son époux et toute leur famille trois ans avant la naissance de Philippe. Lui-même a à peine quelques mois lorsqu'une révolution chasse sa famille de Grèce pour la deuxième fois en moins de cinq ans. Réfugiés à Paris, où ils subsistent grâce à la générosité d'une de leurs belles-sœurs, la princesse Marie Bonaparte, ses parents se séparent au début des années trente. A peu près ruiné et profondément désabusé, le prince André n'aspire qu'à une vie calme, ce que son épouse est loin d'être en mesure de lui offrir. D'un équilibre psychologique fragile, la princesse Alice a sombré dans un mysticisme fortement teinté d'hystérie. Aujourd'hui, grâce à l'excellente biographie que lui a consacrée récemment Hugo Vicker, on en sait beaucoup plus sur les dix années qu'elle passera entre différents sanatoriums et hôpitaux psychiatriques, tentant désespérément de reconstruire un équilibre précaire. De 1930 à 1938, elle ne voit pour ainsi dire pas ses enfants. Ses quatre sœurs aînées étant mariées ou fiancées, Philippe, âgé d'une dizaine d'années, est envoyé en pension en Grande-Bretagne, où il vit grâce à la générosité de son oncle maternel, lord Louis Mountbatten. Sa mère entame une longue errance qui, de sanatoriums en cure psychanalytique, la conduira plusieurs fois au bord du suicide. Son père s'installe sur la Côte d'Azur. Même le rétablissement de la monarchie grecque en 1935 ne réussira pas à le convaincre de retourner dans son pays. Il meurt à l'hôtel Métropole à Monte-Carlo, le matin du 3 décembre 1944. Le seul héritage qu'il laisse à son fils consiste en quelques vieux costumes et une série de décorations. Entré dans la Royal Navy, le jeune prince de Grèce s'y fait une réputation honorable sous le nom de lieutenant Philippe Mountbatten. A vingt-six ans, sa mère étant retournée vivre en Grèce où elle fondera plus tard un couvent de religieuses orthodoxes, il n'a d'autres attaches que sa famille anglaise. Quant à sa situation matérielle, elle se résume à sa solde d'officier, quelques pièces d'argenterie sauvées des multiples naufrages familiaux par sa mère et une série de valises contenant sa maigre garde-robe. Rien qui puisse lutter, et de très loin, avec le fabuleux héritage qui attend Elisabeth. Pour un jeune homme pauvre à qui sa condition de prince n'a jusqu'alors apporté que des catastrophes, la perspective de devenir l'époux de la future reine d'Angleterre, avec la sécurité matérielle et politique que cela implique, est une perspective extrêmement tentante. De là à ramener uniquement à l'ambition ses sentiments pour Elisabeth, il y a un grand pas qu'il serait sans doute très hasardeux de franchir. A son biographe officiel, Basil Boothroyd, Philippe déclarera en 1970 : « Nous entretenions une correspondance. C'est assez difficile à comprendre. J'imagine que si j'avais été une simple connaissance, cela aurait pu avoir une signification importante. Mais, en fait, nous étions simplement parents et il n'est pas extraordinaire d'avoir ce genre de relations familiales sans pour autant qu'il soit question de mariage. Je n'y ai d'ailleurs pas pensé avant 1946 quand j'ai été invité à Balmoral. » Une chose est certaine : sans doute n'aurait-il même pas évoqué le projet si la jeune femme ne lui avait pas plu. En revanche, il est tout aussi certain que d'autres avaient évoqué ce beau projet. Lord Mountbatten tout d'abord. La famille royale de Grèce ensuite. Dans leur cas, le plan était préparé de longue date.

Lors d'une visite à Athènes, en 1941, Chips Channon rend visite à une tante de Philippe, la princesse Nicolas de Grèce, un des rares membres de la famille royale qui soit demeuré dans la capitale durant la Seconde Guerre mondiale. A son retour, il note dans son *Journal* ces phrases qui en disent long : « Je me suis rappelé ma conversation avec la princesse Nicolas. Il est destiné à devenir notre prince consort et c'est pour cette raison qu'on lui a recommandé de servir dans la Navy. Il est charmant mais ce mariage ne me plaît pas car ils sont apparentés de trop près. »

Apparemment, ce mariage ne fait pas plaisir non plus au roi George VI. Lorsque sa fille aînée lui fait part de ses sentiments, il multiplie les excuses afin de lui imposer des délais : Philippe est immature, il n'a aucune position dans la vie et, en plus, il a mauvais caractère. En fait, le souverain n'a aucune envie d'introduire un intrus au sein de son foyer. Sa fille lui semble trop jeune pour fonder une famille. Il finira pourtant par obtenir un délai de réflexion de six mois, mais devra s'incliner devant l'obstination d'Elisabeth et faire contre mauvaise fortune bon cœur.

Son épouse, en revanche, ne dissimule pas son contentement. Depuis le début de l'idylle, elle a soutenu sa fille aînée dans sa lutte pour imposer son choix. Elle aime les histoires romantiques et celle d'Elisabeth et de Philippe comporte tous les éléments qui lui plaisent. Elle n'a d'ailleurs jamais caché son faible pour le beau prince grec. En outre, cette union entre l'héritière de la couronne et un prince de sang royal convient parfaitement à son sens inné des convenances.

Du côté du fiancé, comme on pouvait s'y attendre, l'enthousiasme est à son comble. Pour la famille royale grecque, ce mariage est une véritable victoire politique. Alors que la Grèce est encore déchirée par une guérilla sanglante opposant les troupes communistes aux forces royales, elle ne peut que renforcer la garantie du soutien britannique contre les ambitions de Staline. Ce dernier n'a jamais totalement accepté le fait de s'être laissé arracher la Grèce par Churchill lors de la conférence de Yalta. La mort du roi Georges II, en avril 1947, a conduit son jeune frère Paul à monter sur un trône encore mal assuré. Le mariage anglais va redonner un peu de prestige politique à sa couronne. Quant à lord Mountbatten, il touche à son but le plus cher. La victoire est d'autant plus significative que c'est sous son propre nom que Philippe est naturalisé citoyen britannique, le 7 février 1947, la veille du jour où les fiançailles sont annoncées officiellement par le palais de Buckingham. La formule officielle placardée sur les murs du Palais omet d'ailleurs toutes références aux parents du jeune homme :

« C'est avec le plus grand plaisir que le roi et la reine annoncent les fiançailles de leur chère et très aimée fille, la princesse Elisabeth, avec le lieutenant Mountbatten. C'est avec plaisir que le roi a donné son consentement à cette union. » Dépouillé de l'état civil qu'il avait reçu à sa naissance, le prince de Grèce n'est plus qu'un simple lieutenant dans la Royal Navy. Une discrétion qui tient surtout à la volonté clairement affirmée de la Cour de le faire paraître comme le plus britannique possible, en cette période d'après-guerre durant laquelle le peuple britannique se montre très nationaliste. Pour les mêmes raisons, ses trois sœurs survivantes, la margravine de Bade, la princesse de Hohenlohe-Langenbourg et la princesse de Hanovre, qui toutes ont épousé des princes allemands, ne seront pas conviées aux cérémonies du mariage. La seule personne qui manifeste un plaisir sincère et dénué de toute arrière-pensée devant cette alliance est sans aucun doute la mère du fiancé, la princesse Alice. Après avoir longuement erré d'asiles psychiatriques en maisons de repos, elle s'est établie définitivement en Grèce où elle semble avoir enfin trouvé la paix. En dépit des privations, elle a passé toute la guerre à Athènes où elle s'est révélée extrêmement courageuse devant les troupes d'occupation allemandes. Ainsi, durant des mois, elle a caché dans son appartement une famille juive. Ce geste héroïque lui vaudra d'être un jour honorée du titre de « Juste parmi les Nations » par l'Etat d'Israël. Partageant son temps entre des œuvres charitables et ses devoirs religieux, elle n'aspire plus qu'à une vie calme et retirée. Dans le cœur inquiet de cette mère qui n'a pas pu veiller autant qu'elle l'aurait voulu sur l'enfance et la jeunesse de ses enfants, ce brillant mariage apporte une bonne dose de réconfort. En épousant Elisabeth, il assure définitivement son avenir. A la reine Mary qui lui a envoyé un message de félicitations, elle répond : « Le jeune couple a l'air très amoureux. Ils ont eu beaucoup de temps pour réfléchir à leur décision et je prie afin qu'ils trouvent beaucoup de bonheur et d'amitié dans leur future vie de couple. Lilibeth a un merveilleux caractère et je crois qu'il a beaucoup de chance d'avoir su gagner son amour. » Sans s'en rendre compte, la princesse Alice emploie des mots qui illustrent parfaitement la situation : amour dans le cas d'Elisabeth ; chance dans celui de Philippe. Avec pour dénominateur commun bonheur et amitié. Que la jeune fille soit follement éprise de son bel officier ne fait aucun doute. Que ce dernier ait réussi le « mariage du siècle » semble tout aussi évident. On peut toutefois ajouter qu'après vingt-six années chaotiques, le jeune prince aspire avant tout à une vie harmonieuse. Et dans ce domaine-là, Elisabeth présente des qualités évidentes qui n'ont pu que le séduire. Sur cela aussi, on peut bâtir de bons mariages. Ce n'est pas toujours le cas des folles passions.

En cette période d'après-guerre durant laquelle l'Angleterre et une bonne partie de l'Europe vivent encore dans un rationnement très strict, les cérémonies du mariage se doivent d'être empreintes d'une certaine sobriété. Afin de préparer son trousseau et sa robe de mariée, la jeune princesse reçoit une allocation supplémentaire de 100 coupons d'étoffes. Ses futures demoiselles d'honneur en revanche n'en reçoivent que 23, soit le strict minimum nécessaire à la réalisation d'une robe. La cérémonie doit se dérouler à l'abbaye de Westminster et le déjeuner de mariage aura lieu à Buckingham Palace. Dans ce domaine encore, une relative parcimonie est de mise. La reine se souvenant sans doute de l'interminable banquet de ses propres noces a d'ailleurs annoncé : « Cette fois, il n'est pas question de recommencer tout cela. » Le repas comportera seulement deux plats qui mettront à l'honneur des produits typiquement britanniques. En revanche, la tradition qui veut que chaque plat soit baptisé en l'honneur d'un membre de la famille royale est maintenue, mais seuls les mariés sont à l'honneur : Filets de soles Mountbatten, Perdreaux en casserole et bombe glacée princesse Elisabeth. Un véritable menu de disette au regard des agapes jusqu'alors à l'honneur dans la famille royale britannique. L'avenir financier du jeune couple est abordé avec beaucoup de délicatesse. Quelques semaines après l'annonce de ses fiançailles, Elisabeth a atteint l'âge de vingt et un ans, sa majorité dynastique. L'allocation de 6 000 livres sterling qu'elle recevait jusqu'à présent de la liste civile a été relevée automatiquement à 15 000. Cette somme lui permet de mener à bien ses devoirs officiels mais elle est loin d'être suffisante pour un jeune couple. Sir Ulick Alexander, administrateur de la liste civile, entame la négociation avec le gouvernement travailliste qui se montre tout d'abord réticent. Le roi souhaite en effet que sa fille aînée reçoive 50 000 livres par an. L'allocation versée à son futur époux est laissée à l'appréciation du gouvernement. L'accord se fera finalement sur une somme de 40 000 livres pour la princesse et un complément de 10 000 livres pour son conjoint. En signe de bonne volonté, le roi rembourse au trésor une somme de 100 000 livres, correspondant aux économies qu'il a réalisées sur le montant de sa liste civile durant la guerre. En outre, une résidence séparée est assignée au futur couple princier. Il s'agit de Clarence House, une jolie maison carrée, construite à l'une des extrémités du palais de Saint James, à quelques centaines de mètres de Buckingham Palace. Hélas ! cette demeure qui est inhabitée depuis des lustres n'a pas été épargnée par les bombardements. Lorsqu'Elisabeth et Philippe la visitent, ils sont affolés devant l'ampleur des travaux qu'il faudra y faire avant de la rendre habitable. Les plafonds sont crevés, l'éclairage se fait encore au gaz et il est dans un état déplorable. Il faudra des mois et des dizaines de milliers de livres pour installer l'électricité, refaire les peintures et réaménager l'ensemble.

Face à cette relative austérité, il est un certain nombre de domaines dans lesquels ces noces royales fournissent un prétexte parfait à la générosité. Le premier est celui des honneurs que le roi dispense à sa discrétion sans que cela coûte un penny à qui que ce soit, surtout au contribuable. Ce rang princier qu'il avait abandonné en même temps que sa nationalité grecque, Philippe le retrouve lorsque son futur beau-père lui décerne les titres de duc d'Edimbourg, comte de Merioneth et baron de Greenwich. Une triple titulature parfaitement semblable à celle des autres membres masculins de la famille royale. Les ducs de Gloucester et de Kent, frère et neveu du roi, ne portent-ils pas aussi et respectivement les titres de comte d'Ulster, baron Culloden et comte de Saint Andrews, baron Downpatrick. A une exception près. Avec un sens de la nuance que l'on peut qualifier de tatillon, le roi omet toutefois d'ajouter le titre de prince de Grande-Bretagne et la qualification suprême d'Altesse Royale. Souci du protocole qui lui impose de marquer la différence entre un duc royal né dans le sérail et un duc royal par mariage ou revanche mesquine du père jaloux

à l'endroit du gendre qui s'apprête à lui ôter sa fille ?
Sans doute un peu des deux. Toujours est-il que Philippe devra attendre une dizaine d'années pour que son épouse, devenue reine, lui octroie ce titre de prince de Grande-Bretagne, le prédicat d'Altesse Royale et le rang protocolaire exceptionnel qui lui permettra de passer avant son fils aîné dans les cérémonies publiques. Afin de faire passer la pilule, le roi ajoute toutefois à la liste des honneurs qui échoient à son futur gendre, le titre de chevalier de l'ordre de la Jarretière, le plus prestigieux ordre de chevalerie du royaume et l'un des plus anciens d'Europe, puisqu'il remonte au XIVe siècle.

Une pluie d'honneurs, selon l'expression consacrée en usage autrefois à la Cour de France, qui n'est cependant rien à côté de la pluie de cadeaux qui s'abat sur le jeune couple. La liste exhaustive qui sera dressée par le Palais en recensera en tout 1 500, des plus modestes, comme le nécessaire à filer et à tisser offert par le mahatma Gandhi qui déclenchera une certaine surprise chez la reine Mary, jusqu'aux plus somptueux au nombre desquels figurent en bonne place les bijoux. Quelques jours après la demande en mariage officielle de son fils, et son acceptation, la princesse Alice a apporté un certain nombre de parures en diamants chez un joaillier londonien, Antrobus, afin de les faire démonter et transformer en joyaux modernes. Le premier d'entre eux est la bague de fiançailles que Philippe doit, suivant la tradition, offrir à sa fiancée. Il s'agit d'un joyau très simple, un gros brillant rond de 3 carats monté sur un jonc de platine serti de dix autres diamants plus petits. Aujourd'hui encore, cette bague, dont la reine ne se sépare jamais, est le meilleur baromètre de son humeur. Le fait qu'elle la tourne machinalement autour de son doigt est le signe infaillible d'un agacement certain. Un signal d'alarme que tous ses familiers connaissent bien. Avec le reste des diamants

137

fournis par la princesse Alice, Antrobus devait réaliser le cadeau de mariage du prince Philippe un somptueux bracelet-manchette de diamants composé de trois motifs principaux reliés entre eux par de lourds anneaux carrés. La princesse Alice devait aussi offrir à sa future belle-fille un de ses joyaux personnels, un léger diadème de brillants ornés de motifs à la grecque. La famille royale britannique se montre encore plus généreuse. Le roi offre ainsi à sa fille une parure de saphirs et de diamants comprenant un collier et une paire de boucles d'oreilles et deux rangs de grosses perles provenant de l'héritage de la reine Anne, dernière souveraine de la dynastie Stuart. La reine de son côté a choisi une paire de girandoles en diamants et un collier de rubis et de diamants. Quant à la reine Mary, n'écoutant que son sens profond de l'histoire et de la dynastie et s'agissant du mariage de la future reine, elle offre à sa petite-fille sept joyaux historiques, un diadème de diamants de style gothique qui lui avait été remis par les jeunes filles de Grande-Bretagne à l'occasion de son propre mariage cinquante-quatre ans auparavant, un volumineux ornement de corsage en diamants qui se décompose en trois broches, deux bracelets de diamants indiens, une paire de boucles d'oreilles de perles et de diamants venant de sa propre mère, une broche de perles et de diamants qui avait été le cadeau de mariage des habitants du quartier de Kensington et enfin un bracelet de rubis et de diamants.

A ces présents familiaux viennent s'ajouter ceux offerts par différents souverains étrangers. Le roi Farouk d'Egypte envoie un collier en or vieux de 2 000 ans, joyau difficilement portable mais d'une grande valeur archéologique ; le nizam de Hyderabad, le prince le plus riche de toute l'Inde, acquiert chez Cartier un diadème et un collier de diamants. En monnaie d'aujourd'hui, l'ensemble de ces bijoux représente une quarantaine de millions de francs. A ces pierres précieuses qui sont la partie la plus somptueuse de cette corbeille de mariage, il faut ajouter les centaines de pièces d'argenterie, de vermeil, de cristal ou de porcelaine qui sont envoyées des quatre coins du monde à l'intention des jeunes époux. Le plus original est sans doute celui du gouvernement du Kenya puisqu'il s'agit d'un relais de chasse situé au cœur de la savane africaine. Pas de quoi surprendre Elisabeth, habituée depuis sa naissance aux fastes de la vie royale. Une agréable surprise pour Philippe qui, le jour de son mariage, possédait, en plus de sa solde de lieutenant dans la Navy de onze livres par semaine, quelques vêtements et décorations, un peu d'argenterie et un compte en banque sur lequel était inscrite la somme de 6 livres, 10 pence.

Le matin du 20 novembre 1947, c'est l'incontournable Bobo qui réveille Elisabeth en lui apportant sa première tasse de thé de la matinée. Son premier geste est de se diriger vers les fenêtres qui font face à Constitution Hill au centre duquel se tient la statue de Victoria. La foule commence à s'amasser sur le parcours du cortège. La veille, des Anglais venus de très loin n'ont pas craint de braver les premiers froids hivernaux en dormant sur place afin de s'assurer le meilleur emplacement possible pour la journée du lendemain. A neuf heures du matin, la jeune mariée commence sa toilette. Plusieurs assistantes de Norman Hartnell sont venues l'aider à revêtir sa robe de mariée. Elle a choisi un modèle très simple, approprié à cette période d'austérité. Le couturier a avoué s'être inspiré des tableaux de Botticelli. En examinant les photos de ce grand jour et avec la meilleure volonté du monde, il est très difficile de découvrir à quoi il faisait ainsi allusion. En dépit de ces références, la robe est assez quelconque. On ne peut que la décrire comme un corsage à col rond et manches longues dont part une jupe longue et droite, légèrement plissée. L'étoffe est un satin blanc assez épais, surchargé de guirlandes de roses en perles de cristal. La traîne est une simple gaze rebrodée des mêmes fleurs de cristal. L'ensemble fait un peu toc. Les huit demoiselles d'honneur, parmi lesquelles figurent Margaret et la princesse Alexandra de Kent, ne sont pas avantagées, elles non plus. Leurs robes, beaucoup plus décolletées que celle de la princesse, sont agrémentées d'un fichu en mousseline blanche à double volant gansé de soie blanche, fermé sur la poitrine par un nœud tout plat. Dans leurs cheveux, elles portent d'imposantes couronnes de fleurs qui donnent l'impression qu'on leur a fixé des glaïeuls dans la coiffure. Elisabeth a décidé de ne pas porter de chignon, ce qui accentue encore l'impression de simplicité. Son diadème de diamants lui a été prêté par sa mère afin de respecter la tradition qui veut qu'une mariée porte le jour de ses noces un objet emprunté. Il s'agit d'un modèle assez classique de tiare dite à la russe, des baguettes de diamants fixées verticalement sur une armature métallique. Au moment où le coiffeur s'apprête à le poser sur les cheveux de la princesse, l'armature, mal fixée, saute. Panique de la princesse et du coiffeur. La reine qui assiste aux préparatifs sauve la situation avec son sang-froid habituel. Elle a demandé à un joaillier de se tenir à disposition dans un salon voisin en cas de malheur. « De toute façon, explique-t-elle en souriant, nous ne manquons pas de diadèmes dans ce Palais. » Au dernier moment, Elisabeth décide de porter le double rang de perles que son père lui a offert en cadeau de mariage. Malheureusement, le bijou est exposé avec tous les autres cadeaux de mariage dans les salons du palais de Saint James. La distance entre les deux bâtiments est assez faible, un peu plus d'un kilomètre, mais compte tenu de la foule qui se presse déjà dans les rues, une voiture aura sans doute un peu de mal à passer. Peu importe, un aide de camp est dépêché de toute urgence afin de rapporter le fameux collier. Arrivé au palais de Saint James, il s'affole en découvrant que le bijou ne figure plus dans la vitrine où sont exposés les joyaux offerts à la princesse. Un voleur a peut-être réussi à s'introduire dans le Palais durant la nuit ? L'intervention d'un garde dissipe le malentendu. Afin de ne pas rester exposées trop longtemps à la lumière artificielle très chaude qui éclaire les vitrines, les perles ont simplement été remisées dans un coffre dont heureusement le garde a la clef. Elisabeth pourra donc porter son collier.

A onze heures et quart du matin, le carrosse d'Etat irlandais qui transporte la mariée et son père quitte le Palais sous les acclamations de la foule. Tous les invités sont déjà rassemblés à l'abbaye de Westminster où attend son fiancé. Il a passé sa dernière nuit de célibataire au palais de Kensington où loge sa grand-mère, la marquise douairière de Milford Haven. Le face à face des invités est étonnant. L'ambassadeur de Russie est présent. Rien d'étonnant à cela, sinon que la sœur cadette de la vieille marquise n'était autre que la dernière tsarine, Alexandra Fedorovna. Tous les membres du gouvernement travailliste sont assis au premier rang. A droite du chœur, ont pris place la reine Elisabeth, la reine Mary, les souverains étrangers et la famille royale anglaise. La princesse André de Grèce, son beau-frère le prince George et l'épouse de ce dernier, la princesse Marie Bonaparte, lord et lady Mountbatten, leur font face sur la gauche. Derrière eux sont installés les princes héritiers de Suède, Luxembourg et Hollande ainsi que le roi découronné de Yougoslavie et le roi Michel de Roumanie qui perdra sa propre couronne quelques mois plus tard. L'Europe des rois, ou ce qu'il en reste, est venue assister aux noces de la princesse héritière de Grande-Bretagne. C'est bien entendu l'archevêque de Canterbury qui préside à la cérémonie. Les deux témoins du jeune couple sont, pour Elisabeth, son père, le roi

George VI, et pour Philippe, son cousin germain, le marquis de Milford Haven.

Quelques heures plus tard, le jeune couple traverse la ville en voiture découverte afin de se rendre à la gare de Waterloo, où il doit prendre le train pour Broadlands, la demeure que lord et lady Mountbatten ont mise à leur disposition pour leur lune de miel. Susan, un des corgis d'Elisabeth, les accompagne. En raison du froid assez vif, les jeunes mariés se sont prudemment munis de bouillottes.

Suivant l'exemple de son père, le roi George V, qui lui avait adressé une lettre particulièrement tendre, quelques heures avant qu'il parte en voyage de noces avec sa chère Elisabeth, le roi a pris le temps de rédiger une lettre extrêmement émouvante que sa fille aînée ouvre en montant dans le train. Il lui adresse évidemment tous ses vœux de bonheur mais, surtout, il lui raconte toute la mélancolie d'un père qui ne peut s'empêcher de voir dans le départ de sa fille bien-aimée la fin d'une époque heureuse :

« J'étais si fier et tellement excité de te sentir si près de moi lors de notre longue marche le long de la nef de Westminster. Mais quand j'ai lâché ta main lorsque nous sommes arrivés devant l'archevêque, j'ai senti que j'avais perdu quelque chose de très précieux. Tu es restée si calme et sereine pendant tout le service et tu t'es exprimée avec tant de fermeté lors de l'échange des consentements que j'ai compris à ce moment que tout était pour le mieux.

« Je suis tellement soulagé que tu aies dit à maman que tu pensais que la longue attente que je t'avais imposée avant les fiançailles et avant le mariage lui-même avait été une bonne chose. J'avais peur que tu m'aies trouvé trop dur à ce sujet.

« Notre famille, nous quatre, la famille royale, doit rester unie, avec bien entendu des nouveaux venus au moment opportun. Je t'ai vue grandir au cours de ces années avec orgueil sous le contrôle de maman, qui, comme tu le sais, est pour moi la plus extraordinaire personne du monde, et je sais que je pourrai toujours compter sur toi, et maintenant sur Philippe, afin de nous aider dans notre travail... Je peux voir que tu es parfaitement heureuse avec Philippe qui est le mari qu'il te faut. Mais ne nous oublie pas. Avec tous les vœux de ton toujours aimant et dévoué,

Papa. »

Nul doute qu'Elisabeth ait été émue en lisant ces lignes. Autant peut-être que son père l'avait été en les écrivant. Lui, demandait à sa fille de ne pas oublier ses parents. Elle, s'apprêtait à entrer dans une nouvelle existence au bras de l'homme qu'elle aimait. Elle avait gagné son pari. Sans doute serait-elle reine. Mais, aujourd'hui, elle était tout simplement une femme heureuse.

Les parents d'Elisabeth : George VI
et Elisabeth Bowes-Lyon.

La future Elisabeth II dans les
bras de sa mère, encore
duchesse d'York.

Elisabeth et sa sœur Margaret,
en 1932.

Elisabeth, en 1934.

La jeune princesse (assise, à gauche) avec, derrière elle, son futur époux, le prince Philippe de Grèce et de Danemark, en présence de ses parents et de sa sœur Margaret, en 1947.

Mariage, le 20 novembre 1947 : le couple princier, entouré de sa famille et des demoiselles d'honneur.

Sa Majesté Elisabeth II et son Altesse Royale, le duc d'Edimbourg.

Couronnement à Westminster, le 2 juin 1953.

Elisabeth avec ses deux aînés : la princesse Anne et le prince Charles.

Elisabeth II insufflant sa passion des chevaux à sa fille.

Le couple royal entouré de ses quatre enfants : Charles, Anne, Andrew (devant Anne) et Edward.

La reine à la passion de la campagne et des chevaux : ici, avec le prince Edward (Ph. Gamma)

Moment de détente : l'indispensable cup of tea.

La princesse Margaret, la sœur tant aimée.

A l'occasion des quarante ans de règne, apparition de la famille royale au balcon de Buckingham Palace.

Après la mort de Diana (1997), une avalanche de fleurs devant les grilles de Buckingham Palace.

VII

« NE TROUVEZ-VOUS PAS
QUE MON FILS EST ADORABLE ? »

ANS l'univers bon chic bon genre et, avouons-le,
un peu terne de la famille royale anglaise, Philippe
va se charger d'apporter une bonne dose de fantaisie.
Pour Elisabeth, habituée à vivre dans un monde feutré
où personne n'élève jamais la voix, son franc-parler,
ses gaffes souvent volontaires, son mauvais caractère et
une certaine décontraction dans son attitude semblent
extraordinairement exotiques. Face au couple très uni
et un peu bourgeois que forment ses parents, elle
découvre le charme inattendu de la fantaisie. Inattendu
est le mot juste. Pour elle, la principale qualité de Philippe est et restera son imprévisibilité. Dans son univers
quotidien où tout semble fixé à l'avance d'année en
année, Philippe seul apporte une note d'improvisation.
Peu importe si elle est parfois déplaisante ou coléreuse,
elle est sans doute le seul contraste dont puisse disposer la reine face à la soumission, pour ne pas dire
l'obséquiosité, qui l'entoure en permanence. De la
même manière que Margaret a toujours été sa faiblesse, l'unique personne dont elle tolère tous les

caprices, Philippe est le péché mignon qu'elle s'accorde chaque jour. Suivant la formule consacrée : pour elle, il est le « sel de la terre ». Ce qui lui vaudra toutes les indulgences. Et Dieu sait qu'elles seront nécessaires. Depuis plus d'un demi-siècle, cette étrange alchimie fonctionne en dépit des écarts de conduite de l'un et de l'éternel sens du devoir de l'autre. Leur parcours n'a pourtant pas été exempt d'embûches.

Les premiers mois de leur vie de couple, Elisabeth et Philippe les vivent à Buckingham Palace. Clarence House qui leur a été octroyée comme résidence par le Parlement est toujours dans un état de décrépitude avancé. Et, bien qu'un crédit généreux ait été voté par le Parlement, le jeune couple devra patienter près d'une année avant de pouvoir y vivre. En attendant, ils ont emménagé dans la « Suite Belge », ainsi nommée parce qu'elle servait autrefois au roi Léopold Ier de Belgique, oncle maternel de la reine Victoria. Cet appartement qui ouvre directement sur les jardins est l'un des plus agréables du Palais. Composé de quatre pièces, il comprend un salon, baptisé « Salon XVIIIe », une chambre à coucher, la « Chambre à Coucher Orléans », un salon privé, le « Salon Espagnol » et une salle à manger, meublée en style Régence anglais, ce qui correspond historiquement à notre Premier Empire. L'ensemble est un peu pompeux et impersonnel pour un jeune ménage. Mais Elisabeth n'y regarde pas de si près. Elle est dans son univers familier, à quelques dizaines de mètres seulement de ses parents, en compagnie de l'homme qu'elle aime. Toutes les conditions sont réunies pour son bonheur.

Lorsqu'on contemple un portrait actuel de la reine ou même une des nombreuses photos prises d'elle au cours des vingt dernières années, il est difficile, pour ne pas dire impossible, d'imaginer la jeune femme éclatante qu'elle est à cette époque. Les années de règne, avec tout le cortège de responsabilités et de stress qu'elles ont entraîné, et les nombreux conflits familiaux qu'elle a dû affronter, ont laissé leurs marques évidentes sur sa silhouette et sur son visage. Au début de l'année 1948, elle est tout simplement une ravissante jeune femme. Son teint est éclatant, ses yeux bleus pétillent. La mode de l'époque lui sied à ravir. Les jupes larges mettent en valeur sa taille et sa silhouette sportive. C'est d'ailleurs la seule époque de sa vie où elle se permettra quelques originalités vestimentaires. La plus célèbre est une robe de taffetas noir sans manches et sans épaulettes qui révèle un décolleté absolument parfait et qu'elle arbore à l'occasion d'une sortie au théâtre. Deux jours plus tard, cette toilette, recopiée par de célèbres maisons de prêt-à-porter, s'étale dans les vitrines de toutes les boutiques de mode du pays.

L'éclat de la princesse héritière est tel qu'il va même séduire le public le plus difficile du monde : les Français. Au printemps 1948, les Edimbourg, comme on les surnomme à la Cour, accomplissent leur première visite officielle et elle a lieu à Paris. Personne, à part la famille royale et quelques proches, ne sait que la princesse est enceinte de trois mois. Son nouveau secrétaire privé, John Colville, se souvient aujourd'hui encore de l'enthousiasme que cette visite déchaîne à Paris :

« Lorsque nous sommes arrivés à la gare du Nord, tout n'était que protocole : accueil par le chef du protocole, procession de présentation des officiels et des ambassadeurs. Souvent au cours du séjour, la princesse s'est sentie assez malade. Pourtant, quand nous sommes partis quatre jours plus tard, après la visite de Versailles, le déjeuner au Trianon, la visite de Fontainebleau, la journée aux courses, les foules compactes dans les rues acclamant et criant "Vive la princesse", les Français étaient à ses pieds. »

Les Français étaient peut-être à ses pieds mais les photographes et les curieux étaient aussi à ses trousses.

Le dernier jour, un incident provoque la première des célèbres colères du prince Philippe. « Une soirée privée avait été organisée, raconte Colville. Nous sommes sortis dans un très célèbre restaurant trois étoiles. La salle avait été réservée. Aussi notre petit groupe s'est-il retrouvé tout seul dans cette vaste salle de restaurant. Soudain, le prince Philippe a remarqué un trou dans la nappe de la table qui se trouvait juste en face de la nôtre. Et au travers de ce trou l'objectif d'un appareil photo. Il est entré dans une rage noire. Plus tard, nous nous sommes rendus dans un night club qui lui aussi avait été réservé pour nous. Ce fut l'une des soirées les plus épouvantables de toute ma vie. Nous étions tous sur notre 31 et personne autour de nous dans ces endroits vides, à l'exception d'un objectif d'appareil photo. »

L'incident illustre parfaitement la contrainte à laquelle le jeune marié va devoir se plier durant le demi-siècle qui va suivre : vivre sous le regard permanent de millions d'individus et marcher en permanence deux pas derrière son épouse. Et il aura bien du mal à s'y habituer. Contrairement à Elisabeth, il trouve l'ambiance du Palais un peu pesante. Il y est l'hôte de ses beaux-parents, ce qui, pour un jeune homme un peu macho habitué à la vie indépendante des marins, n'est pas une situation facile. En outre, le roi qui cherche à garder sa fille aînée le plus près possible de lui s'est arrangé pour procurer à son gendre un poste au ministère de la Marine qui est situé à moins d'un kilomètre à pied du Palais. Un véritable emploi de fonctionnaire peu fait pour satisfaire le besoin d'espace de Philippe qui étouffe littéralement entre les quatre murs de son bureau. La venue au monde de son fils Charles, le 14 novembre 1948, ne fait que renforcer son sentiment d'inutilité. Une fois de plus, c'est son épouse qui se trouve aux premières loges alors qu'il est réduit au rôle peu gratifiant d'étalon royal, tout juste bon à assurer la succession.

LA VÉRITABLE ELISABETH II

La naissance a lieu à Buckingham Palace, le 14 novembre 1948. Un hôpital de fortune a été installé au premier étage de l'aile Est. Afin de ménager la pudeur de sa fille chérie, le roi a mis fin de son propre chef à la coutume médiévale qui voulait qu'un membre du gouvernement assiste à la naissance. Il a simplement indiqué à son Premier ministre qu'il lui téléphonerait personnellement la nouvelle. Le bébé vient au monde à 9 h 14 du matin. Le jeune papa qui depuis près d'une heure joue au squash avec son écuyer Michael Parker a à peine le temps de prendre une douche, avant de se rendre au chevet de son épouse avec un bouquet de fleurs dans les bras. Le baptême a lieu quelques semaines plus tard dans le salon de Musique du Palais car la chapelle, détruite pendant la guerre, n'a pas été reconstruite. La reine Mary y assiste et à quatre-vingt-un ans, elle se réjouit d'assister à ce qu'elle considère comme un événement historique. Le soir de la cérémonie, elle note dans son *Journal* : « Je suis enchantée de devenir arrière-grand-mère. J'ai offert au bébé une timbale et des couverts en argent que George III avait offerts à un de ses filleuls en 1780. De cette manière, j'ai donné à mon arrière-petit-fils un cadeau qui vient de mon propre arrière-grand-père, 168 ans plus tard. »

La réaction d'Elisabeth devant cette première naissance est très symptomatique de la façon dont elle envisage son rôle de mère. A un ami, elle écrit en effet : « Ne trouvez-vous pas que mon fils est adorable ? Je n'arrive toujours pas à croire qu'il est réellement à moi. Mais c'est sans doute la réaction de tous les parents. Cela dit, les parents de ce petit garçon-là ne pourraient pas être plus fiers de lui. » Effectivement, cet émerveillement à peine déguisé est tout à fait normal chez une jeune mère. Ce qui l'est sans doute moins est la fin de la lettre dans laquelle Elisabeth s'émerveille de devoir partager son enfant avec des millions de personnes : « C'est merveilleux, n'est-ce pas, de penser que cette simple naissance donnera peut-être un peu de bonheur à tant de gens dans tout le pays. » Aucun doute n'est possible, il s'agit bien de la venue au monde d'un futur roi, un bébé qui appartient à une nation presque autant qu'à ses parents. Dès le jour de sa naissance, il porte le numéro trois dans la liste de succession au trône, un document dans lequel Philippe n'est même pas mentionné. Pire, l'enfant ne portera pas son nom, puisqu'il est appelé à poursuivre la lignée des Windsor sur le trône de Grande-Bretagne. C'est dans cette naissance même et ses implications historiques que se trouve l'origine du conflit personnel qui opposera toujours le duc d'Edimbourg à son fils aîné. Il est difficile de jouer les seconds rôles derrière son épouse et son fils, surtout pour un homme qui a passé la plus grande partie de son adolescence à chercher sa place au sein d'une famille extrêmement perturbée. Philippe en fera l'expérience, parfois amère, tout au long de sa vie. Le prince Albert, époux de Victoria, a connu la même destinée. Et force est de constater que ses rapports avec son fils aîné, le futur Edouard VII, étaient loin d'être bons.

L'euphorie des premières semaines passée, Elisabeth retourne à ses devoirs de princesse héritière et Philippe à son bureau du ministère de la Marine. Quant à Charles, suivant la tradition, il est remis aux mains expertes de sa nanny. Alla ayant largement passé l'âge de la retraite, une nouvelle venue, Helen Ligtbody, est nommée à ce poste. Elle n'est pas tout à fait une inconnue pour la famille royale puisqu'elle a travaillé pendant de longues années chez l'un des frères du roi George VI, le duc de Gloucester. La routine familiale qui se met en place est assez semblable à celle qui régnait autrefois au 145 Piccadilly. Du moins en ce qui concerne les horaires. Elisabeth voit son fils chaque matin durant une heure et chaque soir durant une demi-heure. La différence réside plutôt dans la qualité de ces contacts et leur manque absolu de fantaisie. Alors que ses propres parents s'étaient révélés spontanés et volontiers indisciplinés, n'hésitant jamais à prendre leurs filles dans leurs bras et à organiser, quelques années plus tard, une bataille d'oreillers, la princesse héritière est beaucoup plus distante. Plus qu'une incapacité, son attitude étrange est le résultat d'une impossibilité presque matérielle qui tient essentiellement à son statut. Elle est la princesse héritière et, en tant que telle, a déjà beaucoup plus de devoirs à remplir que son propre père n'en avait au même âge. Le jour de la naissance de sa fille aînée, George VI n'était encore que le duc d'York, un frère cadet du prince de Galles, ayant peu de chance de monter un jour sur le trône. Un personnage secondaire dans le royaume qui disposait d'une certaine latitude pour organiser sa vie publique et sa vie de famille. Cette situation avait duré jusqu'à l'abdication de son frère aîné en 1936, dix ans plus tard. Dix années qui correspondent exactement à l'enfance d'Elisabeth. Lorsque Charles naît, le 14 novembre 1948, sa mère est déjà la future reine. Une différence de taille qui est encore renforcée par le fait que, dans son cas, ce n'est pas son père qui est destiné à régner un jour mais sa mère, et on connaît l'importance que revêt la relation mère-enfant au cours des premières années d'un nourrisson. Ce n'est que beaucoup plus tard, lors de la naissance de ses deux autres fils, Andrew et Edouard, qu'Elisabeth comprendra que la répartition entre ses devoirs de mère et ses devoirs de princesse héritière a été faite au détriment de son fils aîné. L'attitude immature de Philippe vient encore aggraver ce déséquilibre. Rongeant son frein entre un palais où il ne se sent pas chez lui, une cour où il n'a aucune place et un bureau où il s'ennuie, il se languit de reprendre du service dans la marine afin de redonner un peu de piment à sa vie. Partagée entre ses obligations envers le pays et son père, un mari qui devient de plus en plus irritable et un fils au berceau, Elisabeth pare au plus pressé en donnant la priorité aux deux premiers. On peut difficilement lui jeter la pierre. Toutes proportions gardées, sa situation n'est pas très différente de celle d'une jeune femme moderne qui travaille tout en élevant ses enfants. Faut-il rappeler qu'elle aussi est une jeune mariée très amoureuse de son mari ? Et justement ce dernier s'apprête à prendre le large.

Le 17 novembre 1949, Philippe obtient enfin la nomination qu'il espérait depuis si longtemps. Le roi a fini par donner son accord pour qu'il rejoigne le destroyer *Chequers* en tant que commandant en second. Le vaisseau est stationné à Malte, en pleine Méditerranée, là où il a passé la plus grande partie de la guerre. Elisabeth, qui est encore dans toute la passion de ses premières années de mariage, décide de l'accompagner pendant six semaines. C'est une seconde lune de miel qui commence et elle sera encore plus fascinante que la première. Aux cieux couverts de l'Angleterre où ils ont vécu les premiers jours de leur vie de couple, succèdent les paysages ensoleillés de l'île de Malte. Avec un soulagement évident, Lilibeth peut, pour la première fois de sa vie, vivre comme n'importe quelle autre femme d'officier. A La Valette, la capitale, le jeune couple dispose d'une luxueuse villa. Tous les matins, ils prennent leur petit déjeuner sur une terrasse qui domine la mer. Durant la journée, la princesse partage avec délices la vie simple et sans contrainte des autres femmes d'officiers. Rendez-vous chez le coiffeur, bains de soleil, longues séances de natation et bavardages autour de la piscine. Une vie somme toute normale dont elle découvre avec bonheur la banalité. Le soir, les deux époux prennent un verre dans le jardin avant d'aller rejoindre leurs amis pour dîner ensemble au mess des officiers. La mauvaise humeur de Philippe a disparu. Il retrouve cette fantaisie qui faisait son charme autrefois. Il se livre même à des plaisanteries de collégien, dissimulant un serpent en caoutchouc dans le poudrier de son épouse ou encore la poursuivant dans les couloirs, armé d'énormes fausses dents de vampire. Coupés du monde, ils en oublient même leur fils qui passe son premier Noël seul à Sandringham en compagnie de ses grands-parents et de sa tante Margaret.

Lorsqu'à la fin du mois de janvier 1950, Elisabeth rentre à Londres, elle est parfaitement heureuse et une fois de plus enceinte. Son deuxième enfant, la future princesse Anne, naît le 15 août 1950. Philippe est toujours à Malte et Elisabeth ne brûle que d'une envie, le rejoindre. Après avoir allaité sa fille pendant les trois mois réglementaires, elle s'envole à nouveau pour poursuivre sa seconde lune de miel. Entre-temps, Philippe a été nommé commandant du *Magpie*, un vaisseau que certains vieux marins de l'amirauté ne tardent pas à surnommer le « Yacht personnel du duc d'Edimbourg ». Et effectivement le *Magpie* jouit de passe-droits évidents. Quelques vieux diplomates du ministère des Affaires étrangères ont fini par se dire que, puisque la princesse Elisabeth et son époux croisaient en Méditerranée, autant en profiter pour leur confier un rôle d'ambassadeurs itinérants de la couronne d'Angleterre. L'un des premiers ports où ils font escale est justement Athènes. Philippe et Elisabeth y sont reçus par un autre jeune couple, le roi Paul et la reine Frederika. Galamment, le roi fait illuminer le Parthénon afin que la jeune épouse de son cousin germain puisse le visiter de nuit. Durant près d'une semaine, les garden-parties succèdent aux barbecues improvisés le soir sur la plage, avant de reprendre la mer et d'atteindre une autre

153

escale. Cette existence insouciante va durer jusqu'à la fin de l'année 1951. Et c'est le Premier ministre qui y met un terme.

Depuis plusieurs années déjà, le roi George VI souffre du cancer de la gorge qui finira par l'emporter. Deux opérations successives lui ont donné quelques années de répit sans enrayer la maladie. Son entourage et son gouvernement suivent avec angoisse les progrès du mal chez cet homme épuisé par le stress et la fatigue des six années de guerre. Son épouse, plus que jamais indispensable, s'efforce de préserver une ambiance joyeuse autour de lui. Avec la complicité des médecins, elle réussira le tour de force de maintenir pendant plusieurs années son mari dans l'ignorance de la gravité de son mal. C'est de cette période que datent le ressentiment tenace et la haine qu'Elisabeth vouera à son beau-frère, le duc de Windsor, et à l'épouse de ce dernier. Jamais elle ne leur pardonnera d'avoir contraint son époux à monter sur le trône où il s'épuisera à la tâche, ce qui abrégera sa vie d'une bonne dizaine d'années. A la fin de l'année 1951, les médecins rendent leur terrible verdict : le roi est condamné. Il a cinquante-six ans et n'a plus que quelques mois, peut-être une année, à vivre.

Avec les élections législatives qui ont eu lieu au mois d'octobre, Winston Churchill est de nouveau au pouvoir. C'est donc à lui que revient la tâche difficile d'annoncer à la princesse héritière que la santé de son père est gravement menacée. Dorénavant, il importe qu'elle se tienne prête à tout instant pour assurer la relève. Dans ce but, il fait remettre à son secrétaire privé une enveloppe scellée qui contient les documents officiels nécessaires pour marquer son accession au trône. Elisabeth devra les emporter avec elle partout dans le monde.

La deuxième lune de miel des Edimbourg est bien terminée lorsque, le 30 janvier 1952, ils embarquent à bord de l'avion royal qui doit les conduire en Australie et en Nouvelle-Zélande pour un voyage officiel de plusieurs semaines. Le temps est froid. Les souverains sont venus accompagner leur fille aînée à l'aéroport. Elisabeth sait que c'est peut-être la dernière fois qu'elle voit son père. Et pourtant, il lui est impossible d'ajourner ce voyage. Raison d'Etat oblige. Afin de rompre avec la grisaille de l'hiver britannique, elle et Philippe ont toutefois décidé de faire une escale au Kenya afin d'aller admirer le cadeau de mariage que leur a fait le gouvernement de ce pays. Il s'agit d'un relais de chasse construit en pleine brousse, Sagana Royal Lodge. Cette première partie de leur expédition doit durer une dizaine de jours. Ils n'y seront accompagnés que par une suite restreinte qui comprend le secrétaire privé d'Elisabeth, Martin Charteris, un écuyer, Michael Parker, une dame d'honneur, lady Pamela Mountbatten et bien sûr l'inévitable Bobo.

La journée du 5 février est consacrée à une chasse à l'éléphant à l'issue de laquelle la princesse déclare : « Cela a été l'expérience la plus excitante de toute ma vie. » Son guide lui répond : « Si vous montrez le même courage pour affronter tout ce que vous réserve le futur que celui que vous avez montré en faisant face à un éléphant à vingt pas, nous aurons beaucoup de chance. » Le soir même, le petit groupe regagne Sagana Royal Lodge pour prendre un peu de repos. Quelques heures avant l'aube, dans la nuit du 5 au 6 février, au château de Sandringham, le roi George VI rend son âme à Dieu. Il meurt paisiblement durant son sommeil et c'est seulement au matin que son valet de chambre le découvre inanimé dans son lit. Martin Charteris est le premier à être mis au courant. Immédiatement, il informe Michael Parker. Ce dernier se dirige alors vers ce qui est devenu l'appartement royal et, doucement, il cogne à la fenêtre de la chambre du duc d'Edimbourg.

155

Après quelques instants d'hésitation, le duc ouvre la fenêtre.

« J'ai une terrible nouvelle à vous annoncer, murmure Parker. Le roi est mort.

– Mon dieu, lui répond le duc. En êtes-vous certain ?

– Oui, poursuit Parker, la nouvelle a été confirmée. »

Quelques instants plus tard, Bobo, qui est levée depuis une demi-heure, est en train de cirer les chaussures d'Elisabeth lorsqu'elle entend des sanglots provenant de la chambre de sa jeune maîtresse. Elle la trouve assise sur son lit, effondrée par la nouvelle. Elle la prend dans ses bras pour tenter de la consoler, exactement comme elle le faisait autrefois lorsqu'elle était encore une enfant. Pamela Mountbatten racontera à Elisabeth Longford, une des biographes de la reine : « Personne ne savait quoi lui dire. Pour nous, c'était son père qui était mort. Nous avions un peu de mal à mesurer qu'il s'agissait aussi du roi. C'était un tel choc... En rentrant dans sa chambre, j'ai compris que, suivant son habitude extraordinaire, elle était en train de s'inquiéter de ce que chacun avait à faire. Elle m'a dit : "Merci, je suis tellement désolée que nous soyons obligés de rentrer en Angleterre. Cela va déranger tout le monde." »

La nouvelle reine a parfaitement compris qu'elle dispose de peu de temps pour se laisser aller à son chagrin. Déjà, son secrétaire privé lui apporte l'enveloppe scellée qui contient les documents officiels de son avènement. Ils doivent être signés et remplis à son nom. Aussi, la première question que Martin Charteris pose à sa nouvelle reine est :

« Sous quel nom Votre Majesté entend-elle régner ?

– Le mien, bien sûr. »

Le changement de règne est accompli. A sept heures du matin, le 6 février 1952, en pleine brousse africaine, son altesse royale la princesse Elisabeth est devenue Sa Majesté la reine Elisabeth II.

LA VÉRITABLE ELISABETH II

Le duc d'Edimbourg est effondré. Michael Parker se rappelle avoir pensé en le voyant : « Tout le poids du monde semblait être descendu sur ses épaules. Je n'ai jamais été aussi peiné par quelqu'un. Il avait un air épouvantable. » A la peine qu'il ressent de la mort de son beau-père, s'ajoute dans son cas une bonne dose d'appréhension devant le destin qui l'attend. Depuis son mariage, cinq ans auparavant, il redoutait ce qui vient d'arriver. Sa femme est devenue reine. Durant tout le reste de leur vie, il viendra au second plan. Il en aura une confirmation presque humiliante le lendemain, lorsque l'avion qui les transporte atterrit à l'aéroport de Londres. En jetant un coup d'œil par le hublot, Elisabeth a aperçu le triste cortège de voitures officielles qui est avancé sur le tarmac. Winston Churchill est venu rendre ses devoirs. Suivant l'étiquette, il est accompagné du leader de l'opposition, Clement Attlee, de lord Woolton, président de la Chambre des Lords, d'Harry Crooksman, président de la Chambre des Communes et d'Anthony Eden, le ministre des Affaires étrangères. Le duc de Gloucester et lord Mountbatten sont aussi présents. Il fait un froid polaire et après le soleil du Kenya, l'ambiance est sinistre. Elisabeth s'avance pour descendre et Philippe s'apprête à la suivre lorsque l'un des responsables du protocole s'approche de lui et lui explique le plus doucement possible que la reine doit descendre seule. C'est seulement lorsqu'elle aura débarqué qu'il pourra à son tour, avec les autres membres de la suite, quitter l'appareil. Le rappel à l'ordre est brutal.

Quelques instants plus tard, c'est une figure d'un autre âge qui les accueille à Clarence House. La reine Mary a tenu à être la première à saluer la nouvelle reine et à lui baiser la main suivant la coutume ancestrale. Dans l'après-midi du 8 février, après avoir tenu son premier conseil, la nouvelle reine prend la route de

Sandringham afin de rendre les derniers devoirs à son père. Durant les semaines suivantes, elle s'initie peu à peu aux devoirs de sa charge sous la tutelle affectueuse de Winston Churchill. C'est le moment que choisit justement Philippe pour affirmer une nouvelle fois sa volonté d'indépendance. Dans cet univers où il n'a aucun rôle officiel, ni même une existence légale, il s'efforce désespérément d'imposer sa marque.

Sa première offensive va concerner le sanctuaire de la monarchie britannique, le sacro-saint palais de Buckingham. La légende veut que, quelques jours après son arrivée à Londres, Elisabeth ait demandé à son Premier ministre : « Faut-il vraiment que nous retournions vivre là-bas ? » Un peu écrasée par l'ampleur des responsabilités qui venaient de tomber sur ses épaules, la nouvelle reine aurait souhaité maintenir au moins son cadre de vie quotidien en restant à Clarence House où elle avait fini par s'installer deux ans auparavant. C'est seulement devant l'insistance de Churchill qu'elle aurait finalement accepté de retourner vivre au Palais, cédant Clarence House à sa mère et à sa sœur cadette.

Le déménagement croisé a lieu au mois d'avril 1952. Dès son arrivée, le duc d'Edimbourg décide de prendre les choses en main. Il souhaite en effet rationaliser le mode de fonctionnement de la vieille maison. Incapable de faire face à toutes les tâches, Elisabeth est enchantée de pouvoir accéder à la proposition de son époux. Elle est d'ailleurs bien forcée d'avouer que certains usages, directement hérités du XIXe siècle, sont totalement obsolètes. La vie des cuisines notamment est réglementée suivant une hiérarchie qui remonte au règne de la reine Victoria. Les marmitons ne prennent pas leurs repas avec les pâtissiers qui, à leur tour, refusent de partager leur table avec les aides-cuisiniers. Pour ne rien dire des chefs qui entendent être servis à part. Ces mêmes cuisines étant situées au rez-de-chaussée de l'aile sud alors que les appartements royaux se trouvent au premier étage de l'aile nord, les plats arrivent le plus souvent tièdes sur la table royale. Ce sont ces usages et de nombreux autres que Philippe souhaite voir disparaître. Dans ce but, la reine lui donne carte blanche. Nul doute, pense-t-elle, que son efficacité militaire ne fasse merveille dans ce domaine. En fait, c'est justement là que le bât va blesser dans des proportions que personne ne pouvait imaginer.

Quel que soit le bien-fondé des réformes qu'il propose, Philippe manque malheureusement de diplomatie dans la manière dont il les présente et veut les imposer. Les quelque six cents membres du personnel du Palais, habitués depuis des lustres à ne jamais élever la voix et à se fondre dans le décor, sont passablement interloqués devant les véritables « engueulades » qu'il leur adresse pour un oui ou pour un non. Succédant aux manières douces de George VI et de son épouse, son zèle intempestif suscite une levée de boucliers. En quelques mois, l'immobilisme du personnel se change en une hostilité ouverte. Les choses parviennent à un point où les délégués du personnel demandent un entretien au secrétaire privé de la reine pour l'informer que, si le duc d'Edimbourg continue à se mêler de ce qui ne le regarde pas, le personnel se mettra en grève. Après ce camouflet retentissant, Philippe se le tiendra définitivement pour dit. Aujourd'hui encore, il affecte de ne jamais se mêler de la marche quotidienne du Palais.

A Basil Boothroyd, son biographe officiel, qui l'interrogeait sur cette époque, il expliquera un jour avec un peu d'amertume : « Parce que la reine est le souverain, tout le monde se tourne vers elle. S'il y a un roi et une reine, un certain nombre de responsabilités incombent automatiquement à la reine. Mais si la reine est aussi le monarque, toutes les responsabilités lui reviennent. On lui demande de faire beaucoup plus de choses que la moyenne des gens. Beaucoup de membres du personnel doivent lui rendre compte et le fait qu'ils lui rendent compte à elle est très important pour eux. Pour cette raison, il est très difficile de les persuader de ne pas aller voir la reine mais de venir me voir moi. »

Entre-temps, il a aussi perdu une autre bataille beaucoup plus lourde de signification, celle du nom de la dynastie.

Si l'on en croit certains témoignages, le jour de l'accession d'Elisabeth à la couronne, lord Mountbatten, l'oncle ambitieux du duc d'Edimbourg, aurait fait ouvrir une bouteille de champagne et se serait écrié : « Maintenant la maison Mountbatten règne sur l'Angleterre. » Théoriquement, il avait parfaitement raison. En adoptant le nom de sa mère au moment de son mariage, le prince Philippe de Grèce et de Danemark était devenu Philippe Mountbatten. Son épouse et ses enfants portant, suivant la tradition, le même nom que lui, c'était bien la maison Mountbatten qui était montée sur le trône de Grande-Bretagne en février 1952.

Pour Philippe et son oncle, il importait toutefois d'en obtenir la confirmation officielle. Aussi décident-ils d'envoyer une lettre officielle au gouvernement demandant que le changement de nom de la dynastie de Windsor en Windsor Mountbatten soit entériné officiellement dans tous les actes officiels. Si l'on en croit les proches de Churchill, ce dernier, en recevant la lettre, piqua une colère effroyable. Les Mountbatten étaient issus de la maison grand-ducale de Hesse. Sept ans à peine après la défaite de l'Allemagne, la simple idée que la dynastie royale anglaise qui, pendant près de six années, avait incarné l'âme de la résistance aux nazis, puisse adopter un nom d'origine allemande, lui semble tout simplement révoltante. En apprenant la nouvelle, la vieille reine Mary et la reine mère Elisabeth sont tout aussi choquées par le procédé et se chargent de le faire savoir au Premier ministre. Vingt-quatre heures plus tard, un conseil des ministres convoqué en urgence adopte à l'unanimité un décret qui condamne sans appel l'initiative des deux hommes. Le nom de la dynastie restera Windsor. Par une étrange ironie du sort, le décret est présenté à la signature d'Elisabeth le matin du 21 avril 1952, jour de son vingt-sixième anniversaire. Contrainte et forcée, la reine signe. Tout ce qu'elle obtiendra quelques semaines plus tard est un changement du protocole de la Cour qui permettra à son époux de prendre le pas sur tous les autres membres masculins de la famille royale, y compris son fils aîné. En outre, elle décide de nommer Philippe à la tête du comité d'organisation de son propre couronnement. Maigre lot de consolation qui ramène le duc d'Edimbourg à une position de potiche à qui on veut bien consentir quelques honneurs mais aucune responsabilité.

VIII

« SI MON PÈRE L'A FAIT,
JE PEUX LE FAIRE »

La cérémonie du couronnement est programmée
pour le 2 juin 1953. Ce délai de plus d'un an
entre l'accession au trône de la nouvelle reine et son
sacre n'est pas trop long pour organiser la cérémonie la
plus fastueuse qui soit en Europe. La Grande-Bretagne
est en effet la seule nation occidentale qui ait maintenu
cet usage. Et elle entend bien le montrer, d'ailleurs.
Malgré les soupirs horrifiés des puristes, la reine, son
époux et le duc de Norfolk, dont la famille possède à
titre héréditaire la charge d'organiser les couronnements des rois d'Angleterre, ont décidé d'autoriser la
retransmission de la cérémonie sur les ondes de la
BBC. Pour la première fois, ce sont donc des millions
de personnes dans le monde qui vont pouvoir suivre le
déroulement de cette cérémonie d'un autre âge. En
France, l'annonce de cette nouvelle provoque une
inflation considérable de la demande de postes de télévision. Au point que, au début de l'année 1953, le pays
est à deux doigts de la pénurie. Il importe donc que la
journée soit parfaite. Et tout le monde au Palais, à

163

commencer par la reine, va s'appliquer à ce qu'elle le soit. En tout, trois cents millions de personnes regarderont le couronnement. A l'époque, la transmission par satellite n'existe pas et ce sont des centaines de bobines de films qui seront acheminées par avion spécial aux quatre coins du globe.

Pour la seule et unique fois de sa vie, Elisabeth est prise d'une véritable frénésie de dépenses. A sa demande, c'est Buckingham Palace tout entier qui fait peau neuve. Il est vrai que la guerre et les années d'austérité qui ont suivi ont beaucoup retardé la plupart des travaux d'entretien généralement indispensables à une demeure de cette taille. Les meubles sont revernis ou redorés suivant le cas. Des dizaines de tableaux sont restaurés et leurs vernis rafraîchis. Les étoffes des murs et des sièges sont renouvelées. Chacun des monumentaux lustres de cristal est décroché et ses pièces nettoyées une par une. Même les immenses miroirs qui ornent certains des salons d'apparat sont repolis. A la fin de l'année 1952, la facture, qui comprend aussi les travaux extérieurs, avoisine les sept millions de livres sterling, soit près d'un milliard de nos francs actuels. Heureusement pour la cassette de la souveraine, elle est acquittée par l'Etat.

Les préparatifs prennent un tour nettement plus personnel durant les six mois qui précèdent le couronnement. Avec ce sens du détail qui la caractérise depuis toujours, Elisabeth tient à ce que chacun de ses gestes le jour de la cérémonie soit exactement conforme à la tradition. A Churchill qui lui suggère plusieurs fois de simplifier le rituel qui dure normalement trois heures, elle répond invariablement : « Si mon père l'a fait, je peux le faire. Vous n'avez pas l'air de comprendre que je suis forte comme un cheval. » Il y a un peu de forfanterie dans cette affirmation car la reine a, en fait, très peur de ne pas avoir suffisamment de force physique pour porter dans ses deux mains, durant toute la durée de l'hommage des pairs, le sceptre et le globe d'or qui pèsent plusieurs kilos chacun. Aussi charge-t-elle lord Worksop de se tenir à sa droite durant toute cette partie de la cérémonie afin de soutenir son bras droit si la fatigue se fait sentir. De la même manière, un système de courroies en cuir est installé sur les portes du carrosse qu'elle doit emprunter pour rentrer au Palais après le sacre. Elle pourra y fixer les deux ornements. Il lui suffira ensuite de poser sa main sur eux pour avoir l'air de les tenir durant le trajet de retour. Le poids de la couronne de Saint Edouard qui pèse trois kilos et demi et que les souverains ne portent que le jour de leur couronnement est lui aussi un problème. Cet emblème est censé représenter le lien ininterrompu qui unit le souverain à la longue lignée des rois qui se sont succédé sur le trône de Guillaume le Conquérant. En fait, la couronne qui existait à l'origine a été fondue au XVIIe siècle sur l'ordre de Cromwell. Quelques années plus tard, lorsque Charles II est monté sur le trône, une couronne similaire à celle qui avait été détruite a été réalisée à sa demande. Les caisses de l'Etat étant pauvres, la plupart des pierres précieuses qui ornaient l'ancienne couronne de Saint Edouard avaient été vendues et il avait fallu les remplacer par de l'or. Ce métal, relativement moins coûteux que des diamants ou rubis, présentait l'inconvénient d'accroître considérablement le poids.

Elisabeth sait qu'elle va devoir garder sur sa tête pendant plusieurs heures ces trois kilos et demi d'or pur. Afin de se familiariser avec cette épreuve, elle demande donc que la couronne soit transportée au Palais dès le mois de janvier 1953. Chaque jour, en début d'après-midi, elle la fait apporter dans ses appartements et la coiffe. Ainsi parée, elle s'installe à son bureau pour continuer à lire ses dépêches officielles ou écrire son courrier. Cet entraînement quotidien dure généralement une demi-heure. Son autre sujet d'angoisse, c'est la fameuse traîne de velours rouge bordé d'hermine mesurant vingt mètres de longueur avec laquelle elle va devoir remonter la nef de l'abbaye de Westminster. C'est Bobo qui trouve la solution en cousant l'un à la suite de l'autre une dizaine de draps de lit de manière à former une traîne factice avec laquelle la reine peut s'entraîner à marcher tous les après-midi dans les couloirs du Palais. Ses exercices ne manquent jamais de susciter une crise de fou rire chez le duc d'Edimbourg qui en profite pour se moquer gentiment de son épouse. Invariablement, cette dernière le rappelle à l'ordre sur un mode très royal : « Arrêtez d'être aussi stupide et faites ce que l'on vous dit. »

Deux mois avant le jour fatidique, une pénible nouvelle vient frapper la famille royale. La reine Mary meurt dans la nuit du 24 mars dans sa résidence de Marlborough House. Sentant sa fin venir, elle a pris toutes ses dispositions pour que sa mort ne vienne pas entraver les cérémonies du couronnement. A sa demande expresse, elles doivent être maintenues malgré le deuil. A sa petite-fille, elle laisse l'exemple d'une reine pour qui le devoir envers la couronne est toujours passé avant tout le reste et, sur le plan matériel, la plus grande partie de sa fabuleuse collection de bijoux. Avec elle, disparaît un des derniers témoins de l'ère victorienne. Cette mort affecte considérablement Elisabeth tout en renforçant le sentiment que, désormais, l'élément symbolique, presque mystique, de la monarchie britannique repose sur ses épaules. Dans ce rôle de monarque qu'elle conçoit presque comme un sacerdoce, elle puise une force nouvelle et une assurance qu'elle n'avait encore jamais connues. Quelques jours avant la cérémonie, elle confie à une amie : « C'est une sensation assez extraordinaire. Je ne suis plus anxieuse ou inquiète. Je ne sais pas pourquoi mais toute ma timidité a disparu. »

LA VÉRITABLE ELISABETH II

Dans la nuit du 2 juin, trente mille personnes, qui n'ont sans doute pas les moyens de s'offrir un poste de télévision, couchent à la belle étoile dans les rues de la capitale. Tous, bravant le crachin qui tombe depuis des heures, veulent être aux premières loges afin d'assister le lendemain à la procession qui conduira la nouvelle reine de son palais de Buckingham à l'abbaye de Westminster. Le lendemain, aux premières heures de la matinée, ils seront rejoints par des milliers d'autres. En tout, un million de personnes se rassemblent sur le parcours du cortège. Soixante mille soldats sont mobilisés en plus de la police pour assurer la sécurité. Trois mille deux cent quatre-vingts lignes de téléphone supplémentaires ont été installées afin que les journalistes venus à Londres pour couvrir l'événement puissent travailler dans de bonnes conditions. Les façades des immeubles qui se trouvent sur le parcours du cortège royal ont été entièrement ravalées de façon à faire honneur à cette journée historique.

Le lendemain matin, la pluie n'a pas cessé lorsque, vers dix heures, le Lord-Maire de Londres ouvre la marche. Il est accompagné par les représentants des chambres de Commerce et d'Industrie du royaume. Les ambassadeurs et les représentants des nations étrangères suivent. Le personnage le plus pittoresque est la reine Salotte des îles Tonga. Mesurant près de deux mètres et pesant plus de cent kilos, elle a insisté pour prendre place à bord d'une voiture découverte. « Si tous ces gens ont bravé la pluie pour nous voir, déclare-t-elle, en montrant la foule qui attend depuis des heures devant le Palais, je peux bien faire l'effort de braver la pluie moi aussi. » En face d'elle, a pris place le sultan de Malaisie qui semble beaucoup moins enchanté de devoir se mouiller ainsi. Sa mine revêche suscite le commentaire amusé du fameux Chips Channon. A un de ses amis qui lui demande qui est la personne qui se

trouve en face de la reine Salotte, il répond avec humour :
son déjeuner. Le Premier ministre Winston Churchill
conduit la troisième délégation qui est celle du gouvernement, des membres du Parlement, des Premiers
ministres et des représentants des nombreux Etats du
Commonwealth [1]. Ils précèdent les membres de la
famille royale parmi lesquels figurent trois petites-filles
de Victoria, les princesses Patricia (soixante-sept ans),
Marie-Louise (quatre-vingt-un ans) et Alice (soixante-
dix ans). Toutes trois assistent ainsi à leur quatrième
couronnement depuis celui de leur oncle Edouard VII.
Le carrosse de la reine mère qui ferme la marche est
ovationné. Après plusieurs mois de retraite totale, elle a
finalement décidé de revenir sur le devant de la scène.
Comme la reine Mary autrefois, qui avait partagé sa voiture avec ses deux petites-filles, Elisabeth et Margaret, le
jour du couronnement de leur père, elle est accompagnée

---

1. Contrairement à une idée couramment répandue, le
« Commonwealth of Nations », dont la reine est le chef théorique,
n'est pas un organisme créé au lendemain de la Seconde Guerre
mondiale, à une époque où la Grande-Bretagne cherchait à tout
prix à maintenir un lien avec ses anciennes colonies qui, toutes,
s'engageaient sur la voie de l'indépendance. Il fut en fait fondé
en 1917 comme une association internationale qui regroupait, à
cette époque, le Royaume-Uni, le Canada, l'Australie, la Nouvelle-Zélande, l'Afrique du Sud et Terre-Neuve. Aujourd'hui,
cinquante-trois Etats sont membres de cette association. La plupart sont effectivement d'anciennes colonies britanniques. On y
dénombre vingt monarchies dont Elisabeth II est la souveraine
théorique, vingt-sept républiques et six monarchies indigènes qui
sont le Lesotho, la Malaisie, le Swaziland, les îles Tonga, le sulta-
nat de Brunei et les îles Samoa occidentales. Chaque Etat y est
libre de sa politique intérieure ou extérieure mais peut coopérer
avec les autres dans n'importe quel domaine, qu'il s'agisse d'économie, de recherche scientifique, de médecine, de radio ou de
télévision. Tous les deux ou trois ans, une réunion des chefs d'Etat
ou des chefs de gouvernement des pays membres du Commonwealth a lieu.

de son petit-fils, le prince Charles, nouvel héritier de la couronne. Il est alors âgé de quatre ans et demi.

A onze heures du matin, le carrosse rococo surchargé de dorures dans lequel Elisabeth a pris place franchit les grilles du Palais. Son apparition est saluée par une tempête d'acclamations. A son arrivée à l'abbaye, les quelque sept mille personnes qui y ont pris place se lèvent dans un bel ensemble pour lui témoigner leur respect. Trois heures plus tard, lorsque l'archevêque de Canterbury présente officiellement le nouveau monarque : « Messeigneurs, la reine », ce sont ces mêmes sept mille personnes qui font résonner sous les voûtes de la vieille abbaye le cri séculaire de la monarchie : « Vive la reine ».

Cette cérémonie pourtant intimidante, Elisabeth l'a vécue sans aucune angoisse. Tous les témoignages de ses proches sont unanimes sur ce point. A aucun moment elle n'a été impressionnée ou angoissée par ce qui se déroulait autour d'elle. A son retour au Palais, son premier réflexe témoigne d'un sang-froid extraordinaire. Elle demande simplement qu'on lui apporte une tasse de thé. Puis, comme n'importe quelle maîtresse de maison qui reçoit une grande partie de sa famille et de ses amis à l'occasion d'une fête, elle se consacre à ses invités. Durant près d'une heure, elle passe d'un groupe à l'autre, souriante et bavardant avec tous. Sans même se souvenir qu'elle porte toujours sa robe de couronnement et sa couronne. Dans l'article qu'il écrit le soir même, Dermott Moarh, un journaliste qui a assisté au sacre, insiste sur son rayonnement : « L'exaltation spirituelle qui émanait d'elle durant toute la cérémonie était tout à fait sensible pour ceux qui se trouvaient à proximité. » Elisabeth de son côté fait ce commentaire significatif : « Je suis tellement heureuse que chacun ait apprécié cette journée avec toutes ces fêtes improvisées dans la rue, le faste de la cérémonie. Mais je me demande si les gens ont compris que, dans mon cas, il s'agissait de tout autre chose. Pour moi, le sacre était un engagement solennel et religieux. » Ce sentiment de devoir dorénavant remplir une tâche d'ordre presque spirituel, Nicholas Davies, l'un des meilleurs biographes britanniques d'Elisabeth, l'analyse parfaitement bien : « Elle a commencé à croire que son rôle de souveraine devait désormais prendre le pas sur tous les autres aspects de son existence, entre autres ceux de mère de deux enfants et d'épouse. Elisabeth a commencé à croire au droit divin des rois, à la doctrine politique qui veut que la monarchie soit une forme de gouvernement d'origine divine, ce qui a pour corollaire que les monarques ne sont responsables de leurs actes que devant Dieu. Lors de son couronnement, elle avait reçu l'onction divine des mains de l'archevêque de Canterbury en l'abbaye de Westminster. Elle avait épousé la monarchie. Durant les premières années de son règne, Elisabeth va considérer ses devoirs de monarque avec un sérieux désespérant. » Ce manque de clairvoyance devait lui causer quelques-unes de ses plus grandes déceptions dans les années futures.

A ce stade du récit, il semble légitime de se poser une question importante : quels sont exactement les pouvoirs de la reine d'Angleterre ? Suivant la formule consacrée, inventée par le constitutionnaliste britannique Walter Cageot à la fin du XIXᵉ siècle : « Le roi règne, mais il ne gouverne pas. » Reste à savoir quelles sont précisément ses attributions en tant que souverain régnant. Contrairement à la France ou à la plupart des nations européennes, la Grande-Bretagne ne dispose pas d'un texte constitutionnel unique qui édicte une fois pour toutes la répartition des pouvoirs entre l'exécutif, le législatif et le judiciaire. Trente-quatre monarques séparent Elisabeth II de son lointain ancêtre Guillaume le Conquérant qui devint roi d'Angleterre en 1066. Au cours des âges, de nombreux textes de lois, souvent obtenus par la force, vinrent sanctionner les avancées successives du Parlement et les reculs tout aussi successifs de la puissance royale. La tradition remonte fort loin puisque le premier d'entre eux, la célèbre « Grande Charte », fut arraché au roi Jean sans Terre en 1215 par les barons d'Angleterre révoltés par ses abus de pouvoir.

Cela dit, c'est surtout entre la fin du XVIIe siècle et les premières années du XVIIIe que se mit en place la structure définitive de la monarchie anglaise. La monarchie constitutionnelle dans l'acception moderne du terme remonte à l'année 1689. Cette année-là, Jacques II, chassé de son trône, est contraint de céder la place à sa fille aînée, Mary. Le Parlement en profite pour voter le « Bill of Rigts » qui consacre sa sZuprématie définitive. Depuis cette date, à l'exception de l'« Act of Scrrement » de 1701 qui établit le principe de la succession protestante et de plusieurs limitations du pouvoir de la Chambre des Lords, votées au XXe siècle, le statut du souverain a très peu évolué, non plus que ses pouvoirs formels.

Le premier se résume à assez peu de chose. La succession à la couronne se fait par ordre de primogéniture, les filles venant après leurs frères. Selon la loi de 1701, l'héritier de la couronne doit impérativement être de religion protestante. En outre, si une personne figurant sur la liste de succession épouse un conjoint catholique, elle perd automatiquement ses droits. Elle peut toutefois les transmettre à ses enfants à condition que ces derniers soient élevés dans la religion protestante. Le cas s'est présenté plusieurs fois au cours des dernières années. Ainsi, le prince Michael de Kent a perdu ses droits à la succession lorsqu'il a épousé en 1978 la baronne Marie-Christine von Reibnitz, de religion catholique. En revanche, leurs enfants qui sont protestants figurent sur la liste de succession. On peut aussi noter que cette loi visant spécifiquement le cas du mariage, elle ne s'applique pas dans les cas de conversion au catholicisme après le mariage. Le duc de Kent, frère aîné du prince Michael, n'a pas perdu ses droits à la couronne lorsque son épouse s'est convertie à la religion romaine au début des années quatre-vingt-dix.

Les différents textes précités sont beaucoup moins précis dans leur énonciation des pouvoirs du monarque et, comme c'est souvent le cas, c'est la coutume qui vient combler leurs lacunes. Le premier de ces pouvoirs royaux est la nomination du Premier ministre. A l'origine, le souverain disposait d'une certaine latitude dans ce domaine, mais la pratique politique l'a peu à peu contraint à un simple rôle d'exécutant qui se contente d'entériner le choix des électeurs. Dans son *Histoire constitutionnelle de la Grande-Bretagne* publiée en 1997, le professeur Frison résume cette attribution du monarque en quelques phrases : « La reine choisit et nomme le Premier ministre en vertu de la prérogative royale, établie par la tradition, et qui ne relève d'aucun texte constitutionnel. De nos jours, le choix du Premier ministre est quasi automatique : par convention, le souverain choisit le chef du parti vainqueur aux élections législatives et, donc, majoritaire aux Communes. »

Le monarque dispose en outre du droit de dissolution du Parlement. Dans la pratique, ce droit est, lui aussi, à la disposition du Premier ministre qui en use afin d'organiser les élections législatives au moment qui lui semble le plus opportun pour que son propre parti remporte la victoire. Théoriquement, le roi peut s'opposer au désir de dissolution du Premier ministre mais le cas ne s'est jamais produit. Enfin, toute loi votée par le Parlement doit porter la signature du souverain pour devenir exécutoire. Une fois encore, cette disposition peut laisser sous-entendre que le roi peut s'opposer à la promulgation d'une loi. En fait, il n'en est rien. La pratique veut en effet qu'il paraphe sans sourciller tout texte qui est présenté à sa signature. Suivant l'expression de Bagehot : « Le roi doit signer son arrêt de mort si les deux chambres le lui soumettent. » Les autres attributions du souverain sont purement symboliques. Il est le Chef des Armées, le Chef de l'Eglise Anglicane, le Chef du Commonwealth et la « Source de toute justice ».

La tentation est donc grande de considérer la reine Elisabeth comme une potiche de luxe tout juste bonne à inaugurer les chrysanthèmes. Il n'en est rien. Elle dispose d'un réel pouvoir, y compris dans le domaine politique, mais il s'exerce d'une manière si subtile que quelques simples phrases dans un texte constitutionnel auraient bien du mal à le décrire. Pour comprendre la dimension exacte de son influence, il faut une nouvelle fois faire appel à Walter Bagehot, auteur d'une autre formule célèbre. En Grande-Bretagne, écrit-il : « Le roi a le droit d'être consulté, d'encourager et d'avertir. » Ces trois droits s'exercent au cours des fameuses visites hebdomadaires que le Premier ministre rend au roi. Depuis le début du règne d'Elisabeth, cette rencontre a lieu tous les mardis après-midi. Durant une demi-heure, les deux plus hauts personnages de l'Etat font un tour d'horizon complet des affaires en cours. Afin d'être parfaitement informée, la reine reçoit tous les jours une série de boîtes en cuir rouge frappées à son chiffre qui contiennent les rapports d'activité quotidiens des différents ministères et institutions du pays. L'étude du contenu de ces boîtes lui permet d'avoir une vision générale et permanente de la vie politique, militaire, économique et judiciaire du royaume. Elle est aussi bien informée que le chef du gouvernement. De plus, elle jouit d'une expérience beaucoup plus longue, puisque contrairement à lui, elle est inamovible.

En réalité, l'influence du monarque évolue considérablement en fonction de son âge. A l'époque où Elisabeth monte sur le trône, on l'imagine difficilement donnant des conseils au vieux Winston Churchill. Il est beaucoup plus vraisemblable que c'est elle qui a bénéficié de ses lumières durant les quatre années qu'a duré leur collaboration, de 1951 à 1955. Aujourd'hui, après un demi-siècle de règne, son triple pouvoir de consultation, d'encouragement et d'avertissement est beaucoup plus important qu'il n'y paraît au premier abord. Etant parfaitement informée et disposant d'une expérience incomparable, la reine est en mesure d'attirer l'attention du chef de son gouvernement sur tel ou tel aspect d'un problème qui lui aurait échappé. Dans ses *Mémoires*, Margaret Thatcher, qui fut chef du gouvernement durant onze ans, de 1979 à 1990, évoque ces entrevues hebdomadaires avec la reine :

« Toutes les audiences avec la reine se déroulent dans un climat de stricte confidentialité qui est vital pour le bon fonctionnement, non seulement du gouvernement mais aussi de la Constitution. J'étais reçue en audience par Sa Majesté une fois par semaine, généralement le mardi, quand elle se trouvait à Londres ou à Windsor ou Balmoral. Qu'il me soit permis de faire une remarque à propos de ces audiences. Celui qui imagine qu'elles ne sont qu'une formalité ou qu'elles se limitent à de simples considérations mondaines, se trompe. Elles sont extrêmement professionnelles et Sa Majesté y apporte une extraordinaire expérience et une connaissance parfaite des affaires courantes. »

Si l'on en croit un autre chef du gouvernement, James Callaghan : « Le Premier ministre y trouve beaucoup de compréhension de ses problèmes, sans que la reine prenne jamais parti car elle est en dehors de la politique. Bien sûr, il lui arrive parfois de faire ressortir un point particulier, mais il est extrêmement rare que je l'ai entendue me dire : "Pourquoi ne faites-vous pas ceci ou cela ?" »

LA VÉRITABLE ELISABETH II

Dans le film diffusé par la BBC à l'occasion de ses quarante ans de règne, Elisabeth a défini elle aussi son rôle au cours de ces fameuses audiences. Les principaux éléments de son explication sont repris par Hélène Catsiapis dans le livre qu'elle a consacré à la monarchie anglaise : « Ils se confient à moi, raconte Elisabeth. Ils me disent ce qu'ils font ou s'ils ont des problèmes et quelquefois je peux aussi les aider. Ils savent que je suis impartiale. Je pense que c'est plutôt bien d'avoir l'impression d'être une sorte d'éponge, et que tout le monde vienne vous dire des choses qui restent là, d'autres qui sortent par une oreille et d'autres qui ne sortent absolument jamais. De ces choses que l'on garde et que l'on sait simplement... Parfois, il est possible de donner son point de vue, qu'ils n'avaient peut-être pas considéré sous cet angle-là. »

Bien sûr, tout cela est lié à un facteur très irrationnel : le degré d'entente du monarque avec son Premier ministre. Mais dans ce domaine, Elisabeth est devenue un véritable expert. La formule consacrée et courtoise veut que la reine se soit toujours « extrêmement bien entendue » avec chacun d'entre eux. Et d'après lord Charteris qui fut le premier secrétaire privé d'Elisabeth et qui connut six Premiers ministres successifs, ces derniers ne tarissent pas d'éloges sur le compte de leur souveraine : « Leur attitude est toujours celle d'un respect rigoureux et d'une admiration chaleureuse pour la reine. Ils sont toujours rayonnants lorsqu'ils sortent de l'audience. Elle a apparemment le même effet tonique sur eux que celui qu'elle peut avoir sur la plupart des gens. »

En fait, les dix chefs de gouvernement qu'Elisabeth a connus au cours de ses cinquante années de règne peuvent se répartir en trois groupes très distincts. Le premier est limité à une seule et unique personne : Winston Churchill. Avec lui seul, Elisabeth a réussi à bâtir des rapports personnels dépassant le simple cadre d'un échange de vues sur des sujets politiques. Il est vrai que tous deux se connaissaient depuis fort longtemps avant de collaborer. Churchill ayant été le Premier ministre de George VI durant toute la Seconde Guerre mondiale, elle en était presque venue à le considérer comme un membre de la famille. Lui-même l'avait connue tout enfant et avait d'ailleurs bien du mal à la considérer comme une personne adulte. Au moment de son accession au trône en 1952, il avait déclaré : « Comment vais-je pouvoir m'habituer à elle, après avoir servi son père pendant sept années ? Elle est encore une enfant. »

Heureusement, la gêne des premiers contacts s'était dissipée très vite. Bien loin d'affecter leurs rapports, la considérable différence d'âge qui existait entre eux – Churchill avait soixante-dix-huit ans en 1952 alors qu'Elisabeth en comptait à peine vingt-six – les avait facilités. Le Vieux Lion était devenu le mentor de sa jeune reine, un peu à l'image de ce que lord Melbourne avait été pour la reine Victoria, un siècle auparavant. Initialement prévus pour durer une demi-heure, leurs entretiens hebdomadaires avaient fini par se prolonger pendant près de deux heures. Aujourd'hui encore, si l'on demande à Elisabeth avec lequel de ses Premiers ministres elle a préféré travailler, elle répond immédiatement : « Avec Winston, bien sûr. Il était tellement amusant. » Apparemment leurs discussions ne se limitaient pas au simple examen de la situation politique. Un jour, Churchill, en sortant d'une audience hebdomadaire, fit cette remarque amusante à son secrétaire qui l'attendait : « Rien à signaler, nous avons parlé de courses hippiques. » A la mort de Churchill, en 1965, dix ans après qu'il se fut retiré de l'arène politique, la reine lui rendra un hommage appuyé en insistant personnellement pour que ses funérailles soient des funérailles d'Etat. Elle ira jusqu'à prêter ses propres attelages aux membres de la famille Churchill afin de leur permettre de suivre le convoi funèbre dans les rues de Londres. Enfin, elle aura un geste protocolaire unique dans les annales, en acceptant de rentrer dans la cathédrale Saint Paul où se déroule l'office funèbre, avant la veuve et les enfants du défunt. L'étiquette veut en effet que le monarque soit toujours le dernier à rentrer dans une pièce ou un édifice public, de manière à ce qu'il n'ait jamais à attendre les autres. En cette seule occasion, la reine s'est effacée.

Entre 1955 et 1979, six Premiers ministres occuperont, à la suite de Churchill, le numéro 10 de Downing Street : quatre conservateurs, Anthony Eden, Harold Macmillan, Alec Douglas-Home et Edouard Heath et deux travaillistes, Harold Wilson et James Callaghan. Avec tous, Elisabeth entretiendra d'excellentes relations de travail avec, peut-être, une faiblesse particulière pour Harold Wilson dont elle appréciera beaucoup le sens de l'humour. John Major et Tony Blair, l'actuel chef du gouvernement, ne lui ont causé aucun problème, eux non plus. Il semble bien que la seule avec laquelle les relations ont été un peu plus tendues ait été la redoutable Margaret Thatcher. Son arrivée au pouvoir en mai 1979 inaugure une ère nouvelle, celle de la guerre en dentelles.

A priori la fille de l'épicier de Grantham et celle de George VI semblent destinées à s'entendre. Bien qu'étant issues de milieux radicalement opposés, elles sont toutes deux le produit d'une éducation traditionnelle, respectueuse de l'Eglise, du monarque et de la patrie. Pourtant, dès leurs premières entrevues, un malaise s'installe. Alors qu'elle est réputée pour ne jamais manquer d'aplomb en quelque circonstance que ce soit, Margaret Thatcher ne peut s'empêcher d'être nerveuse chaque fois qu'elle doit se rendre chez la reine. Elle est terrorisée à l'idée d'arriver en retard et calcule toujours très largement le temps qui sera nécessaire à sa voiture pour franchir le kilomètre qui sépare Downing Street de Buckingham Palace. Le résultat est qu'elle arrive invariablement un quart d'heure, voire même une demi-heure à l'avance. Ce faisant, elle ignore, du moins au début, qu'elle brave ainsi une des règles sacrées de sa souveraine, la ponctualité. De la part d'Elisabeth, il ne s'agit pas uniquement de formalisme. Son emploi du temps quotidien étant soigneusement minuté, il lui est difficile d'abréger l'audience en cours pour débuter en avance la suivante. Mme Thatcher est donc forcée d'attendre dans un salon voisin. L'incident se renouvellera plusieurs fois au cours des onze années durant lesquelles les deux femmes seront obligées de travailler ensemble. Le deuxième faux pas du Premier ministre est d'ordre vestimentaire. Depuis toujours, les femmes de la famille royale s'efforcent de ne pas arborer une toilette de la même couleur lors des cérémonies publiques. Cette règle tacite joue principalement entre la reine, sa mère, sa fille et sa sœur. Quelques jours avant la manifestation à laquelle elles doivent assister ensemble, leurs secrétariats se communiquent généralement les couleurs prévues. Les choix de la reine et de la reine mère sont toujours prioritaires. Peu après son arrivée au pouvoir, Margaret Thatcher doit participer à une cérémonie à laquelle la reine a prévu de se rendre elle aussi. Croyant bien faire, elle demande à son secrétaire de téléphoner à celui de la reine pour lui communiquer la couleur du tailleur qu'elle compte porter à cette occasion. La réponse est glaciale : « Cela ne nous intéresse pas. » Ce qui signifie clairement : Pour qui se prend-elle ? En agissant ainsi, le Premier ministre s'est octroyé une prérogative qui ne lui appartient pas et le Palais entend bien le lui faire comprendre. Cette simple querelle de dames va s'envenimer encore plus à la suite des catastrophes aériennes qui vont endeuiller l'Angleterre au début des années quatre-vingt. Dans ce genre d'occasion, la règle d'or de la famille royale est de ne pas se rendre sur les lieux du désastre dans les heures qui le suivent de façon à ne pas nuire à l'efficacité des secours. A juste titre, la reine pense que lorsque ce genre d'événement survient, les policiers ont autre chose à faire que de veiller à la sécurité de tel ou tel membre de la famille royale venu apporter son soutien moral. Dans le souci évident d'asseoir sa popularité et de démontrer qu'elle n'est pas la « Dame de Fer » que les médias s'acharnent à décrire, Mme Thatcher décide au contraire d'adopter une attitude diamétralement opposée. On imagine facilement la réaction de la reine, lorsqu'elle découvre dans les journaux du lendemain les commentaires de la presse : « Si le Premier ministre a pris le temps de se déplacer aussi vite, pourquoi la reine n'en fait-elle pas autant ? »

Au-delà de ces querelles de préséance, il apparaît très vite que les deux femmes ont des modes de fonctionnement très différents. A l'égalité d'humeur de la reine qui élève très rarement la voix et qui suggère beaucoup plus souvent qu'elle n'ordonne, il est très facile d'opposer l'autoritarisme de Mme Thatcher qui ne dédaigne jamais une épreuve de force. Même la manière dont elles envisagent leur vie privée les sépare. Elisabeth s'est toujours efforcée de laisser Philippe prendre seul les décisions concernant la famille, entre autres l'éducation de leurs enfants. A l'inverse, lorsqu'un journaliste demande à Mme Thatcher s'il lui arrive de consulter son mari avant de prendre une décision, elle répond avec un naturel désarmant : « Bien sûr, je lui demande son avis et après je prends la décision. »

Dans ses *Mémoires*, Margaret Thatcher dément formellement tout accrochage sérieux avec sa souveraine ·
« Bien que la presse n'ait pas pu résister à la tentation

179

de suggérer qu'il y ait eu des disputes entre le Palais et Downing Street durant la période où j'étais aux affaires, j'ai toujours trouvé l'attitude de la reine par rapport au travail du gouvernement parfaitement correcte. Bien sûr, dans de telles circonstances, écrire des articles autour d'éventuelles querelles entre deux femmes de pouvoir est très tentant. Mais en général je dois dire qu'il y a eu plus d'inepties écrites autour de cette "Querelle de Dames" qu'autour de n'importe quoi d'autre durant toute cette période. » En général ? En tout cas Mme Thatcher pouvait difficilement ignorer cette histoire qui courait les couloirs de la Chambre des Communes et que la reine, dit-on, appréciait particulièrement : après une réunion, le Premier ministre et son cabinet se trouvant rassemblés dans un restaurant pour dîner, le serveur s'approche de Mme Thatcher, unique femme présente, pour prendre sa commande.

« Que désire Madame ?

— Oh, un petit steak suffira.

— Et pour les légumes ?

— Mon Dieu, je ne sais pas. » Et après un rapide coup d'œil sur les membres du cabinet : « Ils prendront la même chose. »

IX

« JE N'AI JAMAIS EU LE DROIT
D'ÊTRE UNE MÈRE
POUR MES ENFANTS »

PAR une étonnante ironie du destin, le couronnement d'Elisabeth va marquer le début du premier des nombreux scandales familiaux que la reine va devoir affronter au cours de son règne : l'affaire Margaret-Townsend. Et comme toujours, tout débute par un incident infime qui serait sans doute passé inaperçu s'il ne s'était pas déroulé en pleine abbaye de Westminster, le jour même du couronnement. A l'issue de la cérémonie, les membres de la famille royale attendent leur voiture pour se rendre au palais de Buckingham. La princesse Margaret, sœur de la nouvelle reine, est du nombre. A ses côtés se tient le capitaine Townsend. Rien que de très normal puisque ce dernier, familier de longue date de la famille royale, est le contrôleur de la maison de la reine mère. Soudain, la princesse aperçoit quelques grains de poussière qui se détachent sur le devant de l'uniforme de Townsend. Délicatement, elle entreprend de les ôter en donnant quelques tapes sur l'étoffe. Le geste, très tendre, se termine presque en caresse. Malheureusement pour la princesse, plusieurs journalistes, qui sont installés à quelques mètres d'elle à peine, ont remarqué son attitude. La princesse vient de leur fournir la preuve qui leur manquait. La rumeur qui court depuis quelques mois les salles de rédaction est fondée. Margaret est amoureuse.

Certes, ce n'est pas la première fois. Si l'on en croit les spécialistes de la vie amoureuse des Windsor, Margaret aurait connu sa première idylle sérieuse l'année de ses dix-huit ans. A l'issue d'une soirée dansante donnée au château de Windsor, le roi George VI l'aurait découverte sur un canapé tendrement enlacée avec un jeune officier des gardes. Après avoir expédié sa fille cadette au lit, le roi aurait noté le nom et le grade du jeune homme qui, 48 heures plus tard, aurait été muté au-delà des mers, afin de réfléchir sur les inconvénients qu'il y a à fréquenter les princesses royales. Un peu plus tard, la jeune fille était tombée amoureuse du comédien Danny Kaye. Elle avait dix-huit ans, il en avait trente-cinq et, en outre, était marié. Une fois de plus, l'affaire avait tourné court. L'idylle Townsend était manifestement beaucoup plus sérieuse. C'est du moins ce que flairait la presse qui attendait depuis plusieurs semaines une occasion de sortir ce scoop.

L'histoire était d'autant plus juteuse que l'amoureux de la princesse n'était pas un inconnu. Il avait même tout du héros romantique, y compris le physique. Pilote dans la Royal Air Force durant la Seconde Guerre mondiale, il avait accumulé les actions de bravoure et les décorations : Ordre Royal de Victoria pour l'Angleterre, Chevalier du Danebrog pour le Danemark, officier de la Légion d'honneur pour la France. En mars 1944, le roi George VI l'avait nommé au poste d'écuyer personnel. Le souverain aurait même ajouté quelque temps plus tard que Townsend était exactement le genre d'homme qu'il aurait aimé avoir pour fils. A sa mort, en 1952,

LA VÉRITABLE ELISABETH II

Townsend était resté au service de la reine mère en tant que contrôleur de sa maison. Il l'avait suivie à Clarence House où il vivait en contact quotidien avec Margaret.

Apparemment, l'attirance de la jeune fille pour le beau pilote de la Royal Air Force remontait assez loin dans le temps. Sans doute l'avait-elle remarqué dès son arrivée au palais de Buckingham, en 1944. C'est surtout à partir de la mort de George VI que cette attirance s'était transformée en un sentiment plus tendre dont elle n'avait pas mis longtemps à découvrir qu'il était partagé. Dans ses *Mémoires*, Townsend décrit Margaret à cette époque comme une jeune fille « d'une beauté intense et inhabituelle parce qu'elle était plutôt menue et de petite taille. Ses atouts principaux étaient ses yeux bleu violet, ses lèvres sensuelles, sa silhouette élégante et son teint de pêche. Son visage était parfois extraordinairement expressif. Il pouvait changer en un instant et passer d'une expression angélique et presque mélancolique à celle de la joie la plus forte et la plus incontrôlable. Elle était généreuse, volatile. Elle était une comédienne-née, jouant du piano avec brio, chantant avec aisance les derniers tubes à la mode et douée d'une étonnante capacité d'imitation. Mais ce qui, avant toutes autres choses, rendait la princesse Margaret extrêmement attirante et adorable, c'était ce qui se cachait derrière cette façade brillante, beaucoup de douceur et de sincérité ».

Deux jours après le sacre, la presse américaine ouvre le feu avec une première bordée d'articles. Les quotidiens européens ne tardent pas à suivre. En Grande-Bretagne, c'est *People*, un journal à sensation publié chaque dimanche, qui donne le coup d'envoi des hostilités en publiant un simple écho. La presse britannique n'étant pas encore aussi agressive qu'elle peut l'être aujourd'hui, ni aussi décontractée vis-à-vis de la famille royale, le journaliste donne ses informations d'une

183

manière détournée, en les annonçant comme fausses. Une tactique classique lorsqu'on n'est pas sûr de son coup :

« Il est grand temps que le public britannique se rende compte du fait que des journaux en Europe et aux Etats-Unis prétendent ouvertement que la princesse Margaret est amoureuse d'un homme divorcé et qu'elle souhaite l'épouser. Cette histoire est évidemment entièrement fausse. Il est impensable qu'une princesse royale, troisième dans l'ordre de succession au trône, puisse simplement imaginer un mariage avec un homme qui est passé devant une juridiction de divorce. » Un joli morceau d'hypocrisie.

Car le hic est évidemment la situation matrimoniale du prétendant qui est divorcé depuis le 20 décembre 1952. Peu importe que le jugement ait été prononcé aux torts de sa femme, la situation rappelle fâcheusement celle qui a conduit Edouard VIII à abdiquer en 1936. Margaret, étant troisième sur la liste de succession à la couronne, doit recevoir l'autorisation de la reine pour se marier. Et Elisabeth, qui a été informée par sa sœur à la fin de l'année 1953, n'ignore pas que la bataille sera difficile, quelle que soit son issue. Sa première réaction, toute de sympathie et de bon sens, est de demander aux deux amoureux de patienter une année afin de mettre leurs sentiments à l'épreuve. Tous deux acceptent ce défi, persuadés qu'au-delà de ce délai, ils pourront se marier. Townsend est muté au poste d'attaché militaire de l'ambassade d'Angleterre en Belgique. Margaret a la permission de lui écrire et de lui téléphoner. Leur séparation durera dix-huit mois.

Autour de la reine, les clans n'ont pas été longs à se former. Parmi les opposants les plus irréductibles, champions de la tradition, figurent son secrétaire privé, Tom Lascelles et surtout le duc d'Edimbourg. L'un et l'autre pensent que l'union d'une princesse avec un divorcé ne peut que ternir l'image de la couronne. Lorsque la princesse Margaret lui a annoncé ses sentiments pour Townsend, Lascelles n'a pu s'empêcher de réagir violemment en lui lançant : « Ou vous êtes mauvaise, ou vous êtes folle. » Le prince Philippe toujours aussi peu diplomate a déclaré à sa belle-sœur : « Ne soyez pas stupide et oubliez vite cette niaiserie. »

Au sein de la classe politique, les traditionalistes sont soutenus par les conservateurs, alors que les travaillistes, rangés derrière leur leader Michael Foot, sont partisans de laisser Margaret vivre son roman d'amour. Dans un journal de gauche, Foot prend nettement position : « Cette intolérable intrusion dans la vie privée d'une jeune fille est le résultat de tous les mythes qui ont été bâtis au cours de toutes ces années autour de la famille royale. La loi anglaise stipule qu'un homme divorcé de sa première épouse a parfaitement le droit de se remarier. Si cette loi est valable, elle est valable aussi pour la famille royale. » Winston Churchill, qui est encore Premier ministre au moment où l'affaire se déclenche, est assez enclin à donner sa bénédiction au jeune couple : « Quelle charmante union, déclare-t-il. Une délicieuse princesse royale mariée à un héros de guerre qui a échappé à tous les périls et à toutes les horreurs. » Malheureusement, chez les Churchill aussi les conjoints se mêlent de cette histoire d'amour. Lady Clementine Churchill, plus conservatrice que son époux, ne cesse de lui répéter qu'elle ne supportera pas une deuxième affaire Windsor et que si les choses doivent recommencer comme en 1936, elle quittera Downing Street pour s'installer dans un appartement de location à Brighton. La démission du Vieux Lion en 1955 va faire pencher la balance. Et pas dans le sens de Margaret. Le nouveau chef du gouvernement, Anthony Eden, lui-même divorcé, se rend à Balmoral au mois d'août 1955 pour informer la reine et sa sœur de l'évolution de la situation. Si elle veut épouser le capitaine Townsend, la princesse doit renoncer à sa liste civile et à ses droits de succession à la couronne. En outre, elle devra quitter l'Angleterre pour aller vivre à l'étranger. Cette position intransigeante bénéficie du soutien de l'archevêque de Canterbury, la plus haute autorité religieuse du royaume. Après plusieurs semaines d'hésitation, Margaret et Townsend, épuisés par dix-huit mois de combat, baissent la garde. Tous deux rédigent un communiqué qui sera diffusé à la fin du mois d'octobre 1955. La princesse y déclare : « J'ai compris que, à condition que je renonce à mes droits au trône, il serait possible que je contracte un mariage avec un homme divorcé. Mais, consciente des enseignements de l'Eglise qui veut qu'un mariage chrétien soit indissoluble et de mes devoirs envers le Commonwealth, j'ai décidé de faire passer ces considérations avant toutes les autres. J'ai pris cette décision seule, et j'ai bénéficié du soutien inconditionnel du captain Townsend. Je suis reconnaissante à tous ceux qui ont fait des vœux pour mon bonheur. »

Ce bulletin est accueilli avec une surprise d'autant plus grande que la grande majorité des Britanniques s'attend à voir la princesse épouser son beau militaire. Aujourd'hui, près d'un demi-siècle plus tard, la résignation de Margaret laisse un profond sentiment de malaise. Que l'intransigeance de certains ne lui ait pas facilité la tâche est un fait évident. Mais que pesait une liste civile et une hypothétique place dans l'ordre de succession, face à l'amour d'un homme dont elle était folle ? Pas assez apparemment pour lui permettre de suivre les mouvements de son cœur.

L'autre aspect surprenant de l'affaire est l'attitude passive, et presque lâche, d'Elisabeth. Après avoir soutenu sa sœur et Townsend durant les premiers mois de leur idylle, elle se laisse emporter par le courant le plus dur. Sans aller jusqu'à braver son gouvernement, peut-être aurait-elle pu obtenir un ultimatum moins dur et en tout cas épargner l'exil à sa sœur si elle avait persisté dans son désir d'épouser Townsend. A sa décharge, il faut rappeler qu'elle est encore une toute jeune femme et qu'il lui est difficile d'imposer sa volonté, même dans un contexte familial, contre celle de ses conseillers, de son gouvernement et de certains membres de sa famille. Il lui faudra encore de nombreuses années avant de comprendre que la « raison d'Etat » qu'on lui opposera souvent n'est pas forcément aussi stricte qu'on essaiera de le lui faire croire. Le seul point positif de l'histoire, et il est à porter au crédit de Margaret, est que jamais cette dernière ne témoignera le moindre ressentiment à l'égard de sa sœur aînée ou à l'égard de sa mère qui ne la défendra pas plus. En 1960, elle épousera un photographe nommé Anthony Armstrong Jones dont elle aura deux enfants et dont elle se séparera en 1976. Bien des années plus tard, à l'occasion d'un de ses anniversaires, elle aura cette réflexion amère devant un feu d'artifice donné en son honneur qui refusait de s'allumer : « Les lumières ne veulent pas s'allumer. C'est le résumé de toute ma vie. »

Il est un autre domaine, plus personnel encore, dans lequel Elisabeth va faire preuve d'une regrettable tendance à se laisser imposer une opinion contraire à la sienne, c'est celui de l'éducation de ses enfants. En tout cas celle des deux aînés, Charles et Anne. Et cette fois, les conséquences en seront beaucoup plus lourdes. En ce qui concerne la famille, Elisabeth n'a jamais caché sa conviction profonde que c'est Philippe, et lui seul, qui doit avoir le dernier mot. On peut d'ailleurs se demander si cette soumission aux désirs de son époux n'est pas aussi une manière de lui donner un certain nombre de responsabilités dans un univers dont elle est la clef de voûte. Quoi qu'il en soit, dès la naissance de Charles, elle a fixé une fois pour toutes les limites de son pouvoir : au-delà des murs de son bureau et de ses prérogatives de chef d'Etat, c'est Philippe qui règne et son pouvoir est absolu.

Charles va être le premier à en subir les conséquences. Ses premières années au Palais ont pour cadre la nursery du deuxième étage où sa mère et sa tante Margaret avaient résidé autrefois. Comme Alla l'avait fait en son temps, Ellen Lightbody veille au bien-être de son petit prince et de sa sœur cadette, Anne. Pourtant son pouvoir est beaucoup moins grand que ne l'avait été celui de la gouvernante d'Elisabeth et de Margaret. Toutes les décisions importantes, surtout celles qui concernent la discipline quotidienne, sont prises par le duc d'Edimbourg qui ne cesse de répéter que son but est de faire de son fils un homme. Ayant lui-même peu connu son père, il est bien déterminé à être présent auprès de ses enfants. L'intention est louable. Le drame est qu'il va s'y prendre d'une manière peu habile. En fait, ses principes d'éducation peuvent se résumer en deux phrases : punir quand il faut et ne jamais décerner de compliments. Et les punitions ne sont pas tendres. Si l'on en croit le témoignage du prince Charles, son père n'hésite jamais à lui administrer une bonne fessée, parfois même à l'aide d'une pantoufle ou d'une chaussure de tennis. Chaque fois que la reine essaie de s'interposer et de plaider la cause de son fils, le duc d'Edimbourg lui répond sur un ton sec : « Il doit apprendre à obéir. » A cinquante ans d'écart, et toutes proportions gardées, on ne peut pas s'empêcher d'établir un parallèle entre l'éducation qu'avaient reçue George VI et ses frères et celle qui sera dispensée à ses petits-enfants. Un père extrêmement autoritaire, dont les punitions sont parfois à la limite de la brimade, et une mère impuissante. Sur Anne, qui dès son plus jeune âge fait preuve d'une forte personnalité et d'une résistance psychologique à toute épreuve, cette

188

méthode forte s'avère efficace. D'autant plus que son père ne tarit pas d'éloges sur son caractère de garçon manqué. Pour Charles, introverti et timide, elle se révèle désastreuse. Dès que son père élève la voix, il rentre dans sa coquille.

Lorsque, en 1954, miss Catherine Peebles prend ses fonctions de première institutrice des enfants royaux, elle découvre un petit garçon nerveux qui n'ose jamais dire quoi que ce soit de peur de se faire réprimander : « Si on élevait la voix, il se retirait à l'intérieur de sa coquille et pendant un moment il était impossible de lui demander quoi que ce soit. » L'une des causes principales de cette timidité maladive est le régime spartiate imposé par le prince Philippe : « Je n'ai pas de souvenirs de mon père me disant qu'il m'aimait ou me félicitant pour quoi que ce soit, racontera un jour Charles. Je n'ai aucun souvenir de lui me prenant dans ses bras. Tout cela était très triste. Cela m'a appris une chose, ne jamais me conduire de cette manière avec mes propres enfants. Je veux qu'ils sachent que je les aime. Et j'entends faire tout mon possible pour qu'ils le sentent. »

Pourtant, l'influence du duc d'Edimbourg n'est pas entièrement négative. Contrairement à son épouse qui aurait parfaitement admis que l'enseignement de ses enfants se poursuive au Palais, il est conscient que les temps ont changé. Il est donc nécessaire que les princes connaissent de plus près la vie de leurs concitoyens. L'école est certainement la meilleure manière de l'appréhender. Lors d'un voyage aux Etats-Unis, en 1956, il avait ainsi déclaré : « La reine et moi voulons que Charles aille à l'école avec d'autres enfants de son âge et apprenne ainsi à vivre avec les autres. C'est durant son enfance qu'il doit absorber l'esprit de discipline qu'implique une éducation collective. » D'un autre côté, Philippe, qui, pour une fois, se montre attentif aux besoins de son fils, est conscient qu'il ne peut expédier en pension un petit garçon qui n'a aucune idée de la vie telle qu'elle est à l'extérieur des murs du Palais. Provisoirement, il décide donc que Charles sera demi-pensionnaire à Hill House, un élégant établissement situé dans un quartier chic de Londres, à proximité de Buckingham Palace. Le 28 janvier 1957, le jeune prince, alors âgé de huit ans, est le premier héritier de la couronne d'Angleterre à se rendre à l'école. Il y restera un an avant d'aborder la période la plus déplaisante de toute sa vie, ses années de pensionnat.

Encore une fois, le duc d'Edimbourg impose son choix. Contre l'avis d'Elisabeth qui souhaite voir son fils entrer à Eton, la plus aristocratique des écoles secondaires de Grande-Bretagne qui, de plus, est située tout près de Windsor, Philippe prône Gordonstoun, l'établissement où il a lui-même accompli la plus grande partie de sa scolarité. Deux arguments motivent sa décision. Le premier tient à la qualité de l'éducation qui est dispensée à Gordonstoun. La devise de l'école est : « Plus est en vous. » Selon lui, Charles y découvrira l'esprit d'équipe et la volonté de se dépasser. Il y vivra dans une atmosphère de simplicité qui lui permettra de mieux se préparer à son futur rôle de monarque. Il néglige toutefois un facteur de taille : Gordonstoun est un établissement réputé dur où la discipline n'est pas appliquée à la légère. Le système est sans doute valable pour des adolescents solides et déjà sûrs d'eux ; il est beaucoup moins adapté à un garçon sensible comme Charles qui ne peut manquer de souffrir de cette ambiance sévère. Le second argument, beaucoup plus pertinent, tient à la position géographique de l'école. Située au nord de l'Ecosse, elle est à plus de neuf cents kilomètres de Londres, une distance qui devrait décourager les photographes qui cherchent toujours à surprendre les moindres faits et gestes du jeune prince.

L'argument est à double tranchant puisque cette distance empêchera justement Charles de profiter de nombreux week-ends en famille. Elle lui vaudra aussi le triste privilège d'être un des étudiants qui reçoit le moins de visites. Plusieurs fois au cours des années qui suivront, la reine enverra ainsi un proche à Gordonstoun pour rendre visite à son fils aîné à sa place. Le doyen de Windsor, entre autres, fera plusieurs fois le voyage.

Les premiers mois sont proches du cauchemar. Tous les soirs ou presque, Charles pleure dans son lit. Ses journées sont solitaires. En fait, la plupart des élèves n'osent pas l'approcher. L'un d'entre eux évoquera la situation dans un article qu'il vend à un quotidien : « Comment pouvez-vous traiter un garçon comme n'importe quel autre de vos camarades quand le portrait de sa mère est sur toutes les pièces de monnaie et les billets de banque que vous utilisez tous les jours au petit magasin de l'école, sur les timbres que vous collez sur les lettres que vous envoyez à la maison et qu'un détective le suit toute la journée où qu'il aille ? La plupart des garçons sont intimidés à l'idée de l'approcher. Le résultat de tout cela est que Charles est très seul. C'est la solitude plus que la dureté de l'école qui doit être difficile pour lui. » Signe qui ne trompe pas, Charles prend l'habitude de dépenser la plus grande partie de son argent de poche en sucreries et gâteaux qu'il entrepose dans son placard. Ce qui n'arrange pas ses performances sportives... La timidité des autres à son égard ne se relâche que lorsqu'il s'agit de lui faire une farce. Et elles sont parfois cruelles. Ainsi, le jeune prince ayant la fâcheuse habitude de ronfler, certains de ses camarades décident de lui remplir les narines de pâte dentifrice pendant son sommeil...

Ses résultats scolaires sont inégaux. Dès ses premiers mois à Gordonstoun, il se révèle doué dans toutes les matières littéraires qui laissent libre cours à son besoin d'évasion. Il excelle en anglais, en histoire, en français, en poésie et en littérature. En revanche, dès qu'il s'agit de fournir une réponse précise, et c'est le cas de la plupart des matières scientifiques, son esprit se rebelle. Les mathématiques, la physique et la chimie n'auront jamais aucun attrait pour lui et c'est seulement en se forçant beaucoup qu'il parviendra à y obtenir des notes tolérables.

Le sentiment qu'il éprouve d'être coupé du foyer familial est encore renforcé par le fait qu'une deuxième famille vit maintenant dans la vieille nursery de Buckingham Palace. Le 19 février 1960, Elisabeth a donné le jour à un fils, Andrew. Il est suivi quatre ans plus tard, le 10 mars 1964, par un troisième garçon, Edouard. C'est seulement auprès de sa grand-mère maternelle que le pauvre prince solitaire trouve parfois une oreille compatissante à ses malheurs d'adolescent. Elle est la seule qui trouve le temps de faire le voyage jusqu'en Ecosse. Plusieurs fois par an, elle passe des week-ends prolongés dans le petit château de Birkhall qui est sa résidence personnelle sur le domaine de Balmoral. Charles en profite pour aller y passer un ou deux jours. Avec toute la douceur d'une grand-mère, la reine mère écoute ce garçon tendre dont elle s'est toujours sentie plus proche que d'Anne dont elle apprécie peu le côté garçon manqué. Leur complicité remonte très loin en arrière à l'époque où Charles, déjà abandonné par ses parents qui vivaient leur deuxième lune de miel en Méditerranée, passait ses premiers Noël seul avec ses grands-parents à Sandringham. Consciente des privilèges que lui accorde son rang, la reine mère n'hésite d'ailleurs jamais à abuser un peu en allant chercher son petit-fils une demi-journée à l'avance ou en le renvoyant à Gordonstoun avec un jour de retard et le classique mot d'excuse que tous les écoliers du monde connaissent. Aujourd'hui encore, le prince de Galles est l'enfant chéri de sa grand-mère, celui pour lequel elle a toutes les indulgences. Lui ne tarit pas d'éloges sur son compte. N'a-t-il pas déclaré un jour : « Du plus loin que remontent mes souvenirs, elle a toujours été l'image de ce qu'il y avait de plus parfait, de plus heureux et de plus joyeux dans ma vie. »

Au fils des ans, Charles finira pourtant par s'habituer à son exil écossais. Il en conservera même un amour profond pour ses paysages sauvages et tourmentés. Mais on peut se demander si ce n'est pas l'influence des week-ends chez sa grand-mère à Birkhall, beaucoup plus que les promenades sportives organisées par les professeurs de Gordonstoun, qui a été déterminante dans ce domaine. Du point de vue scolaire, il en sortira avec une honnête culture générale, en tout cas bien supérieure à celle qu'avait sa mère au même âge. À la fin de l'année scolaire 1965, il passe ses examens de fin de scolarité, l'équivalent d'un baccalauréat littéraire en France. Les matières dans lesquelles il obtient les meilleurs résultats sont le français, l'histoire et l'anglais.

Lorsque Charles entre à l'université de Cambridge, ses relations avec son père sont déjà très délicates. L'admiration sans bornes qu'il professait à son égard durant son enfance et qui le poussait à copier la moindre des attitudes paternelles – notamment la célèbre démarche les mains croisées dans le dos – a cédé la place à une méfiance teintée de ressentiment. Au fil des années, le fossé entre les deux hommes n'a cessé de s'accroître, le fils reprochant à son père sa dureté et le père multipliant les avanies à l'égard de son fils.

Vis-à-vis de sa mère, le prince de Galles maintiendra toujours une façade de courtoisie parfaite tout en manifestant en public le plus grand respect pour ses qualités de chef d'Etat. Jamais il ne prononcera un mot à son encontre. Il lui faudra pourtant attendre de longues années pour qu'au début des années quatre-vingt-dix

193

la reine modifie son attitude envers lui. C'est à ce moment seulement qu'Elisabeth mesurera combien elle a été absente au cours des premières années de ses enfants : « Je suis montée sur le trône alors que j'étais très jeune, confiera-t-elle un jour, et je n'ai jamais eu la possibilité de m'occuper de l'éducation de mes enfants. La couronne m'a séparée d'eux. C'est une chose que j'ai regrettée toute ma vie et je suis déterminée à tout faire pour que Charles ne se retrouve jamais dans la même position. Je veux qu'il soit un père pour ses enfants, parce que je n'ai jamais eu le droit d'être une mère pour mes enfants. »

X

«JE NE SUIS PAS CERTAINE QUE JE PUISSE ME LE PERMETTRE»

Depuis des décennies, chaque journée d'Elisabeth débute par le même rituel. A huit heures du matin, une femme de chambre pénètre dans ses appartements au premier étage de l'aile ouest de Buckingham Palace et lui apporte sa première tasse de thé de la journée. Le mélange composé spécialement à son intention par la célèbre maison britannique Twinings est presque un secret d'Etat. Sa Majesté ne supportant pas les sachets, il est conservé dans des boîtes spéciales portant son monogramme. La reine le déguste toujours avec un peu de lait, mais sans sucre.

Après avoir ouvert les rideaux de la chambre à coucher royale et fait, suivant l'usage, quelques commentaires sur le temps, la femme de chambre se retire et Sa Majesté peut savourer en paix les premiers instants de sa journée dans la douce quiétude de ses appartements privés. Peu de personnes, à part le duc d'Edimbourg, ont accès à ce sanctuaire et ces pièces sont certainement les plus secrètes du Palais. Elisabeth les connaît depuis son enfance puisque c'est ici qu'étaient situés les appartements privés de ses parents. Si l'on en croit les témoignages des rares familiers qui y ont pénétré, l'ameublement en est assez simple. La reine et son époux privilégient volontiers le confort à l'apparat, du moins dans leur cadre de vie quotidien. Pas de dorures ou de meubles portant les estampilles de grands ébénistes, mais plutôt un mobilier fonctionnel. Le seul élément décoratif qui puisse laisser deviner que la maîtresse de maison dispose de certains moyens financiers est la qualité des peintures qui ornent les murs. Non seulement elles portent la signature des plus grands peintres européens, mais il arrive fréquemment que la reine les fasse changer en puisant dans les vastes réserves de la collection royale. La seule note féminine dans ce décor plus familial que grandiose, ce sont les fleurs qui sont disposées en énormes bouquets dans toutes les pièces. L'appartement personnel de la souveraine se divise en fait en deux parties. La première qui constitue son cadre de travail quotidien comprend son salon d'audience et son bureau qui est la pièce la plus facile à repérer de l'extérieur puisqu'elle est la seule à avoir une fenêtre en arc de cercle. La seconde partie comprend sa salle à manger personnelle, sa chambre à coucher, sa salle de bains et sa garde-robe. Cette dernière est reliée par un escalier intérieur à une réserve située au deuxième étage où se trouvent entreposées ses innombrables toilettes. Il s'agit là d'un autre domaine extrêmement privé auquel, contrairement à une idée couramment répandue, Sa Majesté apporte le soin le plus extrême. La reine n'est pas réellement coquette, mais elle apprécie d'être habillée confortablement et surtout convenablement. Afin de parvenir à ce but, rien n'est laissé au hasard.

A part Angela Kelly, sa femme de chambre personnelle, et les deux assistantes de cette dernière, Carol Grave et Julie Thackray, personne n'a une idée exacte de l'ampleur de cette fameuse garde-robe royale. Quelques statistiques simples peuvent toutefois en donner un aperçu. La reine se change en moyenne trois fois par jour. Lors de ses apparitions publiques, elle s'efforce de ne jamais porter plus de deux fois la même tenue. L'uniforme d'une classique matinée de travail à Buckingham Palace est un tailleur, un ensemble jupe-chemisier ou une simple robe. Pour peu qu'une inauguration officielle soit prévue en début d'après-midi, la reine se doit de prévoir un manteau léger assorti à sa robe et un chapeau. Il n'est pas rare que la journée s'achève avec un dîner officiel au Palais même ou dans l'une ou l'autre des ambassades de la capitale et, dans ce cas, la robe longue est de rigueur et parfois même le diadème.

Depuis des lustres, trois maisons se disputent l'honneur d'être les fournisseurs officiels de Sa Majesté en matière de mode: Norman Hartnell, Hardy Amies et Ian Thomas. Des ateliers du premier proviennent la plupart des robes du soir de la reine. Elle a quasiment hérité le couturier avec la couronne, puisqu'avant d'habiller Elisabeth, sir Norman Hartnell était déjà responsable des toilettes d'apparat de sa mère. Curieusement, autant son style froufroutant débordant de dentelles et de volants seyait à sa première cliente, autant il semble incongru sur la seconde. En fait, le couturier dispose d'assez peu de latitude dans la confection de ses modèles, la reine ayant des idées très précises sur ce qui lui convient. Ainsi, il est admis, et depuis fort longtemps, que le blanc est une couleur qui lui plaît particulièrement. C'est celle sur laquelle ressortent le mieux les broderies de fil d'or et de fausses perles que la reine apprécie tant. Une soie un peu épaisse dont les plis lourds tombent droit jusqu'au sol est son étoffe favorite. En fait, nombre des toilettes d'apparat de la reine sont des copies plus ou moins fidèles de sa robe de couronnement. Sa Majesté n'a pas changé de goûts depuis un demi-siècle, ce qui explique sans doute le côté un peu daté de ses toilettes.

Hardy Amies, et plus récemment Ian Thomas, fabriquent la plus grande partie des vêtements de ville. Pour eux aussi les directives royales sont extrêmement précises. Chaque vêtement doit être pratique avant toute chose. Il n'est pas question, par exemple, que la reine porte un lourd manteau qui l'encombrerait lorsqu'elle sort de voiture ou qu'elle serait obligée d'ôter en rentrant dans un bâtiment trop chauffé. Afin d'être aisément repérable, elle doit être vêtue de couleurs vives, bleu turquoise, rouge vif, jaune citron, orange, violet... Les chapeaux font l'objet de directives encore plus contraignantes. Deux maisons se disputent l'honneur de les fabriquer : Freddie Fox et Simone Mirman. La règle d'or est qu'ils ne doivent en aucun cas dissimuler, même partiellement, le visage. Ils doivent s'accorder avec la robe ou le tailleur qu'ils accompagnent, ce qui explique qu'ils soient souvent préparés avec la même étoffe. En outre, ils doivent se maintenir fermement sur la tête de la reine. Les capelines susceptibles de s'envoler au moindre coup de vent sont donc proscrites.

Le fait que tous ces vêtements soient plus ou moins à la mode est un paramètre de peu d'importance. Comme elle dit volontiers elle-même, la reine n'a pas besoin d'être à la mode : «Je ne suis pas une vedette de cinéma.» Le prix est aussi un critère de choix important. La facture d'une robe du soir ne peut dépasser 2 000 à 2 500 livres. Pour un ensemble de jour, le tarif doit se situer dans une échelle de 800 à 1 000 livres. Lorsqu'un tissu lui semble trop cher, la reine n'hésite jamais à le faire remarquer poliment mais fermement d'un : «Je ne pense pas que je puisse me le permettre.» La phrase n'est pas gratuite. Les commandes étant faites annuellement, les factures peuvent représenter plusieurs dizaines de milliers de livres.

Deux fois par an, la reine et ses femmes de chambre passent en revue la garde-robe afin de déterminer ce qui est encore utilisable et ce qui ne l'est plus. Le fait qu'un vêtement ne soit plus porté par la reine ne signifie d'ailleurs pas qu'elle s'en débarrasse. Il lui arrive assez souvent d'en donner à sa sœur, la princesse Margaret ou à sa fille, la princesse Anne. Telles sont les petites économies d'une des familles les plus riches du monde. Chacune de ces revues de garde-robe est aussi l'occasion d'organiser l'élégance de la reine pour les six mois à venir. Grâce à l'agenda précis qui est tenu à jour par son secrétariat, elle sait où elle devra se rendre dans les mois qui suivent. Une tenue appropriée est donc attribuée à chaque événement. Les commandes nouvelles sont dressées en fonction des manques éventuels. Après avoir reçu la commande royale, transmise par l'une des dames d'honneur, le couturier et son atelier réalisent une série de dessins prévisionnels pour chaque tenue. Ils sont présentés à l'approbation de la reine avec des échantillons d'étoffe et c'est elle qui détermine précisément la couleur, l'imprimé, la matière et la forme. Les essayages dont le nombre varie entre deux et quatre sont faits au palais de Buckingham. Déterminer quels vêtements la reine portera chaque jour est donc une entreprise qui laisse peu de chance au hasard. En fonction de l'emploi du temps quotidien, la sélection peut être faite des semaines à l'avance et il est très rare que la reine y change la moindre chose. Tous les soirs, sa femme de chambre dispose dans la garde-robe les différentes tenues que Sa Majesté portera le lendemain. Lorsqu'elle a pris son bain, la reine n'a plus qu'à enfiler la première d'entre elles, avant de se diriger vers sa coiffeuse. Sa Majesté se maquille et se coiffe elle-même. Sa coiffure qui est la même depuis plus de quarante ans est à l'image de sa garde-robe : simple et pratique. On peut presque imaginer que les crans permanentés qui encadrent son visage ont été calculés de manière à pouvoir fixer un diadème. Si l'on en croit le témoignage d'une de ses belles-filles, la reine est d'ailleurs la seule personne au monde qui puisse poser son diadème en équilibre sur sa propre tête tout en marchant et sans même se regarder dans une glace. La coiffure est étudiée pour cela. Ce petit chef-d'œuvre de technique est le résultat du travail hebdomadaire d'un homme, Charles Martyn, du salon Neville Daniel. Il se rend tous les lundis après-midi au Palais. Lorsque la souveraine est en déplacement, son coiffeur l'accompagne. En revanche, il est assez rare qu'elle fasse appel à une esthéticienne. Mais lorsque le cas se présente, c'est une représentante de la célèbre firme Elisabeth Arden qui se rend à Buckingham Palace. Cette société fournit d'ailleurs la grande majorité des produits de beauté de la reine, notamment ses célèbres rouges à lèvres, rouge orangé. Le rite du maquillage et de la coiffure achevé, la reine n'a plus qu'à fixer ses bijoux. Elle porte toujours les mêmes, du moins dans la journée, le collier de perles à trois rangs qui lui a été offert par son grand-père, sa bague de fiançailles en diamants, une montre et une broche, invariablement fixée sur son épaule gauche. Jamais de bracelets.

Vêtue, coiffée, habillée, Sa Majesté se dirige alors vers la salle à manger où elle fait son entrée, vers neuf heures. Lorsque le prince Philippe est présent, il s'arrange toujours pour pénétrer dans la salle à manger avant son épouse, pour ne pas la faire attendre. Ce premier repas de la journée est un moment d'intimité entre les deux époux, auxquels certains des enfants royaux sont parfois conviés lorsqu'ils séjournent au

Palais où ils disposent tous d'un appartement. Aucun domestique n'est présent, car les plats ont été disposés à l'avance sur des réchauds. Depuis le début des années quatre-vingt, le menu du petit déjeuner s'est simplifié. Le duc d'Edimbourg, autrefois adepte du célèbre breakfast anglais, composé d'œufs, de saucisses et de bacon, y a renoncé afin de conserver sa ligne. La reine s'est toujours contentée de quelques toasts au beurre et à la confiture.

A neuf heures trente exactement, sa journée de travail commence. Et sa première tâche, lorsqu'elle n'est pas en voyage, est de régler les détails quotidiens de sa maisonnée. Ce qui n'est pas une mince affaire puisque ladite maisonnée comprend à peu près six cents personnes qui travaillent et vivent au sein d'une demeure qui compte le même nombre de pièces. Une partie de la matinée est donc consacrée aux problèmes d'organisation interne du Palais. Certaines fonctions y sont purement honorifiques. C'est le cas du sculpteur royal, de l'astronome royal, du botaniste royal ou du très poétique gardien des cygnes. Leur rémunération l'est tout autant. Ainsi, le poète royal est chargé de composer chaque année un poème qu'il offre à son souverain en échange d'une gratification de 100 livres sterling, soit un peu plus de 1 000 francs. Mais à part ces quelques souvenirs d'un autre âge, ce qu'on nomme très cérémonieusement la « Maison de la Reine » est une mécanique bien huilée qui veille au bon fonctionnement d'une des plus somptueuses demeures du monde. Un Palais que Sarah Ferguson, duchesse d'York et deuxième belle-fille d'Elisabeth, désignera un jour sous l'appellation de « Meilleur hôtel de luxe de la capitale ».

Cette « Maison de la Reine » se divise en trois catégories bien distinctes : la « Maison » proprement dite dont les membres appartiennent à la haute noblesse et occupent leur poste soit en fonction de leurs titres soit

201

héréditairement. Théoriquement, très peu d'entre eux sont rémunérés mais nombreux sont ceux qui reçoivent une indemnité pour leurs frais et un certain nombre d'avantages en nature tels qu'un logement de fonction. Viennent ensuite les «Officiels» qui assurent le travail de bureau. C'est notamment le cas du secrétariat privé de la reine qui regroupe plusieurs personnes, ou encore du service de presse du Palais. Au bas de la hiérarchie se situent les quelque quatre cent cinquante domestiques dont le chef des cuisines, son assistant, les vingt-deux cuisiniers et les trois pâtissiers qui les secondent, les quatorze valets de pied, les trente chauffeurs, les vingt-quatre femmes de chambre, sans oublier les jardiniers, les électriciens et même quatre femmes préposées à la fabrication du café. Bien que la reine s'applique à considérer l'ensemble des personnes qui travaillent sous son toit comme une grande famille, les distinctions sociales sont assez marquées. La plus notoire réside dans le fait qu'aucune de ces trois catégories ne prend ses repas avec une autre. De la même manière, alors que les membres de la Maison et les Officiels s'appliquent, lorsqu'ils sont entre eux, à parler de la reine en la nommant cérémonieusement Sa Majesté, les quatre cent cinquante domestiques lui ont décerné le surnom affectueux de «Mère». Elisabeth, qui le sait parfaitement, ne s'en est jamais offusquée. Bien au contraire. Un de ses valets de chambre personnels ayant dû être opéré de l'appendicite, elle lui fit porter une corbeille de fruits avec une carte rédigée ainsi : «De la part de Mère.»

Afin de la seconder dans la gestion quotidienne du Palais et de ses nombreux employés, la reine dispose de trois adjoints directs dont les titres n'ont plus grand-chose à voir avec les fonctions réelles. Suivant une définition qui remonte à l'époque victorienne, le «Lord Chambellan», à ne pas confondre avec le Grand

Chambellan, poste purement honorifique, contrôle tout ce qui se passe dans les étages ; le «Lord Stewart» surveille ce qui se passe dans les sous-sols, c'est-à-dire dans les étages des domestiques. Quant au «Maître des Chevaux», il est responsable de la bonne marche des écuries, ce qui n'est pas une mince affaire puisque la couronne britannique est la dernière en Europe à utiliser des chevaux et des attelages, notamment lors de l'ouverture du Parlement ou des visites de chefs d'Etat étrangers.

La place la plus haute dans cette hiérarchie subtile est celle du Lord Stewart. Le poste, souvent occupé par un duc, est en fait honorifique, l'essentiel du travail étant accompli par le «Maître de la Maison» qui dirige lui même le «Stewart» et la «Gouvernante». Le premier est responsable de la domesticité masculine qui intervient plus particulièrement dans le service des repas, qu'ils soient limités à quelques personnes, la reine et les membres de sa famille proche, ou à plusieurs centaines lors des dîners de gala. La surveillance et l'utilisation de l'argenterie, de la vaisselle, l'acheminement de la nourriture des cuisines vers les différentes salles à manger du Palais sont contrôlés par lui. La Gouvernante coordonne l'activité des femmes de chambre et des lingères. En remontant un peu plus haut dans la pyramide, le «Stewart» est aussi chargé d'organiser le travail des gardes du corps, des jardiniers, des électriciens, des postiers, des standardistes et de tous les corps de métier qui entretiennent le Palais. Parmi ses responsabilités directes figure aussi l'entretien des trois cents pendules qui sont réparties dans les différents salons du Palais. La cuisine, théoriquement placée sous son contrôle, jouit en fait d'une assez large autonomie.

Juste après le «Lord Stewart», et toujours par ordre d'importance protocolaire, vient le «Lord Chambellan».

203

C'est sur lui que repose toute l'organisation des cérémonies. Et, on le sait, elles sont nombreuses à la cour de Saint James. Remise de décorations, dîner de gala, présentation des lettres de créance d'un nouvel ambassadeur, organisation des mariages royaux et des funérailles, tout événement dans lequel le protocole occupe une place importante est de son ressort. A l'exception toutefois des funérailles du monarque et de son couronnement qui, suivant un privilège extrêmement ancien, sont supervisés par le « Comte Maréchal », un poste qui se transmet de père en fils chez les ducs de Norfolk, la plus ancienne famille ducale d'Angleterre. Dans l'ordre hiérarchique, cette charge, qui est aujourd'hui moins importante que celle du Lord Chambellan, occupe la deuxième place protocolaire dans la Maison de la reine. Elle est devancée par une autre charge encore plus symbolique, celle de « Grand Chambellan » qui appartient héréditairement aux marquis de Cholmondeley. Les devoirs du Grand Chambellan ne s'exercent qu'une fois dans l'année, le jour de l'ouverture officielle du Parlement. C'est en effet à lui que revient l'honneur d'accueillir la reine lorsqu'elle arrive au palais de Westminster et de marcher à reculons lorsqu'elle s'avance vers son trône pour lire le fameux discours d'ouverture du Parlement.

Parmi les autres attributions dévolues au « Chambellan », figure aussi la délivrance des célèbres « Royal Warrants », les brevets de « fournisseurs de Sa Majesté la Reine » que les commerçants les plus élégants du royaume s'enorgueillissent de pouvoir afficher sur leurs devantures. Quatre personnes dans la famille royale sont habilitées à en octroyer : la reine elle-même, la reine mère, le duc d'Edimbourg et le prince de Galles. La procédure d'attribution est longue et délicate. Elle implique dans un premier temps qu'une société commerciale, quelle que soit sa spécialité, fournisse régulièrement, et durant plusieurs années, un certain nombre de ses produits à l'un des quatre personnages royaux au nom duquel peut être décerné le brevet. Une fois prouvée la clientèle régulière dudit personnage, la société sollicite l'octroi du brevet. C'est alors qu'intervient le Chambellan qui examine si la requête peut être présentée à l'approbation de la reine, de sa mère, de son époux ou de son fils aîné. Si l'accord est obtenu, l'un de ses secrétaires en avertit la société en question par une lettre officielle signée du Chambellan. Les nouvelles attributions ont lieu au début de chaque année. Chaque brevet est délivré pour une période de dix années et peut être retiré à n'importe quel moment. Plusieurs centaines de sociétés commerciales sont aujourd'hui titulaires de ces brevets qui ne sont assortis d'aucun avantage pécuniaire, ni pour celui qui le reçoit ni pour celui ou celle qui le donne. L'une des règles d'or de la monarchie britannique est de toujours payer les factures rubis sur l'ongle.

Le «Chambellan» supervise aussi la gestion et l'entretien de la célèbre collection d'œuvres d'art de Sa Majesté, des joyaux de la couronne conservés à la Tour de Londres et des Palais qui ne sont plus habités et qui sont ouverts au public, tel celui de Hampton Court. En 1968, une de ses attributions les plus pittoresques a été supprimée. Jusqu'à cette date, le Lord Chambellan était aussi le responsable de la commission de censure des théâtres britanniques. C'est à lui qu'incombait le devoir parfois difficile d'interdire une pièce ou d'en censurer certains passages jugés contraires aux bonnes mœurs.

Le «Maître des Chevaux» est, quant à lui, responsable de la bonne marche des écuries qui sont situées sur la partie gauche du Palais. Une centaine de chevaux y vit. C'est aussi là que sont entreposés les fameux carrosses de la Cour, du plus somptueux, celui du couronnement qui remonte à la fin du XVIIᵉ siècle, aux plus simples, les célèbres landaus à bord desquels la reine et les chefs d'Etat étrangers venus en visite officielle parcourent les rues de la capitale britannique.

Deux entités échappent à cette classification puisqu'elles relèvent plus ou moins directement de la reine elle-même : les dames de parage et le secrétaire privé. Les dames de parage sont dirigées par la «Maîtresse des Robes». La charge, traditionnellement dévolue à une duchesse, était autrefois l'enjeu de luttes politiques sauvages, puisque la duchesse Maîtresse des Robes se devait d'appartenir à la formation politique majoritaire au Parlement. Au début de son règne, la reine Victoria mit fin à cette coutume. L'actuelle «Maîtresse des Robes» est sa Grâce la duchesse de Grafton. Les dames de parage placées sous ses ordres sont au nombre de quatorze, réparties en trois catégories, trois «Dames de la Chambre du lit», sept «femmes de la Chambre du lit» et quatre «Dames d'honneur». Les premières accompagnent la reine lors de ses déplacements officiels ; les deuxièmes servent au Palais par rotation de quinze jours et sont chargées plus particulièrement du courrier personnel de Sa Majesté. Seules les quatre «Dames d'honneur» sont réellement proches de la reine. Elles aussi exercent les devoirs de leur charge par rotation de quinze jours. Elles ont la haute main sur toutes les tâches d'ordre privé que la reine n'a pas le temps ou la possibilité d'accomplir directement, tels que les cadeaux de Noël ou les achats personnels de la reine.

Dans cette pyramide humaine, le secrétaire privé est sans doute celui qui jouit du plus grand pouvoir puisqu'il a la charge de surveiller non seulement l'agenda officiel de la reine, mais aussi toutes ses affaires privées, financières ou familiales. Il est le conseiller le plus écouté, le seul qui jouisse d'un contact quotidien et direct avec Elisabeth. Chaque matin, lorsqu'elle a réglé les différents problèmes d'intendance avec le Chambellan, le Maître de la Maison ou le Maître des Chevaux, il est introduit dans son bureau et c'est avec lui que débute sa journée de travail en tant que chef d'Etat. Le secrétaire privé est aussi le membre de la maison qui perçoit le plus haut salaire, 60 000 livres par an, à peu près 650 000 francs. Il dispose en outre d'un confortable logement de fonction au palais de Kensington. La totalité des salaires du personnel de Buckingham Palace représente à peu près 3 millions de livres, soit 35 millions de francs. Les dépenses d'entretien du Palais représentent quant à elles 1 600 000 livres, soit un peu moins de vingt millions de francs. A titre indicatif, on peut remarquer que la note annuelle de blanchisserie s'élève à 63 700 livres, 700 000 francs, celle des caves à 71 000 livres, 800 000 francs et celle des cuisines à 200 000 livres, soit un peu plus de deux millions de francs. Les dons et gratifications ne représentent que 9 500 livres, à peine 100 000 francs.

La matinée de la reine s'achève par un long coup de téléphone à sa mère. Depuis plus d'un demi-siècle, les deux femmes ne manquent jamais de se donner quotidiennement de leurs nouvelles. Ce type de communication s'effectue sur la ligne privée de la reine qui est brouillée par le standard du Palais afin que personne ne puisse en surprendre les conversations. Ce rituel achevé, Elisabeth se dirige une fois de plus vers la salle à manger où l'attend déjà le duc d'Edimbourg. S'ils déjeunent en tête-à-tête ou avec certains membres de leur famille proche, le repas a lieu dans la salle à manger de la reine. Le cérémonial est le même que celui du petit déjeuner : les plats sont disposés sur une desserte et chacun se sert à sa convenance. En revanche, il arrive assez souvent que la reine et son époux président un déjeuner de personnalités, organisé des semaines à l'avance. La coutume remonte aux années soixante et c'est le duc d'Edimbourg qui eut l'idée de l'instaurer afin que son épouse soit mieux à même de saisir la réalité de la vie quotidienne de ses concitoyens. En fait, son heureuse initiative se heurte immanquablement à la timidité des personnes conviées qui mettent un certain temps à se dégeler dans ce décor grandiose et en présence de la souveraine. Il est vrai qu'en dépit des efforts qui sont déployés pour les mettre à l'aise, l'ambiance et le protocole suffisent à leur rappeler qu'ils sont dans un palais en présence de la reine d'Angleterre.

Des semaines à l'avance, le «Maître de la Maison» leur a téléphoné afin de les informer que la reine souhaitait les inviter à déjeuner au Palais. Les invités sont choisis par le couple royal en fonction de leur métier ou de leurs passions. Un déjeuner à Buckingham est aussi une manière discrète d'honorer un haut fonctionnaire, un militaire et parfois même le rédacteur en chef d'un journal influent. Curieusement, les hommes y sont toujours plus nombreux que les femmes. Ainsi, le déjeuner du vendredi 18 mai 1984 rassemble, en plus de la reine et du duc d'Edimbourg, dix convives :

– Mademoiselle Anita Lonsbrough, ancienne championne olympique de natation et journaliste sportive.

– Monsieur Richard Adams, romancier.

– Sir James Hamilton, secrétaire d'Etat à l'éducation et aux sciences.

– Monsieur Richard Hayes, industriel.

– Le docteur Gareth Jones, professeur de psychologie à l'école nationale de médecine du Pays de Galles.

– Le docteur Richard Laws, directeur du projet Survie en Antarctique.

– Monsieur Jean Vannier, fondateur des communautés de l'Arche.

— Monsieur Max Williams, président de la société de Droit.

— Madame Alistair Aird, dame d'honneur de la princesse Margaret.

— Le capitaine Alexander Matheson, écuyer de la reine.

Depuis quarante ans, des centaines de personnalités britanniques ou étrangères ont ainsi été conviées à ces déjeuners dits informels. On peut relever les noms de l'actrice américaine Barbara Streisand ou encore du designer Terence Conran. Les deux dernières personnes de la liste sont toujours soit des membres de la Maison de la reine soit des personnes appartenant au service d'honneur d'un membre de la famille royale. Leur rôle est essentiel puisque ce sont eux qui accueillent les invités lorsqu'ils arrivent quelques minutes avant midi dans le grand salon du rez-de-chaussée du Palais. A leur arrivée à Buckingham Palace, chaque invité est escorté par un valet de pied qui lui propose de se «laver les mains», ce qui signifie aller aux toilettes. Le rôle de la dame d'honneur et de l'écuyer consiste à proposer des rafraîchissements et à mettre à l'aise les invités. A 12h50 exactement, chacun retient son souffle lorsque s'ouvre la double porte par laquelle apparaissent la reine et son époux qui se font présenter individuellement leurs convives avant de les escorter vers la salle à manger. Généralement, il s'agit du salon 1844, une pièce située elle aussi au rez-de-chaussée du Palais et baptisée ainsi en souvenir de la visite officielle du tsar de Russie à Londres, cette même année. Le salon 1844 est une des pièces favorites de la reine. Il est en fait le salon principal de la Suite Belge où la reine a vécu peu après son mariage en attendant que les travaux d'aménagement de Clarence House soient achevés. Les murs sont ornés d'une jolie collection de Canaletto. Lorsque la reine s'est assise au centre de la table, chacun peut prendre place et le déjeuner commence.

Le menu composé de trois plats est toujours léger. La mousse de saumon accompagnée d'une sauce genre béarnaise est une des entrées favorites. Le plat principal est généralement une viande grillée avec une sauce servie à part et de légumes frais. Les desserts sont un peu plus élaborés car la reine est gourmande. Elle apprécie le chocolat et ne résiste jamais à la tentation de picorer deux ou trois tuiles à la menthe et au chocolat lorsqu'elle boit son café. C'est naturellement elle qui dirige la conversation et, en bonne maîtresse de maison, elle s'efforce de donner à chacun des invités l'occasion de parler du sujet qui lui tient à cœur. Elle y parvient assez vite tout en surveillant discrètement le service. Durant la première partie du repas, les invités sont généralement trop concentrés sur leurs bonnes manières pour être détendus. Dora Bryan, une actrice britannique, se rappelle avoir refusé des oranges au moment du dessert, terrorisée à l'idée de voir une giclée de jus se diriger vers son hôtesse. Prudemment, elle décida alors de se rabattre sur les raisins, avant de se rendre compte avec horreur qu'elle ignorait ce qu'il convenait de faire avec les pépins. Stoïque, elle entreprit donc de les avaler. Une autre invitée eut un jour à régler un problème plus délicat. Toujours au moment du dessert, quelle ne fut pas sa surprise lorsqu'elle sentit une cuillère en argent descendre le long de son dos. Son étonnement alla grandissant lorsqu'elle sentit la main d'un domestique se glisser dans le décolleté arrière de sa robe pour partir à la recherche de la royale cuillère. Rouge comme une pivoine, elle ne put s'empêcher d'interroger du regard ses voisins de table. Aucun d'entre eux n'ayant semblé remarquer l'incident, elle put reprendre tranquillement le cours de sa conversation. Le repas s'achève lorsque la reine saisit son sac à main et se lève. Le café et les liqueurs sont servis dans le salon adjacent. La reine fait ses adieux à 14 h 30. Les invités sont alors reconduits à leur voiture. Inutile de dire qu'ils sont beaucoup plus détendus qu'à leur arrivée.

Lorsque les circonstances l'exigent, cette relative simplicité cède la place à un faste dont peu de cours en Europe ou dans le monde ont conservé l'usage. C'est le cas notamment lors d'une visite officielle. L'usage veut en effet que le premier soir, la reine offre à ses hôtes un banquet officiel. Si la réception a lieu à Londres, le cadre choisi est toujours la salle de bal de Buckingham Palace et c'est dans ces occasions que la Maison de la reine dévoile toute son efficacité. Construite entre 1853 et 1855 sous le règne de Victoria, la salle de bal est la pièce la plus vaste du Palais : elle mesure en effet quarante mètres de long sur vingt de large. L'une de ses extrémités est ornée de deux trônes imposants, surmontés d'un dais de velours rouge, installé il y a près d'un siècle à la demande de George V.

La préparation d'un banquet débute des mois à l'avance. La liste des cent cinquante invités est dressée par une commission formée du Chambellan, du secrétaire privé, du contrôleur des finances privé de la reine, du trésorier et du «Maître de la Maison». Plusieurs semaines à l'avance, la vaisselle d'apparat est extraite des coffres-forts dans lesquels elle est conservée afin d'être inventoriée, nettoyée et éventuellement repolie. Pas question d'utiliser de la porcelaine, sinon pour le dessert ; chaque couvert est dressé uniquement avec du vermeil. Les réserves du Palais renferment vingt-quatre douzaines d'assiettes d'argent doré, plus de deux cents salières et poivrières fabriquées à partir des mêmes métaux. Chaque type de fourchettes, couteaux ou cuillères est disponible en stock de dix-huit douzaines. Cette

211

orfèvrerie d'apparat remonte elle aussi au règne de Victoria. Chacune des pièces porte, comme il se doit, les armes royales d'Angleterre. Un certain nombre de pièces de forme plus ancienne, candélabres ou bougeoirs, sont aussi préparées afin d'orner les tables. Les cristaux en revanche sont modernes puisqu'ils datent de l'époque du couronnement d'Elisabeth et portent son monogramme. Verre à eau, verre à vin rouge, verre à vin blanc, coupe à champagne sont lavés avant d'être disposés devant chaque place. La règle d'or est que la mise en place du couvert doit être achevée en début d'après-midi afin de laisser le champ libre aux fleuristes qui sont chargés de décorer la longue table en fer à cheval. Suivant les directives de la reine, les chemins de table se doivent de ne pas être trop hauts afin de ne pas dissimuler les visages des convives. En revanche, devant chacune des quatre portes d'accès de la salle de bal, de volumineux bouquets sont disposés afin d'égayer l'atmosphère solennelle des lieux et surtout de dissimuler les feux. C'est en effet une des innovations introduites par Elisabeth afin de contrôler que chaque personne assise est servie à peu près en même temps. L'usage ancien voulait que le monarque soit servi en premier, les autres invités recevant leurs assiettes après lui en fonction de leur importance protocolaire. Cette pratique très respectueuse à l'égard des invités importants pouvait se révéler très frustrante pour les invités moins importants servis en dernier qui, non seulement recevaient une assiette froide, mais en plus avaient à peine le temps d'avaler une bouchée avant le nouveau service. Afin de remédier à ce désagrément, la reine a fait installer ce système de feux qui obéit à une règle très simple. Lorsque le feu est orange, les cent cinquante serveurs (on embauche en général des extras pour la circonstance) se rassemblent en ligne derrière les galeries qui entourent la salle de bal, leur assiette chaude dans la main. Lorsque le feu passe au vert, ils se dirigent directement vers le convive qu'ils doivent servir. La même opération se répète lorsqu'il faut desservir les assiettes. C'est la reine elle-même qui transmet les directives de service d'un geste adressé au «Stewart» qui se tient toujours debout juste derrière elle et qui manœuvre la console de commande des feux.

Alors que les cuisines sont dans leur coup de feu depuis le début de la matinée, la famille royale commence à se préparer à partir de cinq heures de l'après-midi. C'est à cette heure que la reine accomplit une dernière inspection dans la salle de bal afin de vérifier que tout est prêt. Elle regagne ensuite ses appartements privés afin de se vêtir. Cette séance d'habillage laisse aussi peu de place à l'improvisation que celle du matin. Les banquets étant prévus de longs mois à l'avance, la robe qu'elle portera est disposée depuis la veille dans sa garde-robe. Le choix des bijoux est réglé suivant un processus rigoureusement similaire. Ils ont été choisis des semaines à l'avance. La collection royale, l'une des plus importantes du monde, est conservée dans trois coffres-forts. Le premier, qui est situé dans les appartements de la reine, est réservé aux bijoux courants que Sa Majesté porte durant la journée. On y trouve ses nombreux colliers de perles, ses montres, quelques bagues et boucles d'oreilles et les broches qu'elle porte le plus souvent. Un certain nombre de pièces, très rarement portées, sont confiées aux soins de son joaillier, Garrard, qui les entrepose dans ses propres chambres fortes. Mais le plus gros de la collection est entreposé dans les célèbres sous-sols du Palais, à plusieurs mètres de profondeur. Chaque écrin porte une étiquette rappelant l'origine du bijou ou de la parure. Afin de donner un aperçu de l'ampleur de cet écrin, on peut citer l'évaluation rapide qui avait été faite à la fin des années

213

quatre-vingt par Lawrence Krashes, un des experts de la célèbre maison américaine Harry Winston. Selon lui, l'ensemble des bijoux privés appartenant à la reine peut être estimé 35 661 000 livres, soit près de 400 millions de francs. Dans ce trésor, le diamant se taille la part du lion avec 23 millions de livres. La moitié de ce total est représentée par deux broches de diamants. La première, ornée des Cullinans III et IV offerts à la reine Mary par le gouvernement d'Afrique du Sud, est estimée un peu plus de 9 millions de livres. La seconde, sertie d'un magnifique diamant rose, est un des cadeaux qu'Elisabeth II reçut à l'occasion de son couronnement. Elle vaut, selon Monsieur Krashes, 2 300 000 livres. La valeur des émeraudes représente 5 750 000 livres, les perles sont évaluées 3 265 000 livres, les saphirs 1 420 000 livres, les rubis 1 350 000 livres et il faut encore ajouter un million de livres pour tenir compte des pierres semi-précieuses du type aigue-marine ou améthyste. Pour sa part, Leslie Field, une autre spécialiste des bijoux de la reine, a estimé qu'Elisabeth avait porté au cours de sa vie quatorze diadèmes, trente-quatre paires de boucles d'oreilles, quarante-six colliers, quatre-vingt-dix-huit broches, trente-sept bracelets, cinq pendentifs, quatorze montres et une quinzaine de bagues. Certains de ces joyaux sont transmis de génération en génération d'une reine à l'autre; d'autres lui furent offerts par ses parents, notamment à l'occasion de son mariage. Quelques pièces relativement peu importantes proviennent de la mère du duc d'Edimbourg, la princesse Alice de Grèce, mais les plus belles ont été héritées de la reine Mary qui, à sa mort en 1953, légua l'essentiel de son extraordinaire collection à sa petite-fille. Contrairement à sa grand-mère qui aimait à accumuler les joyaux, portant fréquemment plusieurs colliers, broches et bracelets en plus de l'inévitable diadème, Elisabeth ne se permet aucune fantaisie. Le diadème, l'unique collier, les boucles d'oreilles, la broche et les éventuels bracelets font toujours partie d'une parure et sont sertis du même type de pierres précieuses.

Vers six heures et demie, le prince de Galles, la princesse Margaret et les cousins royaux qui ne résident pas au Palais, les ducs de Gloucester et de Kent, le prince Michael de Kent et son épouse, la princesse Alexandra de Kent et son époux, arrivent au Palais. Ils y pénètrent par l'entrée privée de la reine qui donne sur le jardin. Vers sept heures, tous se rassemblent dans la salle du trône où ils sont présentés à l'invité d'honneur et à son épouse qui résident au Palais dans la fameuse Suite Belge. Des rafraîchissements sont alors servis. Au même moment, les autres invités arrivent au Palais et sont dirigés vers la salle de musique et le salon blanc. A 19 h 45, la famille royale et ses invités traversent alors un corridor pour se rendre dans le cabinet royal, un petit salon mitoyen du salon blanc. C'est à ce moment qu'Elisabeth pose son diadème. Quelques instants plus tard, sur son ordre, un domestique actionne le bouton d'un mécanisme. Dans le salon blanc, les invités rassemblés ont alors la surprise de voir un pan de mur entier disparaître dans la boiserie, révélant la reine et sa famille, tous scintillant de décorations et de pierres précieuses. Cette entrée théâtrale, que la reine apprécie, ne rate jamais son effet. A la suite de leurs hôtes, les cent cinquante convives se dirigent alors vers la salle de bal. Le menu d'un banquet royal est plus élaboré que celui des déjeuners puisqu'il comporte un potage ou un consommé, une entrée, le plus souvent du poisson, un plat principal et un dessert. Jamais de fromage. Deux heures plus tard exactement, les convives sont de retour dans le salon blanc où sont servis café et liqueurs. C'est à ce moment seulement qu'ils peuvent savourer un cigare ou fumer une cigarette. La reine, sa

215

famille et le chef d'Etat étranger et son épouse se retirent vers onze heures. Après avoir salué ses hôtes, Elisabeth rejoint ses appartements. Au moment de se glisser dans son lit, elle n'oublie jamais de poser un masque sur ses yeux, car elle a le sommeil léger. Le moindre rai de lumière l'empêche de dormir. Pour le personnel, le travail de vaisselle, de nettoyage et de rangement se poursuit très tard dans la nuit.

XI

«RIEN NE VAUT UNE BONNE RÉUNION DE FAMILLE»

Tous les vendredis, vers 15 h 30, la voiture de Sa Gracieuse Majesté franchit le plus discrètement possible les grilles du palais de Buckingham. Elisabeth II prend la direction de l'autoroute de l'ouest, destination : sa résidence de week-end, une bâtisse qui a pour nom Windsor et qui est sans doute encore un peu plus grande que Buckingham Palace. Pour rien au monde la reine ne renoncerait à cette habitude qu'elle suit depuis un demi-siècle. Si Buckingham Palace est sa résidence de travail, son logement de fonction en quelque sorte, Windsor est son lieu de détente hebdomadaire. Le château, dont les origines remontent à Guillaume le Conquérant, a beau être gigantesque, elle s'y sent parfaitement chez elle. Elle y a passé une partie de son enfance et surtout la grande majorité des années de guerre. C'est à cette époque qu'elle a appris à connaître et à apprécier le domaine. Quant au parc, immense, dans lequel la reine mère dispose toujours de sa résidence de Royal Lodge, il lui est familier depuis sa plus tendre enfance. Elle en connaît tous les recoins. Le

217

week-end à Windsor est une partie fondamentale de son équilibre personnel. C'est là que chaque semaine elle «recharge ses batteries». Si le trafic n'est pas trop important, le trajet s'effectue en une petite heure et elle peut se trouver dans son salon personnel juste à temps pour l'heure du thé. Généralement le duc d'Edimbourg la rejoint un peu plus tard dans la soirée. Il est en effet assez rare que les deux époux voyagent ensemble. Non pas, comme on pourrait le croire, pour des raisons de sécurité, mais tout simplement parce que le prince Philippe aime conduire et que son épouse apprécie peu sa manière nerveuse de diriger une voiture.

Partout dans le monde, Windsor est considéré comme l'un des symboles éternels de la monarchie anglaise. Cette réputation n'est pas usurpée puisque ce château est sans doute le seul qui ait toujours été habité par les souverains britanniques. Son architecture générale a été fixée aux XIIIᵉ et XIVᵉ siècles par les Plantagenêts. La belle Aliénor et ses célèbres fils, Richard Cœur de Lion et Jean sans Terre, y ont vécu. C'est cependant Edouard III qui est responsable des plus beaux décors gothiques du château. C'est à Windsor qu'il a fondé en 1347 le célèbre ordre de la Jarretière dont la réunion annuelle a toujours lieu dans la chapelle du château, placée sous le patronage de Saint George. Jusqu'à la fin du XVIIᵉ siècle, tous les souverains d'Angleterre y tinrent périodiquement leur cour. La reine Elisabeth Iʳᵉ qui le trouvait pourtant peu confortable y a laissé un souvenir particulier puisque son fantôme est censé errer dans certaines pièces. Avec l'arrivée de la dynastie de Hanovre au XVIIIᵉ siècle, Windsor connaît un bref déclin jusqu'au règne de George III qui, au début des années 1780, lance une campagne de travaux et de restauration afin de rendre le château à nouveau habitable. Il y passe les dernières années de sa vie, hanté par la folie qui devait contraindre le gouvernement et le Parlement à nommer son fils, le futur George IV, prince régent. C'est à ce dernier que l'on doit l'un des lieux les plus imposants du château, la célèbre «Chambre de Waterloo», bâtie et décorée en l'honneur du duc de Wellington, vainqueur de Napoléon. C'est dans cette immense pièce qu'ont lieu les grands dîners de gala. Sa table de salle à manger en acajou peut recevoir cent cinquante convives.

Aujourd'hui, le château se divise en trois parties bien distinctes. La première, centrée autour de la cour inférieure, est la plus proche de la ville. Elle abrite la Chapelle Saint George et de nombreux bâtiments ecclésiastiques, dont certains ont été transformés en bureaux ou dépôts d'archives. En progressant vers l'est, on parvient dans une deuxième cour, la cour du milieu, qui comprend principalement le vieux donjon féodal. Cette deuxième cour en commande une troisième, baptisée sans surprise la cour supérieure. Ici commence le domaine personnel de la reine. Au nord, les appartements d'apparat avec la fameuse «Chambre de Waterloo», le «Hall Saint George» et la «salle du trône». Cette aile-musée, la plus connue du château, est ouverte à la visite, même lorsque la reine séjourne à Windsor. Elle s'anime uniquement lorsque Sa Majesté décide d'honorer un de ses hôtes officiels en le recevant dans sa résidence favorite. Ce fut le cas dans les années quatre-vingt pour le président polonais Lech Walesa. La famille royale se réserve l'usage des deux ailes, sud et est, qui ouvrent directement sur les jardins. Les appartements privés d'Elisabeth II et du duc d'Edimbourg sont situés dans l'aile est entre la «tour de Brunswick» et la «tour de la Reine». La famille royale, dans son sens le plus large, se partage les nombreux appartements disséminés dans l'aile sud entre la «tour de la Reine» et la «tour d'Edouard III». Car

219

Windsor, non content d'être la résidence de week-end d'Elisabeth II, est aussi le cadre des fêtes familiales, principalement celles de Noël.

Que les maîtresses de maison qui appréhendent chaque année l'organisation de ces fêtes, le choix des cadeaux, la préparation de menus, se consolent. Leur épreuve n'est rien en comparaison de celle qui échoit à Elisabeth tous les ans.

En effet, ce ne sont pas dix, vingt ou même cent cadeaux qu'elle doit prévoir, mais plus de six cents. Tous les membres du personnel reçoivent le leur. Le jour même de Noël, pas moins de cinq déjeuners pour plus de cent personnes sont servis au château. Et ce ne sont pas deux ou trois dindes qui sont prévues à cet effet mais trente.

La préparation des cadeaux commence dès le début de l'automne. Une liste générale du personnel est dressée à l'avance par le secrétariat de la reine. En fonction de ses années d'ancienneté, chaque personne bénéficie d'un crédit de 20 à 30 livres. Une fois rédigées, les listes sont présentées aux membres du personnel et tout le monde est invité à faire quelques suggestions dans la fourchette de prix correspondant à son statut. Les cadeaux sont achetés par les dames d'honneur qui, à cette époque de l'année, entreprennent de massives tournées de shopping dans les grands magasins de Londres. La responsabilité d'attribuer chaque paquet à la personne qui doit le recevoir leur revient aussi et on imagine aisément les problèmes d'étiquetage que ce genre de travail présente. La reine tient en effet à remettre chacun d'entre eux elle-même. La cérémonie a lieu tous les ans, une semaine avant Noël, dans l'un des salons du palais de Buckingham. Les heureux récipiendaires sont présentés un par un à la souveraine. Pour nombre d'entre eux, c'est la seule occasion de l'année où ils peuvent l'apercevoir durant une ou deux minutes. Ce pensum étant réglé, reste à choisir les cadeaux des amis et de la famille, une tâche que la reine tient à accomplir personnellement. Tous les ans, les grands magasins de Londres et certaines boutiques dûment accréditées sont donc invités à lui envoyer une sélection d'articles qui sont entreposés dans un petit salon qui jouxte ses appartements personnels. Ainsi elle peut accomplir son shopping sans sortir de chez elle. Les cadeaux sélectionnés sont envoyés à Windsor où ils sont rangés dans le «salon rouge» où a lieu la distribution annuelle, le soir de Noël.

Quinze jours avant les fêtes, le château de Windsor revêt ses atours d'apparat. Quelques-uns des plus beaux sapins du domaine de Sandringham y sont acheminés par convoi spécial. Le plus haut est installé dans le «salon rouge». Les autres sont dispersés dans la nursery, la salle à manger du personnel et le salon privé d'Elisabeth. Le séjour de la famille royale débute dans l'après-midi du 23 décembre. Une par une, les voitures transportant ses différents membres arrivent au château. Pour cette réunion annuelle, la reine tient en effet à ce que la famille dans son sens le plus large soit réunie : «Il n'y a rien de plus agréable que les grandes réunions de famille organisées dans un lieu familier, devait-elle déclarer lors de l'un de ses traditionnels discours de Noël. Lorsque le vent et la pluie battent les vitres, une famille est particulièrement consciente de la chaleur et de la paix qui règnent autour du feu.»

Cette «grande réunion de famille» rassemble donc près d'une cinquantaine de personnes. Sont en effet conviés, non seulement la mère, les enfants et petits-enfants d'Elisabeth mais aussi sa sœur, ses neveux, ses cousins germains et leurs familles. Chaque groupe est installé rituellement dans le même appartement tous les ans. Ainsi la reine mère occupe la «tour d'York» qu'elle partage avec lady Helen Taylor, fille du duc de Kent. Le prince de Galles et ses fils, le prince Andrew duc d'York et ses filles et le prince Edouard et son épouse, comte et comtesse de Wessex, occupent les différents étages de la «tour de la Reine». La princesse Margaret réside depuis cinquante ans dans la «suite bleue» de la «tour de Lancastre». Et ainsi de suite. Chacun de ces appartements comprend une ou plusieurs chambres à coucher, un salon et une salle de bains. Le matin même, la reine, en maîtresse de maison avisée, a pris la précaution de faire une inspection générale des lieux afin de bien vérifier que les serviettes à son chiffre sont en nombre suffisant, de même que les savons parfumés ou les bouteilles d'eau minérale.

Le 24 décembre, vers cinq heures de l'après-midi, toute la famille royale se rassemble dans le «salon rouge» pour la séance traditionnelle d'ouverture des cadeaux. La règle d'or est qu'aucun présent ne doit être trop dispendieux. La plus facile à satisfaire est en général la princesse Anne qui collectionne depuis toujours les poupées et les objets en coquillages. Le dîner qui suit est une joyeuse réunion autour d'un menu assez simple. Les agapes sont réservées pour le lendemain. L'étape suivante est l'office religieux du matin de Noël qui a lieu à la Chapelle Saint George. Tous les membres du personnel sont invités à y rejoindre la famille royale à l'exception du personnel des cuisines qui doit préparer les cinq déjeuners. Le premier est servi à 11 h 30. Il est réservé aux domestiques les plus jeunes. Le deuxième, destiné aux membres les plus âgés du personnel, a lieu à midi. Le déjeuner des enfants royaux se déroule à 12 h 45. La reine et sa famille passent à table à 13 h 15. Les cuisiniers ferment la marche vers 15 heures. Le menu de ces différents déjeuners est sensiblement identique. Le plat de résistance est la traditionnelle dinde. Le plus souvent, elle est accompagnée de saucisses, de choux de Bruxelles et de pommes de terre rôties. Le « Christmas Pudding », tout aussi traditionnel, termine le repas. Autrefois, il était préparé des mois à l'avance dans les cuisines de Buckingham Palace. Aujourd'hui, pour des raisons d'économie et de gain de temps, tout le monde, des domestiques à la famille royale, se contente des excellents puddings de la maison Fortnum and Mason. La seule différence entre la table royale et celles du personnel tient, en fait, à la qualité des entrées. Il s'agit toujours d'un potage : bisque de homard pour les uns, crème de tomate ou velouté aux pointes d'asperges pour les autres. Vins rouges et blancs sont servis à toutes les tables. La seule personne qui bénéficie d'un régime de faveur est la reine mère. Depuis des décennies, elle ne boit que du champagne à tous les repas. Une demi-bouteille mise à rafraîchir dans un seau à glace est toujours préparée à son intention. Le soir, la famille royale se contente d'un dîner plus léger servi assez tôt puisque le personnel dispose de sa soirée. Tout le monde se rend à la surprise-partie qui est organisée dans les caves. Si l'on en croit la tradition, la reine est dans ce domaine très compréhensive. Le lendemain de Noël, elle feint toujours d'ignorer la « gueule de bois » de certains de ses serviteurs. Le 26 décembre, jour férié en Grande-Bretagne, est réservé aux activités de plein air. Les amateurs de chasse sont invités à aller tirer le faisan dans le parc. La reine préfère faire une promenade à cheval en compagnie de ceux des membres de sa famille qui souhaitent la suivre. Le soir, un film tout public est projeté dans la salle du trône. Tout nouveau James Bond bénéficie de cet honneur. La soirée s'achève en joyeux pique-nique. Durant la projection, un petit buffet composé de sandwiches et de boissons fraîches a été préparé dans un salon avoisinant. Chaque membre de la famille peut aller s'y restaurer. Les petits groupes se forment au gré des affinités sous l'œil bienveillant d'Elisabeth qui s'applique à parler avec chacun. Elle apprécie ces entretiens très informels car ils lui permettent de rester en contact plus étroit avec les siens et aussi d'ouvrir un peu la porte sur un monde extérieur que ses cousins et neveux fréquentent mais dont elle est très coupée elle-même. Le lendemain, chacun regagne son domicile ou sa maison de campagne. La reine et le duc d'Edimbourg quittent eux aussi Windsor. Mais il n'est pas question de rentrer à Londres. La prochaine étape de leur emploi du temps annuel, immuable depuis des décennies, a pour nom Sandringham, un vaste domaine agricole du Norfolk qui appartient aux Windsor depuis plus d'un siècle et où ils passent toujours six semaines, du 1er janvier au 15 février.

A Sandringham, la reine est réellement chez elle. Contrairement à Buckingham Palace ou à Windsor qui appartiennent à l'Etat britannique et dont la famille royale n'a que l'usufruit, cette demeure fait partie de son patrimoine privé. La conséquence principale de cette différence de statut est pécuniaire. Si tous les frais d'entretien des résidences publiques incombent à l'administration, ceux des résidences privées sont à la charge de la reine et ils se chiffrent en centaines de milliers de livres. S'appuyant sur ce constat, les mauvaises langues en profitent pour insinuer que c'est pour cette raison qu'il fait beaucoup moins chaud à Sandringham qu'à Windsor. La reine veillerait elle-même à ce que les radiateurs ne dépassent pas 18 degrés. Ce qui est peu pour une bâtisse de cette taille dont les immenses couloirs et salons sont souvent glacés. Une seule chose est certaine : Elisabeth a la réputation de ne pas être frileuse, contrairement à sa mère, la reine mère qui, même en plein été, dort avec plusieurs bouillottes. Que ce soit à Buckingham Palace, à Windsor ou dans toute autre de ses résidences, le niveau du chauffage est toujours relativement bas, surtout dans ses appartements privés. A Sandringham, ce genre de détail lui importe encore moins. Elle y passe la plus grande partie de sa journée à l'extérieur. Une habitude qu'elle tient de son père et de son grand-père qui, avant elle, ont aimé passionnément Sandringham et l'ont transformé en une demeure familiale pleine de souvenirs.

Acquis par la reine Victoria pour son fils aîné, le futur Edouard VII, le domaine fut la résidence favorite de ce dernier durant de longues années. Après lui, George V, qui y avait passé une bonne partie de son enfance, devait lui consacrer tous ses soins. C'est là qu'il mourut en 1936. Racheté par George VI au duc de Windsor, Sandringham devint ensuite le refuge favori du père d'Elisabeth qui, lui aussi, y vécut ses derniers jours. Dans une lettre émouvante adressée à sa fille alors qu'elle séjournait à Malte avec le prince Philippe, il avait évoqué les premières vacances qu'y avait passées son petit-fils Charles, alors âgé de quelques mois. Il exprimait le désir que «lui aussi apprenne à connaître la maison afin qu'il s'y sente un jour chez lui». Grâce à tous ces souvenirs, le voyage annuel de la famille royale sur ses terres du Norfolk s'apparente à un pèlerinage sentimental.

Aujourd'hui encore, le château conserve quelque chose de son atmosphère victorienne. Le mobilier est toujours celui qui fut mis en place par Edouard VII et son épouse, la reine Alexandra. Rien ou presque n'a bougé. Dans le grand salon, leur double portrait continue à présider les réunions familiales. Les meubles en bois laqué blanc sont typiques du style faux Louis XV en vogue au début de ce siècle. La collection d'animaux en pierres dures de Fabergé constituée par la reine Alexandra est toujours dans les mêmes vitrines

225

depuis près d'un siècle. La seule modification de décor remonte au début des années soixante-dix. La reine a ordonné la démolition d'une aile entière afin de limiter les frais d'entretien.

En fait, c'est surtout le duc d'Edimbourg qui s'est chargé de ramener les dépenses du «vorace éléphant», comme le surnommait le duc de Windsor, à un niveau un peu plus raisonnable. Au début des années soixante, il a considérablement modernisé la gestion du domaine agricole qui compte près de 10 000 hectares de terres, de manière à ce que les recettes de la propriété couvrent à peu près ses dépenses. Il a notamment repris une partie des terres autrefois louées à des fermiers afin de les rassembler dans une exploitation agricole importante qui pratique depuis des décennies les principes de l'agriculture écologique. Ajoutée au label royal, cette garantie de qualité assure aux produits de Sandringham une réputation qui fait leur succès dans les épiceries et les grandes surfaces de la région. Dans le même esprit d'économie, le duc d'Edimbourg a instauré une règle d'or pour la table royale : tout ce qui y paraît est produit sur place.

En plus des nombreuses attaches familiales qu'elle retrouve à Sandringham, Elisabeth aime particulièrement cette propriété parce qu'elle peut s'y adonner à l'un de ses passe-temps favoris : l'élevage. «Si elle n'avait pas été reine, ont coutume de dire ses proches, elle aurait sans doute aimé être fermière ou éleveur, n'importe quel métier qui puisse lui permettre de mettre à profit ses immenses connaissances dans cette matière.» Le pedigree, tel est en effet le violon d'Ingres de la reine. Alors que sa grand-mère, la reine Mary, se gargarisait des généalogies des familles royales européennes, Elisabeth connaît sur le bout du doigt toutes les lignées canines, chevalines et même bovines du Royaume-Uni. Sandringham est le lieu où elle peut

donner libre cours à cette véritable passion. Indépen-
damment des troupeaux de vaches et de moutons qui
produisent laitages et viandes, le domaine est célèbre dans
tout le Royaume-Uni pour son chenil et ses écuries. Le
premier est une initiative personnelle d'Elisabeth. Il est
extrêmement rare de la voir se promener sans un ou
plusieurs de ses nombreux chiens. Les corgis hargneux
et bruyants qui la suivent un peu partout, même lorsqu'elle se déplace à l'étranger, appartiennent à sa
légende. On sait que ses parents lui ont offert le premier d'entre eux en 1929 alors qu'elle avait à peine
trois ans. Son affection pour ces animaux ne s'est
jamais démentie. Et aujourd'hui encore, elle en possède
au moins neuf. Pour certains d'entre eux, il s'agit de la
troisième ou quatrième génération. Mais plus encore
que les corgis, ce sont les labradors qui règnent à Sandringham. Depuis près de trente ans, la reine y entretient un élevage prospère dont les animaux sont plus
particulièrement dressés pour la chasse qui, comme on
le sait, est l'un des sports favoris de la famille royale.
Son intérêt pour la race canine ne se limite pas à une
rapide inspection du chenil une ou deux fois par an.
Bien au contraire, Elisabeth s'implique personnellement dans toutes les étapes du dressage. «Elle a un
don particulier avec les chiens, explique un des fermiers du domaine. Dès qu'elle apparaît, ils se précipitent tous autour d'elle. Elle s'en fait obéir d'une manière
absolument remarquable.» Lors d'une journée particulièrement brumeuse, il n'est pas rare de la voir arpen-
ter les allées du parc, vêtue d'un imperméable en toile
cirée qui la couvre de la tête aux pieds et chaussée de
grosses bottes en caoutchouc, une véritable meute de
chiens courant sur ses talons. Si l'on souhaite comprendre un peu mieux la personnalité de la reine d'Angleterre, cette image d'une femme solitaire se souciant peu
de son apparence, mais heureuse d'être dans la nature en

compagnie de ses animaux favoris, est certainement l'une des plus proches de la vérité. «Quel dommage, devait soupirer un journaliste britannique, qu'elle ne réussisse pas à se faire obéir de la même façon par sa famille.»

Cependant, l'animal roi de Sandringham est avant tout le cheval. Chez les souverains anglais, l'amour des chevaux est une tradition séculaire. Les courses hippiques ne sont-elles pas nées outre-Manche sans doute à la fin du XVIIe siècle, sous le règne de Charles II? Deux siècles plus tard, c'est son lointain descendant, le futur Edouard VII, alors prince de Galles, qui les renouvela en installant à Sandringham une écurie de courses. Les bâtiments n'ont pas changé et l'ornement principal de la cour autour de laquelle ils sont bâtis est une statue grandeur nature de Persimmon. C'est grâce à ce cheval qu'Edouard VII eut la joie et l'honneur de voir ses couleurs triompher en 1896 lors du Derby d'Epsom, la course la plus prestigieuse de la saison hippique anglaise. Contrairement à son arrière-grand-père, Elisabeth n'a toujours pas gagné cette épreuve mais cela reste son vœu le plus cher. Tous les efforts de son écurie, qui comprend vingt-cinq chevaux à l'entraînement, sont tournés vers ce but.

A défaut d'avoir gagné le Derby, son écurie peut s'enorgueillir de quelques beaux succès. En 1978, Highclere, une de ses juments, a remporté à Chantilly le célèbre Prix de Diane. A cette occasion, la reine n'avait pas hésité à faire le voyage jusqu'à Paris. «Ce fut un petit voyage extrêmement agréable, devait-elle confier quelques jours après la course. Le président Giscard d'Estaing s'est montré extrêmement courtois en m'accordant toutes les facilités possibles, notamment pour me rendre à Chantilly. La foule sur le champ de courses s'est montrée très amicale. Surtout après que Highclere ait remporté la victoire.» Quelques

228

mois plus tard, elle devait confier à un de ses amis : « S'il n'y avait pas l'archevêque de Canterbury pour me retenir, je prendrais l'avion pour aller à Longchamp tous les dimanches. »

Deux ans plus tard, en 1980, l'écurie Elisabeth II remporta une autre victoire, financière celle-là, en vendant au Cheikh Al Makthoum, fils de l'émir de Dubai et sans doute l'un des plus grands éleveurs de chevaux du monde, une jument, « Height of Fashion ». Le prix de vente, 1 800 000 livres, témoigne de la qualité de l'élevage. Cette vente fort lucrative permit à la reine d'accroître l'importance de son écurie en acquérant à West Ilsley, dans le Berkshire, un haras où elle a fait transporter une partie de ses chevaux. Petit regret tout de même, la vente de « Height of Fashion » s'est révélée une affaire extrêmement positive pour le Cheikh Al Makthoum, puisque l'un des fils de cette jument a remporté le fameux Derby en 1997. Elisabeth, qui ne manque jamais d'assister à cette épreuve, n'a pu qu'applaudir à cette victoire. Avec un petit pincement au cœur, peut-être.

Il est difficile de parler de l'écurie de courses de la reine sans mentionner le nom de son célèbre directeur, lord Carnavon. L'homme, qui n'est autre que le petit-fils du célèbre Carnavon qui participa avec Howard Carter à la découverte du tombeau de Toutankhamon, est sans doute l'ami le plus proche de la reine. Tous deux se connaissent depuis leur jeunesse. Issu d'une famille appartenant à la haute aristocratie, Carnavon a occupé au lendemain de la Seconde Guerre mondiale le poste d'écuyer du roi George VI. A l'époque, son père étant encore vivant, il portait le titre de lord Porchester. Le surnom lui est resté depuis cinquante ans : ses amis, dont la reine, le surnomment « Porchie ». Tous les jours, la reine lui téléphone. Pour s'informer de la forme de ses animaux mais aussi pour parler de la pluie et du beau temps comme peuvent le faire deux amis proches. Leurs relations sont à ce point intimes que certaines commères officielles du beau monde et de la presse ont cru pouvoir affirmer que leurs sentiments avaient dépassé le stade de la simple amitié. Vérité ou ragots? Il est impossible de répondre. Ni la reine ni Porchie n'ont jamais accordé la moindre attention à ces rumeurs. Certains ne sont-ils pas allés jusqu'à affirmer, sans aucune preuve, que Porchie était le véritable père du prince Andrew?

L'autre pèlerinage traditionnel des Windsor a lieu durant l'été et il se nomme Balmoral. Tous les ans, au début du mois de juillet, il est une phrase qui revient régulièrement dans les discussions de la famille royale: «Je suis épuisée. Il me tarde d'être à Balmoral.» Plus l'été avance, plus la reine et ses proches aspirent à se retrouver dans l'univers familier des Highlands, ces terres sauvages du nord de l'Ecosse qu'ils connaissent tous depuis l'enfance. Elisabeth, pourtant avare de confidences, a déclaré un jour à ce sujet: «Je crois que c'est un lieu qui a une atmosphère particulière. C'est plutôt agréable d'hiberner pendant un moment.» L'hibernation de la reine et de sa famille débute tous les ans autour du 1er août pour s'achever à la fin du mois de septembre. Ce séjour relativement long est peu de chose en comparaison de ceux qu'y accomplissait la reine Victoria à qui il arrivait fréquemment de passer près de six mois dans sa propriété écossaise. Car si Sandringham est le château d'Edouard VII, Balmoral est véritablement le château de Victoria, bien plus que toute autre résidence royale. Le domaine a été acquis par le prince Albert en 1852. Ayant passé toute sa jeunesse en Allemagne en pleine période romantique, ce prince avait succombé au charme étrange et sauvage de cette terre qui évoque les romans de chevalerie de Walter Scott. Jugeant le château trop exigu pour abriter la famille royale et la Cour, il avait entrepris de le faire démolir pour rebâtir une résidence beaucoup plus vaste qui est un parfait exemple du style néo-gothique en vogue en Europe au milieu du XIXᵉ siècle. Les façades de granit gris de Balmoral, hérissées de clochetons et de tourelles, semblent sorties d'un film de cape et d'épée réalisé à Hollywood dans les années cinquante. La décoration intérieure participe du même esprit et rien n'y a changé depuis près d'un siècle et demi.

Lorsqu'elle a pris possession de la maison à la mort de son père, Elisabeth s'est contentée de faire changer les revêtements muraux de certaines pièces. Depuis l'époque du prince Albert, tout le château était en effet tapissé de tartan écossais dans les tons vert foncé. Ce qui, par temps brumeux, se révélait parfois un peu sinistre. Malgré tous ces aspects un peu kitsch, Balmoral est sans doute la demeure favorite de la reine et de ses enfants. C'est là et là seulement qu'ils peuvent vivre à peu près comme tout le monde. Suzy Menkes, la célèbre journaliste de mode qui a consacré plusieurs livres à la famille royale, l'explique très simplement: «Pour la plupart d'entre nous, vivre dans un Palais où des dizaines de domestiques sont à votre disposition pour réaliser le moindre de vos désirs est un véritable rêve. Pour la famille royale, et la reine en particulier, c'est exactement le contraire. Leur idéal, c'est de faire ce que nous faisons tous les jours sans que rien ni personne vienne surveiller leurs actes. »

Cette volonté de vivre comme n'importe qui s'exprime plus particulièrement à l'heure du déjeuner. Quelles que soient la température, la force du vent ou de la pluie, fréquente en cette région même au plein cœur de l'été, les Windsor aiment à organiser des pique-niques. Bien que la plupart des plats soient préparés dans les cuisines du château et acheminés par les domestiques vers le lieu choisi, cette manière champêtre de déjeuner leur donne l'impression de vivre une véritable aventure. Lorsque le temps le permet, le prince Philippe adore organiser des barbecues. C'est à lui et à la princesse Anne que revient généralement la responsabilité de faire griller côtelettes et saucisses. Si le temps est couvert, le déjeuner a lieu dans l'un des nombreux «cottages» qui sont disséminés sur la propriété. Dans ce cas, c'est la reine qui prend en main la conduite des opérations. Rien ne lui plaît tant que de dresser le couvert avec des assiettes en simple faïence et parfois même, détail qui eût fait frémir d'horreur la reine Mary, de simples gobelets en plastique à la place de verres. Lorsque le repas est achevé, il lui arrive même de faire la vaisselle. Ce plaisir d'accomplir une fois par an les gestes les plus simples de la vie quotidienne, presque exotique pour elle, elle ne peut se l'offrir qu'à Balmoral, loin des objectifs des photographes, de la Cour et du gouvernement.

L'un des sites les plus discrets du domaine est d'ailleurs une petite maison baptisée Allt-Na-Guibsaich, ce qui, en gaélique, signifie «le feu de pins écossais». Composée de deux bâtiments sans étage accolés l'un à l'autre, cette demeure extrêmement modeste comprend trois pièces : une cuisine, une salle à manger et une pièce de séjour qu'on ne peut même pas baptiser «salon». L'ameublement en bois de pin est d'une simplicité spartiate. Détail extrêmement significatif, Elisabeth est la seule à en posséder la clef, un privilège étrange auquel elle ne renoncerait pourtant pour rien au monde. Allt-Na-Guibsaich est le seul endroit dont elle puisse ouvrir la porte en introduisant elle-même la clef dans la serrure. Il est rarissime qu'un domestique y pénètre. Même la famille royale n'y a accès que rarement et uniquement sur invitation formelle. C'est sans doute le seul endroit où Elisabeth peut se comporter comme n'importe quelle épouse ou mère de famille et accomplir les gestes quotidiens que connaissent par cœur toutes les ménagères britanniques : ébouillanter une banale théière de terre cuite marron, y verser un peu de thé avant de la remplir d'eau frémissante. Disposer quelques sandwiches et gâteaux secs sur une assiette avant de garnir un plateau qu'elle posera sur la grande table de la salle à manger. En fait, préparer soi-même le classique thé de cinq heures et le servir à son mari et à ses enfants.

XII

«MA DEUXIÈME FAMILLE»

C'EST une nouvelle Elisabeth qui aborde la décennie soixante-dix. Elle n'a plus rien à voir avec la jeune mariée naïve et inexpérimentée qui était montée sur le trône en 1952. La femme et la reine ont changé. L'une comme l'autre ont acquis maturité, expérience et surtout un certain recul par rapport au quotidien. Qu'il soit politique ou personnel, il leur permet de suivre leur route avec un peu plus de sérénité et parfois de tolérance. En tant que chef d'Etat, la reine a appris son métier. Depuis Winston Churchill, les Premiers ministres se sont succédé à la tête du gouvernement, la reine est restée en place, comme il se doit. Avec chacun d'entre eux, elle a réussi à construire de fructueuses relations de travail. Ce fameux «droit d'être consultée, d'encourager et d'avertir», que décrit Bagehot, elle l'exerce pleinement, avec parfois même un peu trop de sérieux si l'on en croit certains de ses Premiers ministres qui assurent que l'un de ses plaisirs favoris est de les prendre en défaut en demandant d'un air innocent: «A propos, avez-vous lu cette dépêche officielle qui traite de tel ou tel problème?» James Callaghan,

235

Premier ministre d'avril 1976 à mai 1979, n'oublia jamais son embarras lorsqu'il fut obligé de répondre négativement à la question piège. Cette aisance dans l'exercice de ses fonctions, Elisabeth l'utilise aussi dans un domaine que les spécialistes britanniques du droit constitutionnel du XIXe siècle n'ont certes pas prévu, la gestion politique du Commonwealth. Cette institution, dont le but est d'encourager la coopération dans tous les domaines entre les anciens territoires de l'Empire britannique, regroupe des dizaines d'Etats qui n'ont souvent de commun que leur ancienne appartenance à la couronne britannique. Sur cet échiquier encombré de pions de toute race et de toute religion, Elisabeth représente à elle seule un ferment d'unité. Elle tient particulièrement à ce rôle qui fut d'ailleurs l'un de ses sujets de friction avec madame Thatcher. En ce domaine, comme en de nombreux autres, la « Dame de Fer » avait un peu trop l'habitude de tirer la couverture à elle.

Pleinement rassurée quant à la manière dont elle exerce ses responsabilités de chef d'Etat, Elisabeth a pu s'attarder un peu plus sur son rôle de chef de famille, d'épouse et de mère. La différence éclate dans les relations qu'elle entretient désormais avec son mari. La jeune fille soumise, qui ne voyait que par les yeux de son beau prince blond, a cédé la place à une femme beaucoup plus responsable et infiniment moins crédule. Le rapport de forces entre les deux époux s'est insensiblement inversé. Après les premières années de passion folle qu'ils ont connue au début de leur mariage, Elisabeth et Philippe ont en effet traversé une assez longue période de crise.

Elle débute dès 1953 et trouve son origine principale dans le changement de statut de la nouvelle reine. Dès les premiers mois qui suivent le couronnement, le duc d'Edimbourg ne tarde pas à comprendre que, dans l'enceinte des palais royaux, Elisabeth est tout et que lui-même n'est rien, ou peu de chose. Les responsabilités s'accumulant lourdement sur les épaules de son épouse au fur et à mesure que son règne avance, la différence n'en devient que plus évidente. De conseil privé en réunion secrète avec le Premier ministre, de sommets de chefs d'Etat du Commonwealth en réceptions d'ambassadeurs, sans oublier les interminables ouvertures du Parlement, où il se contente de donner la main à la reine, le duc d'Edimbourg a de plus en plus de mal à supporter ce rôle de potiche surchargée de décorations qu'on essaie de lui faire jouer. Certes, personne n'a jamais songé à lui disputer les honneurs. Aux titres reçus à l'occasion de son mariage, on ajoute peu à peu ceux de prince de Grande-Bretagne et du Royaume-Uni, assortis du prédicat d'Altesse Royale et même, faveur insigne, du droit de précéder le prince de Galles dans les actes de la vie officielle. Un homme plus serein se serait sans doute contenté de cela et se serait efforcé de s'aménager un jardin secret où il aurait pu respirer à l'aise. Le prince Albert, époux de Victoria, s'en était bien accommodé. Malheureusement, ce n'est pas le cas du bouillant Philippe, loin s'en faut. Ses tentatives de prise de pouvoir sur le personnel de Buckingham Palace et des différentes résidences royales se sont soldées par de cuisants échecs. Le seul domaine dans lequel la reine a accepté de lui abandonner les pleins pouvoirs est l'éducation de leurs deux enfants, Charles et Anne. C'est peu pour occuper un homme au foyer. Surtout quand il n'a pas une nature particulièrement contemplative.

Mortifié par ce rôle auquel il semble voué, Philippe réagit avec sa brusquerie habituelle, en prenant la fuite. Avec une différence notoire toutefois par rapport à ses années de jeunesse : il dispose désormais de moyens quasiment illimités et peut se payer toutes ses fantaisies.

237

Renouant avec ses amis d'autrefois, il passe de plus en plus de temps loin de Londres, voyageant à l'étranger, courant les mers et les continents comme il avait l'habitude de le faire lorsqu'il n'était que le simple lieutenant Philippe Mountbatten. Durant l'hiver 1956-1957, son séjour à l'étranger dure six mois. Ses seuls contacts avec sa famille se bornent à l'envoi d'une gerbe de roses à son épouse à l'occasion de leur neuvième anniversaire de mariage, un coup de téléphone le jour de Noël et l'expédition d'une peau de crocodile chassé en Amérique du Sud. La presse quotidienne britannique commençant à s'inquiéter de toutes ces absences prolongées, Elisabeth finit par lui enjoindre de rentrer à Londres, afin de faire acte de présence à ses côtés, à l'occasion de quelques cérémonies officielles. Cet acte d'autorité, auquel la reine a eu bien du mal à se résoudre, ne fait rien pour arranger le climat entre les deux époux.

Si l'on en croit certains journalistes ou écrivains britanniques et américains, c'est de cette époque que datent ce qu'il faut bien appeler les aventures du prince Philippe. Sans doute sont-elles beaucoup moins nombreuses qu'on ne veut bien l'affirmer. Que le duc d'Edimbourg ait toujours eu un faible pour les jolies femmes est une évidence que lui-même n'a jamais cherché à nier. De là à en faire un Don Juan, il y a un pas qu'il est très hasardeux de franchir. On peut d'ailleurs se demander si, dans nombre de cas, les « aventures » qu'on lui a attribuées ne sont pas tout simplement des « flirts » où s'exprime le besoin de confidences et d'affection d'un homme souvent seul. On lui a ainsi prêté une liaison avec la cousine germaine de son épouse, la princesse Alexandra de Kent. L'affaire semble assez douteuse. Il est un fait certain que tous deux entretiennent une grande complicité qu'ils n'ont d'ailleurs jamais cherché à dissimuler. En outre, ils sont parents proches puisque la mère d'Alexandra, la très belle duchesse Marina de Kent, était née princesse de Grèce comme le duc d'Edimbourg. Ont-ils été amants? Eux seuls peuvent répondre à la question. En tout cas, il est tout aussi certain que la grande majorité des membres de la famille royale anglaise, la reine y compris, ont toujours admis qu'Alexandra était douée d'un charme particulier auquel il était bien difficile de résister. Le prince Charles lui-même n'a jamais caché sa préférence marquée pour la cousine germaine de sa mère. On n'a pourtant jamais parlé de liaison entre eux.

Certains auteurs iront beaucoup plus loin dans le ragot en affirmant que le duc d'Edimbourg aurait eu un fils adultérin né d'une liaison avec une amie d'enfance. Pour preuve de leurs dires, ils avanceront le fait que le jeune homme en question a été éduqué lui aussi à Gordonstoun, l'école écossaise où Charles et ses frères cadets, plus tard, accompliront leur scolarité. Une fois de plus, le fait semble on ne peut plus douteux. Philippe n'a-t-il pas lui aussi bénéficié, lorsqu'il était jeune, de la générosité de certains de ses oncles qui ont financé ses études pendant de longues années? Personne n'est venu pour autant mettre en doute la paternité de son père, le prince André de Grèce. On parlera beaucoup aussi d'une idylle avec l'actrice Merle Oberon. Une fois de plus sans preuves réelles. La règle d'or de la famille royale en matière de presse est: «Never complain, never explain.» «Ne jamais se plaindre (y compris judiciairement), et ne jamais s'expliquer.» L'inconvénient majeur de cette attitude par rapport à la presse est qu'elle a laissé se développer une zone d'impunité sans limites qui permet à chacun de colporter ou d'écrire n'importe quelle rumeur, sans que jamais il ne lui soit demandé d'apporter le moindre élément de preuve à l'appui de ses dires.

239

LA VÉRITABLE ELISABETH II

La vague de commérages n'épargnera d'ailleurs pas non plus Elisabeth à qui les mêmes auteurs prêteront aussi un certain nombre de liaisons. Ainsi que nous l'avons vu dans le précédent chapitre, le nom le plus souvent cité est celui de son directeur de courses, lord Carnavon. Il en existe toutefois un second. Jusqu'à sa mort, en 1975, Patrick Plunkett sera en effet le confident le plus proche d'Elisabeth II. Leur amitié remontait au lendemain de la Seconde Guerre mondiale, époque à laquelle Plunkett occupait lui aussi le poste d'écuyer du roi George VI. Très apprécié par la famille royale, il était devenu au fil des ans l'ami personnel de la princesse héritière. Il était resté celui de la reine. Héritier d'une double lignée d'aristocrates écossais et d'hommes d'affaires américains, avec en plus une grand-mère actrice, c'est lui qui avait ouvert à Elisabeth les portes du monde de l'art. Un domaine auquel son éducation conservatrice et campagnarde l'avait assez peu initiée. C'est sur son idée qu'elle décida de faire construire sur le site de l'ancienne chapelle du palais de Buckingham, détruite pendant la guerre, une salle d'exposition où sont organisées des expositions temporaires des collections royales. C'est lui aussi qui, pendant près de vingt-cinq années, lui permit les rares escapades au cours desquelles elle put s'adonner au plaisir le plus rare qui soit pour une reine : faire semblant de vivre comme tout le monde. Un lundi sur deux, Plunkett emmenait la reine au cinéma. Coiffée d'un foulard et vêtue d'un banal manteau, elle pouvait se donner le plaisir de faire la queue, de manger des pop-corn ou des glaces, avant d'aller dîner, presque anonymement, dans un restaurant voisin. La mort de Patrick Plunkett, des suites d'un cancer en 1975, fut une des plus grandes douleurs de sa vie. Leur relation, pourtant purement amicale, n'échappa pas à la plume acerbe de certains carnassiers de la presse d'outre-

Manche, qui en tirèrent les conséquences les plus fantaisistes.

Quelles qu'en soient les raisons, il est un fait certain qu'à la fin des années cinquante, les relations entre la reine et son époux sont devenues extrêmement distantes. Philippe s'acharne à multiplier les absences afin d'aller respirer un air de liberté en dehors des limites du royaume de son épouse. Elisabeth supporte de plus en plus difficilement les commentaires ironiques qui commencent à se répandre dans la presse en Grande-Bretagne et dans toute l'Europe. C'est leur oncle commun, lord Mountbatten, qui entreprend de remettre un peu d'harmonie dans ce ménage qu'il a tant aidé à créer. Curieusement, son influence sur les deux époux royaux s'est inversée au fil des ans. Elisabeth qui, à l'instar de sa mère et de sa grand mère, la reine Mary, s'en méfiait au début de son règne, lui fait de plus en plus confiance. Dans une famille surtout composée de femmes et d'enfants, lord Mountbatten est devenu une sorte de patriarche qui prodigue conseils et encouragements aux jeunes générations. Chacun, la reine la première, a recours à lui lorsqu'un problème se présente. Philippe au contraire n'a eu de cesse de s'affranchir de sa tutelle. Il pense, sans doute pas entièrement à tort, que son oncle a la fâcheuse habitude de se mêler de ce qui ne le regarde pas. Nul doute pourtant que lord Louis ait été tenu au courant des progrès du malentendu qui s'est installé progressivement entre les deux époux. Sans doute savait-il à quoi s'en tenir. Marié pendant trente ans à une riche héritière anglaise, Edwina Ashley, dont il avait eu deux filles, il avait toujours accepté avec beaucoup de philosophie les infidélités de son épouse qui l'avait notamment trompé durant de longues années avec le Premier ministre indien, Nehru. Lui non plus n'avait pas été un modèle de vertu. Peu après la mort d'Edwina, il avait

241

résumé leurs relations conjugales en une phrase pleine d'humour : «Edwina et moi, nous avons passé la plus grande partie de notre vie à nous glisser dans le lit de quelqu'un d'autre.» Toujours est-il qu'ils avaient réussi à maintenir envers et contre tout une complicité harmonieuse. Usant de son autorité morale incontestable, lord Louis entreprend donc de réconcilier le ménage royal.

Il faut croire que ses arguments étaient les bons puisqu'au début de l'année 1960, le 19 février exactement, la reine donne le jour à son troisième enfant, un fils prénommé Andrew. Quatre ans plus tard, le 10 mars 1964, un troisième garçon, Edouard, vient compléter la famille royale. Ces deux fils vont former ce qu'Elisabeth nommera sa deuxième famille. Bien décidée à ne plus s'effacer derrière Philippe, elle devient enfin une mère à part entière qui entend s'occuper elle-même de ses enfants. Dans la mesure du possible.

Le premier signe de ce changement notoire dans ses habitudes est évidemment le temps qu'elle passe avec les deux nouveau-nés. Avec Charles et Anne, Elisabeth n'a jamais entretenu que des relations presque protocolaires. Leurs entrevues, c'est le terme le plus adéquat, duraient généralement une demi-heure et n'étaient pas sans rappeler les fameuses visites de fin d'après-midi auxquelles la reine Mary conviait sa progéniture à la fin du XIXe siècle. Une ou deux fois par jour, les deux enfants, lavés, habillés, peignés, étaient amenés dans les appartements de leur mère. Avec cette fausse bonhomie toujours un peu gênée que l'on emploie avec les enfants que l'on ne connaît pas beaucoup, Elisabeth posait quelques questions et parfois jouait avec son fils et sa fille. Au bout de la demi-heure rituelle, la nurse revenait prendre possession de sa charge. La reine avait rempli ses devoirs maternels jusqu'au lendemain. Quand elle n'était pas en voyage. Ce qui arrivait relativement souvent. La nursery du deuxième étage de Buckingham

242

Palace était considérée comme un domaine réservé. A ses portes s'arrêtait le pouvoir de la reine, qui n'avait d'ailleurs aucune envie d'y mettre les pieds. Si l'on en croit la légende tenace qui court aujourd'hui encore les couloirs du Palais, jamais Elisabeth n'a changé une couche ni baigné ses enfants. Quant aux très rares biberons qu'on lui a vu donner, il semble qu'ils aient toujours été disposés dans ses mains juste le temps de prendre une photo. Avec l'arrivée d'Andrew et Edouard, son attitude change radicalement. Elle décide d'inverser le cérémonial des visites. Dorénavant, ce ne sont plus ses enfants qui sont introduits dans son salon personnel deux fois par jour, mais elle qui monte au deuxième étage afin de leur rendre visite. Surpris dans leur environnement quotidien, les deux garçons se montrent beaucoup plus spontanés que ne l'avaient été leurs aînés dans l'ambiance feutrée et luxueuse des appartements royaux. La nursery où ils vivent, dorment et jouent quotidiennement, est un univers qui leur est familier et où ils peuvent nouer un contact beaucoup plus chaleureux avec leur mère. D'autant plus que ses visites n'ont pas lieu à heures fixes. Lorsque son emploi du temps lui en laisse le temps, la reine monte les embrasser. Parfois, il lui arrive même de passer la nuit dans la nursery et c'est elle qui se lève afin d'aller consoler dans son lit celui des deux garçons qui a fait un cauchemar ou n'arrive pas à s'endormir. Lorsqu'elle considère que Philippe se montre trop sévère, elle n'hésite pas à le lui faire savoir et même à s'opposer à ses décisions.

On peut se demander ce qui a motivé un tel changement dans son comportement. La reine a trente-trois ans lorsque naît Andrew et presque trente-huit lorsque Edouard vient au monde. Prise de conscience soudaine? Conseils de ses amis ou de membres de sa famille? Ou simple évolution de sa personnalité? La réponse n'est pas limitée à une seule possibilité. Nous l'avons vu, au début des années soixante, Elisabeth est une femme beaucoup plus sûre d'elle-même qu'elle ne l'était en 1948, lors de la naissance de Charles. En tant que reine, elle bénéficie désormais d'une certaine expérience qui lui permet d'accomplir les devoirs de sa charge avec tout autant de sérieux et plus de souplesse. Les tiraillements qu'elle a connus dans son couple lui ont permis de comprendre que Philippe n'était ni l'être parfait qu'elle avait idéalisé ni le juge infaillible qu'elle avait chargé de prendre toutes les décisions au sujet des enfants. Le départ de Charles à Gordonstoun et les premiers mois difficiles qu'il y a vécus lui ont aussi ouvert les yeux sur la dureté inconsciente dont elle a fait preuve envers lui et Anne au cours de leur petite enfance. Et puis, peut-être faut-il aussi tenir compte de l'air du temps. Femme de devoir, élevée dans la plus dure tradition du XIXᵉ siècle, Elisabeth n'a pu ignorer les changements intervenus dans les années soixante. Ils sont politiques, sociaux et économiques, mais aussi sociologiques. Les modèles éducatifs hérités du passé que la Grande-Bretagne est l'un des derniers pays d'Europe à avoir conservés, notamment dans ses célèbres «Public School», commencent à se lézarder. L'arrivée des «Sixties» avec le cortège de libéralisme qui les entoure n'a peut-être pas converti la souveraine à un mode de vie très permissif tel qu'on l'expérimente à l'époque dans les communautés hippies, elle a en tout cas fait souffler un vent de fraîcheur sur la société occidentale. Et nul doute que cette brise n'ait réussi à franchir les grilles de Buckingham Palace. Plus que tout autre domaine, l'éducation des enfants fait l'objet, à cette époque, d'une remise en question sérieuse. Et il est impossible qu'Elisabeth n'en ait pas entendu parler. Le résultat est qu'Andrew et Edouard auront toujours avec leur mère des rapports beaucoup plus confiants et directs que leurs deux aînés.

Cette différence de traitement ne sera pas sans causer quelques difficultés. On imagine facilement la réaction du pauvre Charles, confronté depuis son plus jeune âge à une discipline de fer, avec pour seul recours l'affection de sa grand-mère, la reine mère. L'arrivée de ses deux jeunes frères coïncide, en outre, avec la période de son départ en pension. A sa décharge, on peut noter qu'il n'en concevra jamais le moindre ressentiment. Bien au contraire, il aura toujours à l'égard de ses frères une attitude très bienveillante et presque protectrice. C'est pour eux qu'il composera le fameux *Conte du Vieil Homme de Lochnaggar* qu'il fera éditer plus tard avec succès. En revanche, cette injustice douloureuse empoisonnera ses rapports avec ses parents. A l'égard de son père, il en concevra une rancune qui n'est toujours pas éteinte et qui s'exprime régulièrement par les petites piques que les deux hommes s'adressent. Vis-à-vis de sa mère, cette frustration d'enfant se transformera en un épais blindage qui se traduira par une froideur respectueuse tout autant qu'admirative qu'il conservera durant des années. Jusqu'au jour où la reine saura enfin se montrer une mère attentive pour son fils aîné.

La réaction d'Anne est très différente. Contrairement à Charles, petit garçon sensible que les brusqueries de son père et le relatif abandon de sa mère marqueront à vie, elle développe très tôt un caractère indépendant qui la pousse à n'en faire qu'à sa tête sans trop se soucier des conséquences de sa conduite. Elle est encouragée dans cette voie par l'indulgence marquée de son père qui apprécie son caractère entier et direct. Après une adolescence assez difficile, elle se moule une fois pour toutes dans un personnage de femme indépendante et volontaire qui assume ses actes sans chercher la bénédiction de personne. De son indépendance de caractère, Anne fera la preuve tout au long de son existence, notamment dans la manière dont elle conduira sa vie sentimentale, au pas de charge et sans trop s'embarrasser des sentiments d'autrui ou du qu'en-dira-t-on. Son premier mariage avec le capitaine Mark Phillips se soldera par un divorce. Le capitaine Phillips, que son beau-père jugeait «terne et ennuyeux», et que toute la famille royale surnommait «brouillard» en raison semble-t-il de son manque de personnalité, aura au moins l'avantage de se conduire en parfait gentleman durant et après son mariage avec la princesse Anne. Personne ne peut se vanter de lui avoir soutiré la moindre déclaration concernant ses rapports avec sa royale belle-famille. De son union avec Anne naîtront deux enfants, Peter et Zara. Avec ses petits-enfants, Elisabeth se révélera, un peu comme sa grand-mère avant elle, une grand-mère extrêmement bienveillante. Au grand étonnement de sa propre fille, qui confiera un jour: «La première fois que je les ai vus ensemble, je n'ai pas pu en croire mes yeux. Ma mère était avec mon enfant et se conduisait comme si cela lui faisait plaisir d'être avec Peter. Je ne l'avais jamais vue passer plus d'une minute avec un enfant.» Ce genre de confidence, assez rare dans la bouche de la princesse Anne, prouve assez qu'elle n'avait pas tout à fait oublié les aspects négatifs de sa propre enfance. On peut d'ailleurs noter qu'elle se gardera bien d'appliquer à ses propres enfants le schéma éducatif que Charles et elle-même avaient subi. C'est même l'un des rares points communs entre le frère et la sœur. Tous deux se sont efforcés d'entretenir des rapports directs et chaleureux avec leurs enfants.

Les loyaux sujets de Sa Majesté ne s'y trompent pas non plus. Cette nouvelle Elisabeth plus humaine, plus proche de ses devoirs de mère et de femme, plaît infiniment au grand public. La décennie soixante-dix est un des âges d'or de la monarchie britannique.

LA VÉRITABLE ELISABETH II

La reine est populaire et le célèbre député travailliste William Hamilton, qui consacra une grande partie de sa vie à réclamer, sinon l'abolition du moins une diminution notoire des privilèges entourant la famille royale, n'est guère écouté que par quelques illuminés. Comme la plus grande partie du monde occidental en cette époque de pétrole bon marché, l'Angleterre est en parfaite santé économique. Et les plus fidèles supporters de la royauté ne sont pas loin de penser que l'harmonie qui règne au sein de la première famille du royaume y est pour quelque chose. Seule, la princesse Margaret défraie la chronique en annonçant, le 18 mars 1976, qu'elle a décidé de se séparer de son époux, le photographe Anthony Armstrong-Jones. La nouvelle, attendue depuis déjà quelques mois, suscite quelques commentaires apitoyés ou choqués suivant le cas, mais elle ne fait que renforcer le prestige de la souveraine qu'on cite en exemple face à la conduite plus légère de sa sœur cadette.

Le fait même que la reine ait autorisé ce divorce tout en conservant à sa sœur sa liste civile, son logement de «Grâce et de Faveur» au palais de Kensington, ses titres et tous ses privilèges royaux, en dit long sur l'évolution des mentalités. Une dizaine d'années auparavant, le divorce du comte de Harewood, cousin germain de la reine, avait motivé son écartement définitif de la famille royale. Autres temps, autres mœurs.

L'enthousiasme général trouve un point d'orgue naturel dans la célébration du jubilé qui est prévue pour l'année 1977. Elisabeth fête ses vingt-cinq années de règne et le pays et le Commonwealth tout entier entendent bien en profiter pour lui témoigner leur attachement indéfectible. Une des plus grandes tournées jamais organisées pour un monarque est mise sur pied. La reine et son époux parcourront plus de 80 000 kilomètres de Londres à Sydney et des Antilles à l'Afrique

247

du Sud. Lors de chaque étape, le même cérémonial immuable se répète : accueil officiel et folklorique, dîner de gala à la résidence du Premier ministre, réception solennelle en l'honneur des vingt-cinq ans de règne de la souveraine, discours, toasts... Le tout par des températures qui peuvent monter jusqu'à 35, voire 40 degrés dans certaines parties du globe. Le Commonwealth rassemble cinquante-trois pays dont vingt-sept républiques (Botswana, Chypre, Inde, Seychelles, Ouganda, Singapour...), vingt monarchies dont Elisabeth est la souveraine théorique (Australie, Canada, Barbade, Grenade, Jamaïque, Nouvelle-Zélande, Papouasie...) et six monarchies locales (Lesotho, Malaisie, Swaziland, Tonga, Brunei, Samoa occidentales). Nombre de ces pays se disputent l'honneur d'accueillir la reine. La liste des volontaires est telle qu'il faut étaler le « tour du Jubilé » sur deux portions de l'année 1977. Le premier tronçon débute le 10 février et dure sept semaines jusqu'à la fin du mois de mars. Le second a lieu durant les trois dernières semaines d'octobre. L'espace entre ces deux tournées est occupé par les festivités purement nationales, une visite en Allemagne afin d'aller inspecter les troupes d'occupation et, bien sûr, les inévitables vacances à Balmoral.

A Londres même, deux cérémonies sont prévues. La première, qui a lieu au début du mois de mai, a un caractère presque constitutionnel. Elle se déroule au palais de Westminster où les deux chambres sont réunies en assemblée extraordinaire afin de présenter leurs vœux solennels. Le premier discours, celui du gouvernement, est lu par le Premier ministre, le travailliste James Callaghan. Il est suivi par les deux messages de félicitations émanant de la Chambre des Lords et de la Chambre des Communes qui sont prononcés par lord Elwyn-Jones et George Thomas. Vient ensuite le discours de remerciements de la reine. Détail amusant :

c'est sans doute le seul discours qu'elle ait jamais prononcé au Parlement qu'elle ait rédigé elle-même.

Cette cérémonie somptueuse n'est pourtant que le prélude de la grande parade populaire qui se déroule un mois plus tard, le 7 juin 1977. Comme pour le jubilé de George V en 1935, le programme de cette journée exceptionnelle comporte une promenade solennelle dans les rues de la capitale. Elle débute à 10 h 30 par la longue procession de landaus découverts qui franchissent les grilles du palais de Buckingham. Toute la famille royale est présente et la progression des équipages respecte scrupuleusement l'ordre de succession à la couronne. Les descendants du plus jeune frère de George VI, le duc de Kent, viennent en premier : la princesse Alexandra de Kent, son époux, Angus Ogilvy et leurs deux enfants, le prince Michael de Kent, le duc et la duchesse de Kent et leurs trois enfants. Le duc de Gloucester, fils du second frère de George VI, et son épouse suivent. Ils précèdent la princesse Margaret et ses deux enfants. Anthony Armstrong-Jones, invité personnellement par la reine mais n'appartenant plus à la famille royale, se rend seul à la cathédrale Saint Paul, où il prend place loin derrière son ex-épouse et leurs enfants. La princesse Anne, son époux et les princes Andrew et Edouard sont installés dans l'attelage suivant. Dans la dernière voiture ont pris place la reine mère et son petit-fils adoré, le prince de Galles.

A 10 h 45, la reine et le duc d'Edimbourg font leur apparition. Afin de donner un peu plus de solennité à l'événement, ils ont pris place à bord du carrosse d'Etat, l'énorme voiture datant du règne de Charles II qui sert généralement pour le couronnement des monarques britanniques. Ce monument de bois doré semble d'autant plus incongru que la reine est vêtue d'une tenue de ville, certes élégante, mais pas somptueuse. Il s'agit d'un ensemble robe manteau rose bonbon, assorti d'une toque de la même couleur à laquelle sont suspendues des clochettes. Pour tout bijou, elle porte ses trois rangs de perles habituels et une broche de diamants.

Pendant que la famille royale effectue sa promenade rituelle dans les rues de la capitale sous les acclamations de la foule, les heureux privilégiés qui ont été conviés au service d'action de grâces à Saint Paul prennent place sous le dôme de la cathédrale. Sur chaque chaise a été disposé un programme dont la couverture, ornée d'un mince filet rouge et du monogramme en lettre d'or de la reine, porte cette inscription :

« Service de prière et d'action de grâces au Dieu tout-puissant commémorant les bénédictions accordées à sa très excellente majesté durant les vingt-cinq années de son règne. Cathédrale Saint Paul, mardi 7 juin 1977 à 11 h 30. »

Le service dure exactement une heure et s'achève par une prière solennelle afin que « la reine conserve toujours le cœur de ses sujets ». A l'issue du *God Save The Queen*, Sa Majesté quitte la cathédrale et se rend au déjeuner offert par la ville de Londres. Le « Guild-hall » où il doit avoir lieu se trouvant à seulement 200 mètres, elle décide, contre toute attente, de s'y rendre à pied.

Quelques années plus tard, Elisabeth Longford publie sa célèbre biographie intitulée *Elisabeth R*. L'ouvrage, manifestement écrit avec l'accord, sinon avec la collaboration, de certains membres de la famille royale, comporte beaucoup de citations personnelles de proches de la reine. Notamment de sa sœur cadette, la princesse Margaret. Pour ces raisons, il offre une vision assez personnelle d'Elisabeth en tant que femme et en tant que reine. Monarchiste convaincue, Elisabeth Longford n'évite pourtant pas le travers bien connu des biographies dites autorisées qui consiste à tirer des conclusions parfois hâtives et toujours à l'avantage du personnage qui fait l'objet du livre. L'une de ces prophéties vaut la peine d'être citée : «La monarchie est devenue plus prestigieuse, l'entourage royal plus avisé, et le statut de stars internationales des membres de la famille royale leur a donné un immense prestige dans le monde. Avec tant de popularité la monarchie est devenue invulnérable à la politique et aux politiciens.

«Mais la vraie mesure de l'extraordinaire réussite d'Elisabeth II tient dans le fait que malgré tous les changements qui ont eu lieu au cours de son règne, elle n'a rien abdiqué de ce qui fait l'essence même de la royauté, le mythe qu'elle a accepté comme un cadeau divin de son père, ce roi dévoué...

« En même temps, les plus jeunes enfants de la reine se sont montrés d'importants ajouts à la "Firme Royale"... Après trente ans de règne, elle est universellement respectée.»

Une vision idyllique des choses que l'avenir proche allait se charger de démentir avec éclat et violence. Le chemin de croix d'Elisabeth s'approche d'elle à grands pas. Et ses stations auront pour nom : Charles, Diana, Anne, Andrew, Sarah et Edouard.

XIII

«C'EST VOTRE DERNIÈRE NUIT DE LIBERTÉ»

LA fin des années soixante-dix marque aussi l'avènement d'une nouvelle puissance, appelée à jouer un rôle de plus en plus important dans la vie quotidienne de la famille royale et de la reine en particulier. Il s'agit bien entendu de la presse. Comme toutes les composantes de la société britannique, elle a pris son indépendance durant les années soixante. Le ton extrêmement révérencieux dont elle faisait encore preuve au lendemain de la Seconde Guerre mondiale s'est peu à peu relâché. Non seulement la forme a changé, mais le fond s'est aussi modifié. Désormais, les journalistes n'hésitent plus à interpeller directement la souveraine ou ses enfants en abordant les sujets les plus personnels.

L'un de ceux qui passionnent le plus le public est évidemment le futur mariage de l'héritier. Elisabeth en est consciente. Un jour sur deux, elle découvre en première page du *Daily Mail* ou du *Sun* une photographie de Charles escorté d'une jeune fille blonde, brune ou rousse, assortie de ce commentaire: «A quand le mariage?» Cette question, la reine se la pose aussi et depuis plusieurs années. Charles aborde la trentaine et toute sa famille l'enjoint de trouver une épouse. L'avenir de la dynastie n'est pas en cause, loin s'en faut. Même si aucun des trois fils du couple royal ne devait jamais avoir de descendance, la princesse Anne pourrait toujours monter sur le trône. Et après elle son fils Peter. Et à supposer que ce dernier et sa sœur Zara n'aient pas de descendance eux non plus, il y aurait encore pléthore de cousins, Kent ou Gloucester, pour prendre la relève. Mais Elisabeth n'ignore pas que l'un des ressorts les plus forts du respect presque inconscient suscité par la monarchie est la sensation rassurante de continuité et de stabilité qu'elle procure. L'image d'une famille prolifique, forte, unie et comprenant plusieurs générations, en est l'une des meilleures illustrations. Le mariage de Charles s'inscrit en droite ligne dans ce contexte. Malheureusement, lui ne semble pas pressé.

Pourtant, on ne peut pas dire que les prétendantes au titre de princesse de Galles ont manqué. Depuis que le prince est en âge d'embrasser une jeune fille, pas une de ses amourettes n'a échappé à l'œil avide des photographes. Cette candidate est-elle la bonne ? Jane, Camilla, Davina, sera-t-elle reine ? Telles sont les questions qui se bousculent à la une des journaux depuis plus de quinze ans, chaque fois que le prince de Galles est photographié en compagnie d'une nouvelle conquête. En fait, seulement trois parmi ces dizaines de jeunes filles ont eu une chance de remporter la main du plus beau parti du monde et de devenir reine d'Angleterre.

La première, lady Jane Wellesley, fille du duc de Wellington, un des plus grands noms de l'aristocratie britannique, a été le premier amour de Charles. Leur idylle a duré plus d'un an. Jusqu'au jour où le prince s'est enhardi à sonder l'élue de son cœur au sujet d'un éventuel mariage. Exactement comme Elisabeth Bowes-Lyon l'avait fait soixante ans auparavant avec le duc d'York, futur George VI, lady Jane s'est empressée de répondre non. Elevée dans le sérail des familles de la haute aristocratie, dans l'environnement immédiat des princes, elle connaissait parfaitement les contraintes du métier royal et n'avait aucune envie de les supporter.

La seconde candidate, Camilla Shand, a eu exactement la même réaction. Aux manœuvres d'approche du prince de Galles, elle a répondu avec un grand éclat de rire qui signifiait clairement : «Moi, reine? Jamais.» Quelque temps après avoir rompu avec le prince Charles, elle s'est consolée dans les bras d'un bel officier, le commandant Andrew Parker Bowles. Détail qui ne manque pas de piquant, ce dernier avait été durant quelques mois le chevalier servant de la princesse Anne.

La troisième candidate sérieuse a été présentée au prince par son grand-oncle, lord Mountbatten, décidément infatigable lorsqu'il s'agissait de monter une intrigue. Le vieux lord s'était en effet mis en tête de pousser une de ses petites-filles dans les bras de son petit-neveu. Il pensait avoir trouvé la jeune fille idéale en la personne d'Amanda Knatchbull. Malheureusement, celle-ci avait négligé d'informer son grand-père de sa relation avec un banquier londonien. Au bout de quelques semaines, l'affaire a tourné court. Les autres jeunes filles dont les noms ont été associés à celui du prince Charles n'ont été que de rapides flirts, dont le plus long n'a pas duré plus de quelques mois.

Au début de la décennie quatre-vingt, l'héritier de la couronne s'apprête à fêter ses trente-deux ans sans que la question de son mariage ait encore été résolue. Les choses en sont à ce point lorsqu'au mois de juillet 1980, à l'occasion d'un barbecue donné à l'issue d'un match de polo, il fait la connaissance d'une jeune aristocrate britannique, lady Diana Spencer. A priori, la jeune femme n'est pas une totale inconnue. Son nom sonne familièrement aux oreilles du prince. Sa grand-mère, lady Fermoy, une pianiste de renom, est une amie personnelle de la reine mère. Son père, le comte Spencer, est le chef d'une des plus illustres familles aristocratiques du royaume. Parents des Churchill et des Stuarts, dont ils descendent plusieurs fois, les Spencer ont écrit de nombreuses pages de l'histoire de Grande-Bretagne. En outre, Diana, ses deux sœurs et son frère ont passé une partie de leur enfance sur le domaine de Sandringham. Leurs parents y occupaient Park House, une des nombreuses résidences appartenant à la reine. A défaut de connaître Diana, Charles connaît donc sa famille. D'autant plus qu'il a courtisé pendant quelques mois, deux ans auparavant, la sœur aînée de Diana, Sarah.

A l'issue du match de polo, les deux jeunes gens décident de se rendre ensemble au barbecue organisé par un des amis du prince. Avec ce don des relations humaines dont elle fera preuve toute sa vie et qui lui permet de toucher presque instinctivement les points sensibles, Diana entame la conversation en racontant à Charles combien elle a été émue en le voyant à la télévision un an auparavant lors des funérailles de lord Mountbatten. Durant l'été 1979, le vieil oncle de la famille royale, que Charles avait fini par considérer comme son grand-père, a en effet été assassiné par un groupe de terroristes de l'IRA, l'armée révolutionnaire irlandaise. Lors de ses obsèques, le prince Charles, qui a insisté pour dire une des lectures, a eu bien du mal à retenir son émotion. Le détail n'a échappé à aucun des centaines de milliers de téléspectateurs qui ont suivi la cérémonie à la télévision. Diana en a été bouleversée. C'est à l'occasion de cette triste cérémonie qu'elle a compris combien l'héritier de la couronne pouvait être un homme seul. C'est ce qu'elle lui explique lors de cette première entrevue: «Vous aviez l'air si triste en remontant l'allée lors de la cérémonie. Je n'ai jamais rien vu d'aussi poignant. Mon cœur a saigné pour vous quand j'ai vu cela. Je me suis dit: "Ce n'est pas bien, vous devriez avoir quelqu'un qui veille sur vous." »

Ces simples paroles de réconfort suffisent à toucher le cœur d'un prince qui n'est pas accoutumé à voir ses proches s'intéresser à ses sentiments personnels. Charles sait que tout le pays attend avec impatience son mariage. Diana n'est pas une inconnue puisqu'elle est issue de l'aristocratie. Elle est jeune et plutôt jolie. Pourquoi ne pas essayer de la connaître un peu mieux? Durant tout l'été 1980, les rencontres, provoquées par le prince, se multiplient. Soirée à l'Opéra, week-end de régates à bord du *Britannia* et, pour finir, à la fin de l'été, une invitation à venir passer quelques jours à Balmoral. Consciente de l'importance de l'examen qu'elle va passer, – toute la famille royale sera présente, – Diana se prépare à ce week-end comme s'il devait décider de sa vie entière. Et, en fait, elle ne se trompe pas. Charles a déjà informé ses parents de ses sentiments naissants pour la jeune fille. C'est donc bien un test qu'elle s'apprête à passer. Est-elle digne, ou non, d'entrer dans la famille royale et de devenir la future reine d'Angleterre? Telle est la question.

C'est ce week-end à Balmoral qui marque aussi la première étape de la longue bataille que le couple le plus célèbre du monde va entamer avec la presse durant plus de quinze années. Les photographes qui campent comme tous les ans aux abords de Balmoral, ne tardent pas à remarquer la jeune femme qui se trouve en permanence aux côtés du prince. Découvrir le nom de l'heureuse élue n'est qu'un jeu d'enfant. En quelques jours, lady Diana Spencer est promue au rang de fiancée officieuse. Elle arrive à point nommé et fait figure de candidate idéale pour la presse, les Britanniques et même la famille royale. Elisabeth est la première à se laisser séduire. Le pedigree de la jeune femme est beaucoup trop semblable à celui de sa propre mère pour qu'elle y trouve à redire. Elle n'hésite pas à manifester son approbation. Selon elle, Diana est la candidate idéale. « Toute la famille royale a accueilli Diana à bras ouverts, se souvient la journaliste britannique Ingrid Seward. Tous pensaient qu'elle était parfaite pour le prince de Galles. Même le duc d'Edimbourg, qui a toujours eu un faible pour les jolies femmes, l'appréciait, du moins au début. La seule qui ne l'a jamais beaucoup aimée était la princesse Anne. »

Avoir donné son consentement à cette union est sans aucun doute la plus grande faute politique et personnelle qu'Elisabeth commettra dans toute sa vie. En acceptant la jeune fille que son fils lui présente, elle ignore que c'est la couronne tout entière qui s'apprête à faire un marché de dupes. Ce mariage fera plus de mal au prestige de la famille royale qu'aucune autre erreur depuis un siècle. En étudiant d'un peu plus près le caractère de sa future belle-fille, elle se serait peut-être rendue compte qu'elle n'était pas un modèle d'équilibre. En fait, l'unique personne qui semble avoir pris conscience du danger est la grand-mère maternelle de Diana, lady Fermoy. Elle est la seule à tirer la sonnette d'alarme. Le jour où sa petite-fille, dont elle connaît la fragilité, l'informe de ce qui est en train de se passer, elle la met gentiment en garde : « Tu dois comprendre que leur sens de l'humour et leur style de vie sont différents des nôtres. Je ne pense pas que cela te conviendra. »

C'est le soir du 6 février 1981, dans la nursery du château de Windsor, que Charles formule sa demande en mariage. Extrêmement émue, Diana lui répond avec un éclat de rire. Devant la gravité du prince, elle finit par retrouver ses esprits et accepte bien sûr. Si l'on en croit son témoignage, elle ne cesse de lui répéter qu'elle l'aime. Charles, de son côté, laisse échapper une phrase qui présage assez mal de leurs relations futures : « *Pour ce que l'amour signifie.* » Abandonnant sa fiancée sur son nuage, l'héritier se précipite dans ses appartements privés afin d'annoncer la bonne nouvelle à la reine qui, comme tous les ans à la même époque, séjourne à Sandringham. Quelques jours plus tard, le soir du 24 février, veille de l'annonce officielle des fiançailles, Diana quitte l'appartement londonien qu'elle partageait depuis des années avec trois amies. Pour la première fois, le Palais a décidé de lui adjoindre un garde du corps de Scotland Yard. Au moment où elle s'apprête à quitter son appartement, il lui déclare brusquement : « C'est la dernière nuit de liberté de votre vie, alors profitez-en au maximum. »

Le lendemain, la fantastique opération de relations publiques que le secrétariat privé d'Elisabeth préparait depuis des années se met en branle. Les journalistes et photographes sont convoqués au Palais. En fin de matinée, le prince et sa jeune fiancée font leur apparition dans les jardins. Diana est vêtue d'un tailleur bleu. A l'annulaire de sa main gauche, elle porte un gros saphir ovale serti de petits diamants. Une bague de fiançailles extrêmement classique qu'elle a choisie elle-même chez le célèbre joaillier Garrard. Le joyau a coûté la coquette somme de 28 000 livres, soit un peu plus de 300 000 francs. Le soir même, elle s'installe au palais de Buckingham afin de se préparer aux cérémonies du mariage. La date en a été arrêtée au 29 juillet 1981.

Durant les cinq mois qui suivent, elle se retrouve à peu près seule. Ni la reine, ni le duc d'Edimbourg, ni aucun de leurs enfants, n'ont de temps à lui consacrer pour la préparer à ses futurs devoirs. La presse, ayant appris qu'elle devait passer ses dernières nuits avant le mariage à Clarence House, résidence de la reine mère, en profite pour mettre sur pied une jolie légende : la grand-mère du prince Charles a décidé de prendre sous son aile la jeune Diana afin de la faire profiter de son expérience. Rien n'est plus faux. La reine mère s'est contentée de féliciter son petit-fils et d'envoyer à sa future petite-fille quelques jolis bijoux. Un point c'est tout. La reine a eu exactement la même réaction. Ses attentions personnelles à l'égard de sa future belle-fille se sont limitées au don de quelques dizaines de carats de perles, de diamants et d'émeraudes qu'elle lui remet le matin du 28 juillet : «L'entrevue a eu lieu dans la salon privé de la reine à Buckingham Palace, raconte Ingrid Seward. La reine et Diana étaient assises côte à côte sur un canapé. La reine a sorti deux boîtes de cuir rouge. La première était plate. La seconde presque carrée. De la plus petite, elle a sorti un collier de diamants et d'émeraudes ; de l'autre, un diadème composé d'une série de nœuds de diamants auxquels étaient suspendues dix-neuf perles en forme de gouttes. C'était plus qu'un somptueux cadeau de mariage. Les joyaux avaient autrefois appartenu à la reine Mary et, en les donnant à Diana, la reine lui remettait symboliquement le futur de la famille royale.»

Le 29 juillet, c'est une mariée un peu absente, mais romantique à souhait, qui fait son apparition au bras de son père, lord Spencer, sur le parvis de la cathédrale Saint Paul à Londres. Le comte Spencer ayant été victime d'une attaque cérébrale quelques mois plus tôt, c'est lui qui s'appuie sur le bras de sa fille. La robe de Diana sort des ateliers de David et Elisabeth Emmanuel, deux jeunes stylistes londoniens. Le moins que l'on puisse dire est qu'elle n'est pas un exemple de sobriété. Dentelles, rubans, volants, fleurs, broderies se juxtaposent en couches successives sur une monumentale jupe de soie blanche. Posés un peu à la diable, dans les cheveux de la jeune femme, scintillent les diamants du diadème de la famille Spencer. Vingt ans plus tard, les images de cette journée ont de la peine à nous convaincre que Diana était bien la mariée du siècle, la femme la plus belle, la plus élégante et la plus raffinée du monde. Les photos montrent une jeune fille un peu boudeuse, emmitouflée dans sa robe et tenant dans sa main une véritable gerbe de fleurs. De la cathédrale Saint Paul, choisie parce qu'elle est plus grande que l'abbaye de Westminster, jusqu'à la robe et même aux chaussures de la mariée, elles aussi surchargées de broderies, de festons et même de paillettes, on sent que tout dans cette journée historique a été calculé dans des proportions démesurées. La monarchie anglaise a décidé d'employer les grands moyens et, dans ce but, Elisabeth a largement ouvert les cordons de sa bourse.

Le soir même, les jeunes mariés quittent la capitale britannique pour accomplir la première partie de leur lune de miel à bord du *Britannia*, le yacht royal qu'ils rejoignent à Gibraltar. Ce voyage, Diana l'imagine romantique, solitaire, ponctué de baignades dans les eaux bleues de la Méditerranée et de longs bains de soleil sur le pont du vaisseau. En fait d'intimité, il a lieu sous les regards des vingt et un officiers et des deux cent cinquante-six marins qui servent sur le *Britannia*. A la place des dîners romantiques, il lui faut subir les interminables conférences de son époux. Charles a décidé de mettre à profit ce qu'il considère comme des vacances pour lui faire découvrir la philosophie de son gourou, Lawrence van der Post.

«Les choses ont commencé à se gâter dès le premier séjour de Diana à Balmoral, à son retour de lune de miel, raconte Ingrid Seward. Au lieu de prendre ses repas dans la salle à manger avec la famille royale, Diana se faisait servir dans sa chambre. Elle boycottait les pique-niques qui ont lieu un jour sur deux dans les collines entourant le château. En dépit des moustiques ou de la pluie, la famille royale adore ce genre de sorties. Diana les avait en horreur. Elle s'enfermait dans sa chambre toute la journée et mangeait des bonbons qu'elle achetait à Ballater, le village voisin de Balmoral. Ce genre de comportement était impensable pour la famille royale. Pourtant, non seulement la reine l'acceptait, mais elle l'excusait très gentiment. Elle a toujours considéré Diana comme la future reine d'Angleterre et elle savait à quel point cela pouvait être une position ingrate. La reine est loin d'être bête, et elle a très vite compris que sa belle-fille avait un problème, qu'elle était trop nerveuse. Mais elle n'en a pas compris l'origine. Elle a mis son comportement étrange sur le compte du stress qu'elle ressentait face à ce nouveau mode de vie. Alors que les racines du mal étaient beaucoup plus profondes et remontaient à l'enfance de Diana. »

Comment Elisabeth aurait-elle pu s'inquiéter alors que l'Angleterre tout entière s'apprêtait à célébrer le plus joyeux événement qui soit arrivé au pays depuis une trentaine d'années ? Cinq mois à peine après le fameux mariage, le porte-parole du Palais annonce que la princesse attend un heureux événement pour la fin du printemps. Le 21 juin 1982 à 21 h 03, Diana donne le jour à un fils, William. Il devait être suivi, deux ans plus tard, le 15 septembre 1984, d'un second fils, Harry. Elisabeth a tout lieu de se réjouir. L'avenir est paré de couleurs roses. Les princes de Galles semblent s'installer tranquillement dans une vie de famille normale et une popularité sans nuage. Et un autre mariage princier se profile à l'horizon.

Après Charles, c'est Andrew qui se décide à mettre fin à sa carrière de joyeux célibataire. Contrairement à ce qui se passe avec son fils aîné, avec lequel elle a toujours entretenu des rapports un peu cérémonieux, Elisabeth n'a jamais eu de difficultés à communiquer avec lui. Leurs liens remontent à la petite enfance d'Andrew. Lui, n'a jamais été privé de sa mère. Cette enfance plus chaleureuse ajoutée à un caractère facile de bon vivant lui a permis de devenir un jeune homme équilibré, dont le principal défaut est sans doute d'être un peu trop sûr de lui. Au contraire de son frère Charles, il n'est pas obsédé par les problèmes métaphysiques et n'a jamais eu d'états d'âme quant à sa condition de prince de Grande-Bretagne. Les mauvaises langues ajoutent qu'on ne l'a jamais vu lire un seul livre de toute sa vie et qu'il est connu pour ses plaisanteries de potache d'un goût parfois douteux.

Tout cela compte peu à côté d'un physique avantageux et de l'auréole de héros de guerre qu'il a reçue après son engagement dans le conflit des Malouines en 1982, en tant que pilote d'hélicoptère. Charles, qui aurait lui aussi souhaité participer aux opérations militaires, a été tenu à l'écart du feu de l'action en raison de sa position d'héritier. En revanche, Andrew, rétrogradé à la troisième place après la naissance de William, a reçu l'autorisation de monter au feu. Durant de longues semaines, la presse, pour une fois positive, s'est fait l'écho de ses actions de bravoure, un peu enjolivées. A son retour, Andrew, devenu le beau prince guerrier que toutes les jeunes filles d'Angleterre rêvaient d'épouser, a poursuivi sa carrière militaire et sa destinée sentimentale de don Juan. C'est grâce à sa belle-sœur Diana qu'il finit par rencontrer celle qui va devenir son épouse.

Au printemps 1985, la reine préparant la liste des invitations pour la semaine des célèbres courses d'Ascot, que la famille royale passe traditionnellement à Windsor, demande à Diana de lui soumettre quelques noms de jeunes filles qui pourraient être invitées à passer le week-end au château. La princesse de Galles propose celui d'une de ses amies, Sarah Ferguson. Cette dernière, dont le père entraîne les poneys de polo du prince Charles, n'est pas une inconnue. Elisabeth acquiesce donc facilement à la proposition de sa belle-fille. Dès le premier repas, Sarah se révèle exactement le genre de jeune fille qui convient à Andrew. Cette rousse énergique, douée d'un heureux caractère et qui ne recule jamais devant une plaisanterie un peu leste, est faite pour s'entendre avec lui. Depuis cinq ans déjà, elle est amoureuse d'un homme de vingt-deux ans son aîné, Paddy Mac Nally. Hélas! leur liaison touche à sa fin. Andrew arrive donc à point nommé pour la réconforter. Quelques mois de cour assidue vont leur suffire pour prendre leur décision. D'autant plus que, cette fois encore, la reine s'est empressée de donner sa bénédiction. Si Fergie – c'est le surnom que la presse a donné à la jeune fille – n'est pas fille de comte, elle appartient toutefois à la bonne société britannique et compte plusieurs rois Stuart parmi ses ancêtres. Sans être fortunés, ses parents sont aisés. Et contrairement à Diana, elle apprécie la vie au grand air, chère à la famille royale, se montre toujours de bonne humeur, monte à cheval aussi bien qu'Elisabeth et adore les chiens. En fait, aucune des habitudes de la famille royale ne lui est étrangère. Son seul défaut, c'est du moins l'avis d'Elisabeth, est peut-être son manque de retenue. L'exubérance de cette rousse dynamique est un peu excessive, surtout en public.

Le mariage est célébré à l'abbaye de Westminster, le 23 juillet 1986. Fergie s'y montre beaucoup moins empruntée que Diana ne l'avait été cinq ans auparavant. Sans doute est-elle même un peu trop à l'aise. Le sourire qu'elle arbore en descendant l'allée au bras de son époux à l'issue de la cérémonie a tout d'un sourire de victoire ou de revanche. Alors que Diana s'était montrée discrète au point de sembler terrorisée, Fergie multiplie les saluts, à droite et à gauche, lorsqu'elle reconnaît un ami ou une connaissance. Le moins que l'on puisse dire est qu'elle n'a pas l'air d'être paralysée par l'émotion. Quelques semaines plus tard, une vieille lady un peu revêche mais très élégante fera ce commentaire sec sur la nouvelle duchesse d'York, c'est le titre que Sarah porte désormais : « She looks like a barmaid. » « Elle ressemble à une serveuse de bar. » En tout cas la « serveuse de bar » plaît à son époux. Alors que Charles et Diana font preuve de la plus grande retenue, en public comme en privé, Andrew et Fergie semblent liés par une extraordinaire complicité. Leurs éclats de rire font plaisir à voir. Elisabeth est la première à s'en réjouir. En 1988 et 1990, Andrew et Sarah lui donnent deux petites-filles, Béatrice et Eugénie, ce qui porte le nombre de ses petits-enfants à six.

La seule note de discorde dans ce concert harmonieux vient du quatrième enfant d'Elisabeth. Et surtout des relations orageuses qu'il entretient avec son père, le duc d'Edimbourg. Fidèle au système éducatif qu'il a mis en place une fois pour toutes, Philippe n'a pas renoncé à appliquer ses principes autoritaires. Après Charles et Andrew, c'est le plus jeune, Edouard, qui a été exilé à Gordonstoun. Sensible et délicat, le jeune prince y a passé six années terribles, peut-être pires que celles qu'y a vécues Charles. Lui au moins disposait du soutien de sa grand-mère et d'une auréole de prestige conférée par sa position d'héritier de la couronne. A sa sortie de Gordonstoun, Edouard poursuit sa formation intellectuelle à Cambridge où il découvre un univers jusqu'alors inconnu, celui de la musique, de l'opéra et de la danse. Il n'a qu'un désir, en faire son métier, lorsque son père met fin brutalement à son rêve. Comme ses deux aînés avant lui, Edouard doit entrer dans l'armée, la seule profession possible pour un prince de Grande-Bretagne. Charles et Andrew ayant intégré la Royal Navy, Edouard entre dans le corps d'élite des Marines. Ainsi en a décidé son père. Le choix ne pouvait pas être pire. Les Marines, équivalent de nos commandos parachutistes, sont l'unité d'élite la plus dure de l'armée anglaise. Edouard sait qu'il va y vivre un véritable calvaire La perspective d'avenir qui s'ouvre devant lui peut se résumer en une phrase : « Marche ou crève. »

En octobre 1986, il commence sa formation. Philippe, sûr de son choix, se rengorge en déclarant à qui veut l'entendre : « Cela va faire de lui un homme. Il a besoin d'un peu d'endurcissement. » Elisabeth est beaucoup moins certaine du succès de l'opération et même de son opportunité. Les vacances de Nouvel An à Sandringham tournent au drame familial. Edouard a obtenu une permission, la première depuis son entrée dans l'armée. Epuisé, physiquement et psychiquement, il sait qu'il ne tiendra pas le coup très longtemps encore. Dans un geste presque désespéré, il se confie à sa mère. La discussion entre la reine et son fils dure près de deux heures. Comprenant l'importance du problème, Elisabeth demande à Philippe de se joindre à eux. Edouard, effondré sur un canapé, pleure à moitié en annonçant à son père qu'il ne veut pas retourner à la caserne. Philippe, sûr de son impunité, se met en colère. C'est à ce moment que l'impensable arrive. Elisabeth, pour la première fois en presque quarante années de mariage, se dresse contre son époux. « Je n'ai jamais entendu la reine crier de cette façon, confiera un domestique. Je ne l'ai jamais vue non plus s'opposer à son mari de cette manière. Elle l'accusait d'être entièrement responsable de la décision d'Edouard de quitter l'armée, parce qu'il n'avait jamais pris la peine d'essayer de comprendre aucun de ses fils. » Cette colère d'une femme qui défend son enfant est sans doute l'un des moments les plus sympathiques de la vie d'Elisabeth. Pour une fois, la reine s'efface devant la mère· L'orage va d'ailleurs se poursuivre pendant plusieurs semaines. Le week-end suivant, à l'occasion d'un incident mineur qui a lieu au cours de la partie de chasse dominicale, Elisabeth saisit l'occasion d'enfoncer le clou. Publiquement et devant tous les invités médusés, elle traite Philippe d'ignorant et l'accuse de ne pas être «aussi malin qu'il le prétend souvent». Poussé dans ses retranchements, le duc d'Edimbourg, qui n'a pas sa langue dans sa poche, lui répond un véritable chapelet d'injures. Outrée, Elisabeth quitte la chasse.

Les deux époux mettent des semaines à se réconcilier. Mais la reine ne cède pas. Edouard ne retourne pas dans son unité. Consciente que Charles a été sacrifié, Elisabeth est cette fois bien décidée à protéger son plus jeune fils contre l'absolutisme de son père. Elle aura beaucoup plus de mal à protéger ses trois aînés et la couronne de l'orage violent qui se prépare.

XIV

«ON PEUT PARLER D'UNE ANNÉE HORRIBLE»

C'EST à la princesse Anne que revient l'honneur douteux d'ouvrir la boîte de Pandore en entrant la première dans la course au divorce. Dès le milieu des années quatre-vingt son union avec le capitaine Mark Phillips n'a plus de mariage que le nom. Le couple vit quasiment séparé. Toutefois, l'un et l'autre se sont entendus pour préserver un semblant d'harmonie dans leur foyer tant que leurs deux enfants, Peter et Zara, n'ont pas pris leur indépendance. Ils se rencontrent lors des événements familiaux comme les fêtes de fin d'année ou les anniversaires. Le reste du temps, ils s'ingénient à rester le plus possible à distance l'un de l'autre tout en continuant à vivre officiellement sous le même toit. En cadeau de noce, la reine a offert à sa fille le domaine de Gatcombe Park, un vaste manoir situé dans le Gloucestershire, à quelques kilomètres à peine de la résidence de Charles à Highgrove. C'est leur résidence officielle. En fait, Mark Phillips y réside beaucoup plus souvent que son épouse. Anne, qui a conservé un appartement au palais de Buckingham, au deuxième étage de l'aile est, vit toute la semaine à

269

Londres. Et c'est seulement lors des week-ends qu'elle se rend à Gatcombe. Lorsqu'elle n'est pas en voyage ou en vacances à Windsor, Sandringham ou Balmoral. Son calendrier officiel extrêmement chargé lui permet d'ailleurs de passer près de la moitié de l'année à l'étranger. Un journaliste particulièrement tatillon et bien informé devait d'ailleurs calculer qu'entre le mois d'avril 1988 et le mois d'avril 1989, la fille d'Elisabeth et son époux avaient passé, en tout et pour tout, quarante nuits sous le même toit.

Elisabeth, fidèle à sa politique de non-intervention dans les affaires sentimentales de sa famille, se garde bien d'intervenir, encore qu'elle soit parfaitement consciente des relations très distantes que sa fille et son gendre entretiennent. Soucieuse de maintenir à tout prix les apparences, elle leur sait gré de ne pas précipiter les choses.

La presse, ou plutôt exactement sa branche la plus virulente, les célèbres tabloïds, précipitent les événements. Au mois d'avril 1989, le *Sun*, l'un des quotidiens les plus durs, publie quatre lettres adressées à la princesse par un des écuyers de la reine, le commandant Timothy Lawrence. Le ton de cette correspondance ne laisse aucun doute quant à l'intimité des deux personnes entre lesquelles elle a été échangée. L'infidélité de la princesse et son intrigue amoureuse sont ainsi étalées au grand jour. Mis devant le fait accompli, le palais de Buckingham publie immédiatement un communiqué de presse : «Les lettres volées étaient adressées à la princesse Anne par le commandant Timothy Lawrence, écuyer de la reine. Nous n'avons pas de commentaires à faire au sujet de leur contenu puisqu'il s'agit d'une correspondance personnelle adressée à la princesse par un de ses amis. Elles ont été volées et une enquête de police est en cours afin de déterminer dans quelles conditions.» Avant de demander à son secrétariat de diffuser ce message, Elisabeth a pris la précaution de téléphoner à sa fille afin de lui demander ce qu'elle comptait faire. Anne a bien été forcée de répondre qu'elle envisageait de plus en plus sérieusement le divorce et un remariage avec le commandant Lawrence. La reine n'a pu que faire remarquer à sa fille : « Tu comprends ce que cela signifie pour nous tous et quels effets cela pourrait avoir sur le prestige de la famille. »

Quatre mois après le scandale, la séparation est annoncée officiellement. Le divorce prendra beaucoup plus longtemps. Dans le but de ménager ses petits-enfants et les citoyens britanniques qui ont accueilli la nouvelle avec une certaine incrédulité, la reine demande à sa fille de patienter près de trois années. C'est seulement à la fin de l'année 1992 qu'Anne et son bel officier pourront unir leurs destinées. Ils le feront très discrètement, en Ecosse, le plus loin possible des photographes et de la presse. Ils bénéficieront toutefois d'une aide inespérée pour préserver leur intimité. Entre-temps, en effet, les tabloïds avaient eu bien d'autres affaires croustillantes à se mettre sous la dent.

La reine ne s'est pas trompée en imaginant que l'exubérance de Fergie pourrait bien lui jouer quelques tours, notamment avec la presse toujours prompte à relever la moindre attitude équivoque d'un membre de la famille royale. Dès la première année de son mariage, la rousse Fergie était devenue la tête de Turc des journalistes britanniques et étrangers. Alors que la moindre incartade de Diana semble trouver grâce aux yeux du public, les faux pas de la duchesse d'York, et ils sont nombreux, prennent les proportions d'un coup d'Etat. Contrairement à sa belle-sœur, la jeune femme ne semble d'ailleurs pas s'en soucier outre mesure. Bien au contraire. Avec un esprit de provocation évident, elle s'amuse à outrer ses défauts. Avec une bonne dose de mauvaise foi, la presse n'a pas tardé à ironiser sur ses manières un peu trop directes. Les mêmes journalistes qui, depuis des décennies, reprochent à la famille royale de vivre dans un univers soigneusement protégé par les barrières du protocole, s'indignent lorsque Fergie commence à les faire tomber. Ses robes, sa coiffure, son maquillage, même la couleur de ses cheveux outrageusement roux, rien ne semble trouver grâce. Dans un effort suprême pour se concilier les bonnes grâces des médias, Fergie tente même de changer de garde-robe en se faisant habiller par des couturiers français. Mal lui en prend. Le vent de critiques qui la poursuit trouve un nouveau souffle le jour où elle apparaît vêtue d'un fourreau noir et d'un volumineux châle de soie orange, tous deux signés Saint Laurent. Cette innovation est accueillie par des commentaires acerbes fortement teintés de xénophobie.

Les années passant, ses activités officielles sont passées avec minutie au crible. Le total, 108 pour l'année 1990, étant mince, les échotiers en tirent la conclusion que la liste civile de 250 000 livres qui est versée au duc et à la duchesse d'York par le Parlement était très excessive par rapport au travail qu'ils fournissent. Fergie avait en plus commis l'erreur de poursuivre ses activités professionnelles en publiant une série de livres pour enfants et même un ouvrage sur la reine Victoria. L'ensemble de ces publications lui ayant rapporté un peu plus de 500 000 livres en trois ans, le concert des corbeaux reprend de plus belle : « Qu'a-t-elle besoin de l'argent des contribuables si elle gagne si bien sa vie ? »

La résidence secondaire du jeune couple, pourtant entièrement financée par la reine, fournit un autre motif de plainte. Contrairement à la princesse Anne ou au prince Charles qui sont restés fidèles à la tradition familiale en emménageant dans de respectables manoirs de la campagne anglaise, Andrew et son épouse ont entrepris de faire construire une maison ultramoderne à Sunninghill, en bordure du parc de Windsor. La bâtisse ayant de faux airs de ranch pour milliardaires américains, la presse s'empresse de la baptiser «Southyork», en référence à «Southfork», le ranch mythique de la célèbre série Dallas. Andrew et Fergie commettent l'erreur d'y recevoir un photographe afin de poser avec leurs deux filles, Eugénie et Béatrice. Pour couronner le tout, le bruit se répand que ce reportage a été non pas accordé, ce qui est déjà une rupture flagrante de la règle de discrétion de la famille royale, mais vendu au magazine populaire *Hello*, moyennant une somme de 200 000 livres. «Péchés de jeunesse», a soupiré la reine avec indulgence. Comme toute la famille royale, elle n'en a pas moins continué à entretenir des relations extrêmement cordiales avec sa belle-fille. Non sans avoir demandé à son secrétaire privé, Robert Fellowes, époux de la sœur de Diana, de sermonner l'imprudente. Ce qu'Elisabeth n'a pas prévu, c'est que ces broutilles ne sont que le prélude d'une crise beaucoup plus grave.

Au printemps 1990, peu après la naissance de sa deuxième fille, Fergie commence à comprendre que son mariage avec le prince Andrew repose sur des bases assez légères. Ses activités littéraires, ses tentatives maladroites de copier l'élégance de Diana ne servent en fait qu'à tromper son ennui. Andrew passant le plus clair de son temps avec son régiment, elle se retrouve souvent seule dans ses appartements au deuxième étage du palais de Buckingham. Sa plus proche voisine est la princesse Anne pour laquelle elle n'a jamais eu beaucoup de sympathie. C'est à ce moment que la jeune femme commence à s'afficher avec de jeunes et séduisants messieurs qui ne font aucun mystère de leur intimité avec elle.

Le scandale éclate à l'automne 1991. Une série de

273

photographies trouvées dans l'ancien appartement de Steve Wyatt, un «ex-boy-friend» de Sarah, est diffusée par la presse. Les clichés ont été pris au cours d'un voyage au Maroc. Sans être réellement intimes, ils témoignent d'une grande camaraderie entre les deux jeunes gens. En outre, ils révèlent que les princesses Eugénie et Béatrice étaient présentes lors de cette escapade amoureuse de leur mère. Plus que l'infidélité que l'on pressent, c'est le fait que Sarah l'affiche devant ses filles qui choque le grand public. La presse s'en donne à cœur joie. Chaque matin, la reine découvre avec stupéfaction l'inconduite de sa belle-fille étalée en première page. Le plus incroyable est qu'elle s'efforce pendant les mois qui suivent de sauver malgré tout le mariage de son deuxième fils.

Sarah est la première à prononcer le mot de séparation. Elle le fait lors d'un entretien privé avec sa belle-mère au mois de janvier 1992. Bien qu'elle ne soit pas surprise par cette demande, Elisabeth fait tout son possible pour la repousser. Ses raisons sont multiples. Après trois années de patience, elle vient finalement de donner son accord au divorce d'Anne. Une deuxième séparation serait certainement très mal ressentie par les Britanniques qui, en ce début d'année 1992, s'apprêtent à fêter son quarantième anniversaire de règne. Elle invoque en outre la nécessité de préserver le plus possible l'enfance d'Eugénie et de Béatrice. Sans doute, explique-t-elle à Sarah, ce genre de crise survient dans tous les couples. Elle-même a dû l'affronter. Peut-être faudrait-il envisager un rapprochement entre les deux époux? Andrew qui, depuis quelque temps, multiplie les missions à l'étranger, pourrait peut-être être affecté à Londres, afin d'être plus présent auprès de sa femme et de ses filles. En vain. Quelques jours plus tard, un autre tête-à-tête, avec Andrew cette fois, lui fait comprendre que les jeux sont faits. Après la publication des photos compromettantes dans la presse, le duc d'York ne peut plus faire semblant d'ignorer qu'il est trompé. La séparation est annoncée à la fin du mois de mars 1992. C'est le premier scandale de cette année terrible qu'Elisabeth finira par baptiser l'«Annus Horribili», l'«Année Horrible».

Curieusement, la nouvelle fait moins de bruit qu'on ne l'aurait imaginé. Elle est largement éclipsée par les rumeurs qui commencent à courir. Le duc et la duchesse d'York ne sont que deux personnages secondaires dans le vaudeville dramatique qui se joue au Palais depuis quelques années. La séparation que tout le monde attend n'est pas la leur, mais bien celle du prince et de la princesse de Galles. Charles et Diana n'ont pas mis longtemps, eux non plus, à découvrir que tout les sépare, goûts, habitudes, centres d'intérêt, conception de la vie. Rien n'illustre mieux leurs divergences que la manière dont ils se sont opposés au sujet de leur cadre de vie. Quelques semaines avant leur mariage, Charles demande à Diana de superviser la décoration de Highgrove, la maison de campagne qu'il vient d'acheter. Dans ce but, Diana avait fait appel à un décorateur londonien, Dudley Poplak, qui réorganise complètement la distribution des pièces, moyennant quelques mois de travaux et une facture de 100 000 livres. Hélas, le résultat n'est pas du goût de son époux: «Charles voulait un intérieur traditionnel de maison de campagne anglaise, explique Ingrid Seward. Diana lui a offert un intérieur pour prince arabe avec d'épaisses moquettes à la place des parquets et des volants sur chaque coussin.»

Contrairement à Andrew et Sarah qui ont tout de même connu quelques belles années, la crise de confiance entre Charles et Diana est survenue dès les premiers mois de leur mariage. Diana n'a pas mis longtemps à comprendre que le sentiment d'amour passionné et presque excessif qu'elle voue à son époux n'est pas partagé. Lui, envisage leur union comme une solution raisonnable à son célibat prolongé, une sorte d'alliance plus amicale qu'amoureuse. Elle l'a aimé passionnément comme cela n'arrive qu'une fois dans une vie. Charles a en outre commis la bêtise de lui confier que Camilla Parker Bowles a été le grand amour de sa vie et qu'elle est restée une amie très chère. Cette confidence a suffi à déclencher la jalousie de Diana qui n'a plus vu en Camilla que l'ennemie à abattre, le principal obstacle à son bonheur. De là à imaginer que son époux la trompe avec son ancienne maîtresse, il n'y a qu'un pas qu'elle s'empresse de franchir. « Elle était totalement paranoïaque au sujet de son mari et de son mariage et cela perturbait beaucoup son jugement, se souvient Ingrid Seward. Le simple fait que le prince Charles sorte d'une pièce devenait pour elle la preuve qu'il allait la quitter. Elle faisait une véritable fixation par rapport à Camilla. Elle était convaincue que son mari la trompait avec elle depuis le début de leur mariage, ce qui était absolument faux. »

La naissance de leurs deux enfants, William et Harry, n'arrange pas leurs relations, bien au contraire. Diana se sent de plus en plus isolée au sein d'une famille qui ne lui reconnaît qu'une seule utilité, celle d'avoir assuré la succession. Son malaise profond et le sentiment de trahison qu'elle éprouve finissent par dégénérer en une véritable maladie psychosomatique dont la principale manifestation est la boulimie. Plusieurs fois par semaine, elle se levait au milieu de la nuit et faisait une descente aux cuisines de Highgrove ou de Kensington, la résidence londonienne du prince et de la princesse de Galles. Après avoir englouti un poulet entier et un saladier de crème anglaise, elle remontait dans ses appartements et se dirigeait vers sa salle de bains afin de se faire vomir. Limité dans un premier temps à l'intimité des résidences royales, ce comportement a fini par se manifester en permanence, au grand agacement du prince Charles qui a beaucoup de mal à comprendre pourquoi son épouse éprouve soudainement le désir de se rendre aux toilettes en plein milieu d'une visite officielle. Par la suite, d'autres symptômes, encore plus théâtraux, se sont manifestés, notamment plusieurs tentatives de suicide accomplies devant des membres de la famille royale. L'une d'entre elles a lieu quelques mois avant la naissance du prince Harry. Diana, enceinte de trois mois, se précipite du haut de l'escalier du château de Sandringham, sous les yeux de la reine mère absolument affolée. En fait, ce que personne n'a mesuré, Elisabeth moins que tout autre, est que Diana souffre depuis longtemps d'une maladie mentale assez grave que les médecins britanniques nomment : «Borderline personnality Disorder.» Une forme de dépression grave qui s'accompagne d'un profond sentiment d'insécurité et qui dégénère en comportements totalement irrationnels.

Dès 1986, année du mariage d'Andrew et de Sarah, le ménage princier sombre dans un mélodrame sordide. Peu importe aujourd'hui de savoir qui, dans le couple, a commencé à tromper l'autre. Toujours est-il que, cette année-là, Diana a une première liaison avec Barry Mannakee, l'un de ses gardes du corps. Charles, de son côté, redevient l'amant de Camilla Parker Bowles. Très vite, la lutte sourde que se livrent les deux époux se transporte sur un terrain beaucoup plus dangereux, celui de la presse et des médias. Et c'est Diana qui ouvre les hostilités. Malgré son apparente fragilité, elle comprend très vite que les médias, et au-delà le grand public, peuvent se révéler un allié de choix dans sa lutte presque inconsciente contre son mari et la famille royale.

«Elle était très manipulatrice, raconte Ingrid Seward.

Elle lisait tout ce qui la concernait dans la presse et dès qu'un journaliste lui semblait trop bien informé, elle entrait en contact avec lui. Un jour, j'ai reçu un coup de téléphone de son secrétariat: "Miss Seward, la princesse de Galles est très amusée par ce que vous avez écrit à son sujet et elle pense qu'il serait temps que vous ayez une conversation. Pourriez-vous venir au Palais tel jour, à telle heure?" Vous pensez bien que j'y suis allée sans me poser de questions. Je n'étais pas la seule à qui elle se confiait de cette manière. Je me souviens entre autres de Richard Kay, un journaliste du *Daily Mail*, qui avait l'habitude de prendre ses appels sous son bureau pour que ses collègues n'entendent pas la conversation. »

Le résultat est que le moindre citoyen britannique n'a plus qu'à ouvrir son journal chaque matin afin de savoir ce qui s'est passé dans l'intimité des Galles, la veille. Les échotiers se déchaînent. La moindre rumeur lancée par l'un d'entre eux est immédiatement reprise par la presse du monde entier qui suit avec passion le feuilleton familial des Windsor. Le protocole courtois qui existait autrefois entre les médias et la famille royale n'est plus qu'un lointain souvenir. Seules deux personnes sont épargnées par la tempête: la reine mère qui bénéficie toujours de son extraordinaire popularité et la reine qui semble intouchable. Refusant tout d'abord de croire que Diana ait put se révéler aussi machiavélique, Elisabeth lui conserve son appui durant de longues années, s'efforçant même de comprendre le malaise de sa belle-fille. Elle n'a d'ailleurs pas vraiment le choix. Diana passe des heures dans son bureau à se lamenter sur ses problèmes. Les valets de chambre ont renoncé à la contrôler. Ils se contentent, lorsqu'ils la voient arriver sans être annoncée dans les appartements privés de sa belle-mère, de faire discrètement avertir la reine. Médusée devant le comportement presque hystérique de la jeune femme qui pleure à chaudes larmes, celle-ci se contente d'écouter patiemment tout en essayant de comprendre et de consoler sa belle-fille.

Elle ignore que le pire est encore à venir. Au début du mois de juin 1992, la parution de la biographie de Diana, écrite par le journaliste américain Andrew Morton, vient jeter un nouveau pavé dans la mare qui ressemble de plus en plus à un étang saumâtre. Et cette fois, il est de taille. Jusqu'a cette date, les informations concernant la vie privée chaotique de la famille royale qui avaient filtré dans les journaux n'étaient que fragmentaires. Le livre de Morton, au contraire, révèle en détail et quasiment jour après jour toutes les crises que le ménage princier a traversées depuis dix ans. Tentatives de suicide de la princesse, infidélité supposée du prince, le rôle néfaste de Mrs Parker Bowles sont étalés au grand jour. Le service de presse de l'éditeur de Morton a l'habileté suprême de livrer des extraits du livre à la presse du dimanche, quelques jours avant sa parution. Ce geste se transforme en une gifle magistrale pour la reine. Ce même dimanche, Elisabeth est en effet invitée à assister à la coupe de polo organisée à Windsor par le célèbre fabricant de cigarettes anglais, Alfred Dunhill. Elle est reçue sous la tente du sponsor par Richard Dunhill et son épouse Pat. Par un hasard assez malheureux, Mrs Parker Bowles et son époux figurent eux aussi sur la liste des invités de cette journée. Le lendemain, la photo de la reine et de la maîtresse de son fils fait la une et sert d'illustration à de nouveaux extraits du livre de Morton. Bien malgré elle, la reine se retrouve mêlée à une affaire qui la dépasse totalement. Plus encore que le fait de voir la vie privée de son fils et les secrets de famille étalés aux yeux du grand public, ce qui la choque, c'est la sensation étrange de se sentir espionnée et trahie par des membres de son entourage et peut-être même de sa famille. Car il lui est difficile de ne pas imaginer que Morton a reçu soutiens et témoignages de la part de familiers du Palais, tant les faits qu'il relate sont précis.

Interrogée par son beau-frère, le secrétaire privé Robert Fellowes, Diana nie toute participation au livre. Elle affirme même n'avoir jamais rencontré Andrew Morton. Elle admet tout au plus que certains de ses proches ont pu collaborer à sa rédaction. Bien des années plus tard, après la mort de Diana, Morton révélera lui-même que c'est la princesse qui l'avait informé, mais d'une manière extrêmement détournée. Ayant fait approcher l'écrivain par une de ses amies, elle lui avait proposé de répondre à des questions écrites en s'enregistrant elle-même. Après avoir retranscrit ces entretiens fantômes, Morton les avait soumis à l'approbation de Diana qui, dans le plus grand secret, les avait relus et même annotés. Et c'est en utilisant cette base d'information très précise que le journaliste avait rédigé son ouvrage. La fragile jeune femme, qui se présentait tout au long du livre comme une victime de la féroce famille royale anglaise, n'était, semble-t-il, pas dénuée de machiavélisme. Elle devait en donner d'autres preuves au cours des années suivantes sans même se rendre compte que les coups qu'elle portait à son époux et, à travers lui, à la couronne, avaient pour effet principal de menacer l'héritage de son fils aîné, William.

Aux manœuvres subtiles de Diana, s'ajoutent bientôt les nouvelles incartades de Fergie. Officiellement séparée de son époux, la duchesse d'York a repris le cours d'une vie plus simple mais pas beaucoup plus sage. Steve Wyatt a été remplacé par un autre Américain, John Bryan, qui se révèle encore moins discret que son prédécesseur. Au début du mois d'août, la famille royale est en vacances à Balmoral. Afin de bien marquer qu'elle ne désespère toujours pas de réconcilier son fils et sa belle-fille et en tout cas de préserver une certaine harmonie, la reine a tenu à inviter Sarah qui arrive au château, le 17 août. L'ambiance est cordiale. Toute la famille est réunie sous le même toit et semble s'efforcer d'oublier les dissensions du passé. Le réveil est rude. Au matin du 21, les quotidiens britanniques publient en première page une série de photos prises lors des vacances de la duchesse d'York, à Bormes-les-Mimosas, quelques jours auparavant. La belle-fille de la reine y apparaît en maillot de bain, nonchalamment étendue sur une chaise longue, pendant que John Bryan lui lèche amoureusement le doigt de pied. A quelques mètres de là, Eugénie et Béatrice sont en train de barboter dans la piscine. Sarah, crucifiée par la honte, affronte courageusement sa belle-mère et son beau-père. «Ce fut l'un des pires moment de ma vie», confiera-t-elle plus tard. Plus que les paroles dures du duc d'Edimbourg qui explose en lui enjoignant de se réfugier au couvent ou dans une maison de fous, c'est la colère froide et douloureuse d'Elisabeth qui la glace. Jamais la reine n'a senti tout ce en quoi elle croyait, famille, devoir et couronne, bafoué et humilié à ce point.

Dans une de ses très rares confidences à une proche, Elisabeth donne la mesure de son découragement: «Un jour, j'en ai eu assez. Je suis allée dans ma chambre, je me suis étendue sur mon lit et je me suis mise à pleurer. Je ne savais même pas pour qui je pleurais, moi-même, mes enfants, ou la terrible situation dans laquelle nous nous trouvions tous. Ces mois ont été les pires de ma vie. Parfois, lorsque je me mettais à penser à mes enfants et à quel point les choses avaient mal tourné pour eux, je sentais des larmes me venir et je devais me retirer pendant quelques instants.»

Hélas! les épreuves de l'«Année Horrible» ne sont pas achevées. Elisabeth doit en affronter encore une et ce sera celle qui la touchera le plus, l'incendie qui detruit une bonne partie du château de Windsor, un des plus vieux châteaux d'Angleterre et la demeure qu'elle a toujours considérée comme son véritable foyer. Le désastre se produit dans la nuit du 20 novembre. Le feu se déclenche de manière stupide. Depuis quelques jours, une équipe de restaurateurs travaille sur une série de tableaux conservés dans la chapelle. La chaleur provoquée par une lampe halogène éclairant une toile suffit à enflammer un récipient plein de dissolvant pour vernis, malencontreusement disposé à proximité. Du récipient les flammes gagnent le tableau, puis le panneau en bois contre lequel il est posé. En quelques minutes, c'est toute la chapelle qui prend feu. De sa charpente en bois, les flammes se propagent vers celle du Hall Saint George tout proche. En moins d'une heure, un bon quart de la toiture est en feu. La sirène d'incendie qui, heureusement, s'est déclenchée à temps réveille brusquement tout le château. Le prince Andrew qui passe la nuit à Windsor prend la tête des opérations de sauvetage.

Alors que les pompiers alertés ont déjà mis en place leurs lances d'incendie, il organise l'évacuation des meubles et des tableaux. Grâce à son efficacité et à celle des soldats qui travaillent sous ses directives, les pertes sont assez peu nombreuses. En revanche, la Chapelle, le Hall Saint George, la Chambre de Waterloo qui sont les plus belles pièces d'apparat du château sont totalement dévastés. Seuls les murs subsistent. Boiseries, fenêtres, vitres, parquets ont disparu dans les flammes. Quant à la charpente, vieille de plusieurs siècles, le peu qui est épargné par les flammes finit par s'effondrer. Le lendemain du désastre, Elisabeth, venue de Londres, parcourt le site afin de se rendre compte de l'étendue du désastre. Elle est effondrée. Et pour la première fois, les Britanniques peuvent contempler cette image poignante : leur reine, chaussée de grosses bottes en caoutchouc et vêtue d'un simple imperméable, la tête posée sur l'épaule de son fils. Elle est accablée par cette ultime épreuve qui n'est d'ailleurs pas achevée. Un fonctionnaire ayant eu la mauvaise idée d'annoncer à la télévision que l'incendie allait coûter près de 50 millions de livres, soit 500 millions de francs, au trésor britannique, il déclenche une nouvelle polémique. Le jour suivant, un sondage réalisé en direct par une télévision britannique révèle que 95 % des téléspectateurs considèrent que ce n'est pas à eux de régler la facture mais bien à la reine. La presse quotidienne, toutes tendances confondues, ne tarde pas à prendre le relais. Le *Daily Mail*, plutôt classé à droite, s'indigne : «Pourquoi une population dont de nombreux membres ont dû faire de lourds sacrifices au cours des années de récession devrait-elle payer la facture du château de Windsor?» Le *Daily Mirror*, un quotidien de gauche, va beaucoup plus loin en accusant les Windsor d'avoir «semé la graine de leur propre destruction par leur avarice, leur étroitesse d'esprit et leur dédain absolu pour les sentiments de tout un peuple, ce qui est la marque non pas d'une dynastie destinée à durer mais au contraire d'une dynastie vouée à la disparition».

Cette campagne de presse se poursuit durant des semaines. Les sondages successifs concluent à une écrasante majorité que c'est à la reine de payer les travaux de reconstruction d'une demeure dont elle est la seule à profiter. Ils frappent Elisabeth durement. Plus encore que les déboires sentimentaux de ses enfants, le désastre de Windsor révèle à quel point les Anglais sont las d'une monarchie d'un autre âge. Ce n'est pas le principe qui est remis en cause, mais son application. A soixante-six ans et alors qu'elle vient de célébrer le quarantième anniversaire de son règne, le choc est rude. La lune de miel entre Elisabeth et son peuple est terminée. Et la fin du rêve a des relents d'amertume. Quelques jours plus tard, elle se rend à un déjeuner officiel organise par la ville de Londres à l'occasion de ses quarante ans de règne. A la fin du repas, c'est une Elisabeth II très enrouée et au bord des larmes qui prend la parole : « 1992 n'est pas une année que je considérerai avec un plaisir sans mélange. On peut même parler d'année horrible ! Quarante ans de règne peuvent paraître bien longs. Toutefois, je suis consciente d'avoir pu être le témoin privilégié et actif des changements qui ont marqué mon pays. La monarchie évoluera elle aussi. Dans la stabilité et la continuité. La distance, chacun le sait, permet de relativiser les faits. (...) Il n'y a aucun doute, les critiques sont profitables à tous, au peuple comme aux institutions. Mais une observation ne perd rien de sa force, si elle est formulée avec un peu d'humour et, surtout, du tact, de la compréhension. »

XV

«JE NE SAVAIS PAS QUE LES POMMES ÉTAIENT AUSSI CHÈRES...»

QUARANTE-HUIT heures après ce fameux discours, Elisabeth prend une décision spectaculaire, qu'à la vérité beaucoup attendaient depuis longtemps. Elle annonce à la Chambre des Communes, par l'intermédiaire de son Premier ministre, son intention de payer l'impôt sur ses revenus privés. Cette initiative est plus que symbolique. Au Parlement et dans le pays tout entier, elle provoque un véritable séisme. Pour la couronne et pour la reine, elle est la conséquence inévitable de la perte de prestige que la famille royale enregistre depuis une dizaine d'années. Dans l'esprit d'Elisabeth, il s'agit incontestablement d'une défaite dont elle assume avec dignité les retombées matérielles. Mais la facture est lourde.

L'exceptionnelle popularité acquise par George VI et son épouse durant la Seconde Guerre mondiale a conduit le peuple britannique à les considérer à peu près à l'égal des dieux. L'arrivée des travaillistes au pouvoir peu après la Libération, les nationalisations, l'instauration d'un système national de santé et de lourdes

285

dépenses publiques liées à la reconstruction du pays avaient conduit à une augmentation sans précédent de la pression fiscale. Nombre d'imposantes fortunes aristocratiques lourdement taxées s'étaient alors effondrées. Seule la famille royale avait continué à vivre à l'écart de toute contrainte financière dans le splendide isolement de ses nombreux châteaux. A ces souverains emblématiques, courageux dans l'épreuve, chaleureux dans le succès, il avait semblé impensable de demander de s'aligner sur le statut des simples mortels. Jamais les contribuables n'avaient osé s'indigner du traitement fiscal de faveur qui leur avait été consenti et qui se traduisait notamment par une exonération de tout impôt sur le revenu et sur les successions. Le prestige de la couronne au lendemain de la victoire sur l'Allemagne était d'ailleurs tel que ce statut s'était étendu, imperceptiblement, à certains membres de la famille royale résidant dans d'autres pays d'Europe. Ainsi le duc de Windsor, durant ses trente années de résidence en France, n'acquittera jamais la moindre taxe. Cette exemption d'impôts sera d'ailleurs l'un des très rares privilèges royaux qu'il partagera avec son frère jusqu'à la mort.

A la fin de cette année 1992, Elisabeth est confrontée à une situation toute différente. La monarchie, autrefois symbole de courage, de force et de prestige, est devenue un vaudeville permanent. Sans comprendre exactement pourquoi, ni comment, la reine sait qu'elle est en partie responsable de la situation. En tant que chef de famille, elle aurait dû éviter au moins une partie de ces catastrophes. Dans son livre, Nicolas Davies rapporte une rarissime et poignante confidence qu'elle fait à un de ses proches, à peu près à cette époque : « Je me demande parfois envers qui j'ai manqué à mon devoir : la nation, la monarchie ou la famille ? Il semble que quelle que soit la direction dans laquelle nous nous

286

tournons, on ne voit que désastres. C'est très regrettable et très perturbant. »

De ces désastres le pays demande en tout cas le prix et les échotiers de Fleet Street, toujours serviables quand il s'agit d'annoncer les mauvaises nouvelles, n'y vont pas par quatre chemins : « Pourquoi la nation devrait-elle payer à des gens qui ont déjà tant de privilèges d'immenses sommes d'argent, quand ils se conduisent si mal ? » Le montant de la liste civile, c'est-à-dire l'allocation versée annuellement par l'Etat à la souveraine, est en effet un des sujets les plus controversés. En plus des 8 millions de livres sterling, soit près de 90 millions de francs, qui sont remis à la reine, 640 000 livres sterling, soit près de 7 millions de francs, sont versés à la reine mère, et 360 000 livres, soit près de 4 millions de francs, au duc d'Edimbourg. La mère et l'époux d'Elisabeth ne sont pas les seuls à bénéficier des largesses de l'Etat, puisque les princes Andrew et Edouard et les princesses Margaret et Anne sont eux aussi rémunérés pour des montants respectifs de : 250 000 livres, près de 3 millions de francs, 100 000 livres, un peu plus d'un million de francs, 220 000 et 230 000 livres, soit près de 2 500 000 francs. L'ensemble monte à 9 800 000 livres, ce qui représente 120 millions de nos francs. Seul le prince Charles ne figure pas sur cette liste de fonctionnaires de luxe rémunérés sur le trésor national. Il bénéficie de revenus particuliers, traditionnellement dévolus à l'héritier de la couronne, ceux du duché de Cornouailles qui représentent 6 millions de livres, soit 65 millions de francs. Trois des cousins germains de la reine, les ducs de Kent et de Gloucester et la princesse Alexandra, bénéficient en outre d'une allocation globale de 630 000 livres, soit près de 7 millions de francs. Cette partie de la liste civile est en fait financée par la reine qui rembourse cette somme au Trésor sur ses fonds privés.

En tant que chef et arbitre de sa turbulente famille, la reine n'est pas épargnée par les attaques. Si personne ne lui conteste les avantages qui sont l'apanage incontestable d'un chef d'Etat, les tirs se concentrent sur sa fortune personnelle qui, depuis des décennies, grandit à l'abri des regards. Dans un livre paru au début de l'année 1992 et intitulé *The Royal Fortune*, « La Fortune Royale », Philippe Hall résume la situation : «La reine, l'une des personnes les plus riches du pays, devrait être traitée comme n'importe qui en matière d'impôt sur le revenu, de taxes sur les plus-values et de droits de successions. Surtout quand on sait que les monarques d'autrefois ont payé ces taxes sur leur fortune privée pendant près d'un siècle.» Quelques mois après la publication de son livre, Philippe Hall est partiellement entendu puisque la reine met fin elle-même à l'un de ses plus importants privilèges. Elle accepte volontairement de s'aligner sur la situation de n'importe quel contribuable britannique. Du moins en matière d'impôt sur le revenu, puisqu'elle conserve son immunité fiscale en matière de droits de succession.

Reste à déterminer l'assiette de ce fameux impôt sur le revenu. La liste civile étant absorbée dans sa totalité par les dépenses liées à l'exercice de la fonction royale, il ne saurait être question d'en tenir compte. C'est donc sur ses revenus privés qu'elle sera établie. Encore faut-il savoir de quoi et surtout de combien il s'agit. La fortune privée de la reine est depuis des décennies un des serpents de mer de la vie des médias britanniques. Le sujet est inépuisable et pour une excellente raison : personne n'a jamais réussi à déterminer son montant exact. En effet, si les deniers publics qui sont alloués annuellement à la reine, des frais de garden-parties aux notes de blanchisserie, font l'objet d'une comptabilité rigoureuse, publiée annuellement, les fonds privés et l'usage qu'elle en fait sont soumis à la loi du silence la plus stricte. Le secret est d'autant plus attirant qu'il est bien gardé.

Les anecdotes ne manquent pas sur la légendaire parcimonie d'Elisabeth II. Une des plus connues est celle qui veut qu'elle ait l'habitude de faire le tour des salons de Buckingham Palace, le soir, afin d'éteindre les lumières superflues. Une autre évoque ce jour où elle laissa une note manuscrite à sa femme de chambre lui demandant de remplacer l'ampoule de 60 watts de sa lampe de chevet par une ampoule de 100 watts qui éclaire mieux. En attendant toutefois que la première soit hors d'usage. Une troisième se serait déroulée lors des vacances annuelles de la souveraine à Balmoral. Lors de chacun de ses séjours en Ecosse, Elisabeth II ne manque jamais de faire au moins une ou deux fois la tournée des commerçants qui sont établis dans le village qui jouxte son domaine. Pénétrant chez l'épicier en compagnie de son inséparable dame d'honneur, elle se serait arrêtée devant un magnifique étalage de pommes avant de déclarer: «Mon Dieu, je ne savais pas que les pommes coûtaient si cher. Je vais demander qu'on les retire des menus.» Il arrive même que son sens de l'économie lui fournisse la matière d'une plaisanterie. Nombre d'invités au mariage du prince Paul de Grèce, fils aîné de l'ex-roi Constantin, avec Marie-Chantal Miller, une jeune héritière américaine, se souviennent encore l'avoir entendue raconter cette plaisanterie: «Il y a deux nouvelles aujourd'hui, une bonne et une mauvaise. La bonne, c'est que le prince Paul épouse une jeune fille qui a une fortune de deux cents millions. La mauvaise, c'est qu'il s'agit de 200 millions de dollars et non pas de deux cents millions de livres.»

Depuis plus d'un quart de siècle, les experts s'acharnent à percer le mystère de cette fortune sans jamais parvenir à des conclusions précises. Il faut avouer que l'Etat britannique ne leur facilite pas la tâche puisqu'une série de dispositions légales renforcent encore le secret. La première concerne les testaments royaux. Contrairement à ceux du commun des mortels, ils sont exemptés de l'obligation légale de publication qui permet à tout citoyen britannique de connaître l'importance du patrimoine de son voisin après la mort de ce dernier. La seconde béquille légale qui permet aux Windsor de dissimuler une part non négligeable de leur fortune a été mise en place à la demande d'Elisabeth elle-même. Il s'agit de l'anonymat absolu sous lequel sont enregistrées les transactions boursières de la famille royale. L'origine en remonte à l'année 1973. Edouard Heath et les conservateurs au pouvoir s'inquiètent alors des risques que peut entraîner un capitalisme boursier trop déréglementé. Ils présentent devant la Chambre des Communes une loi instituant la transparence totale en matière boursière, notamment l'obligation de déclaration de l'identité réelle des actionnaires de chaque société cotée sur le marché financier. A la demande de la reine, son secrétaire personnel, sir Martin Charteris, informe Robert Armstrong, secrétaire du Premier ministre, de l'inquiétude de la souveraine devant cette nouvelle loi qui va l'obliger à divulguer le montant de tous ses avoirs personnels. Andrew Morton, spécialiste des secrets de la famille royale britannique, a révélé toute l'affaire dans son livre, *Le royaume leur appartient*: «Dans une lettre datée du 5 décembre 1973, monsieur Armstrong écrivait à monsieur Hird, fonctionnaire du ministère du Commerce: "Le Premier ministre a lu votre lettre. Il m'a demandé de vous informer qu'il attache une importance particulière aux arrangements qui pourraient permettre de préserver l'anonymat du portefeuille boursier de la reine. Comme ce sujet a été évoqué au cours de mes entretiens avec le Palais, je serais heureux d'être tenu au courant de ses développement futurs."» La difficulté sera contournée grâce à la formation d'une nouvelle compagnie, Bank Of England Nominees, qui sera exemptée des obligations de transparence imposées par la nouvelle loi. En contrepartie, cette compagnie ne pourra gérer que les avoirs des chefs d'Etat, de leur famille ou d'organismes directement affiliés à des gouvernements. C'est seulement en 1976 que la fameuse loi est votée. Elle prendra effet à la fin de l'année 1977. Au début de cette même année, tous les avoirs de la souveraine seront transférés à Bank of England Nominees.

Quelle est leur importance? En 1987, le magazine américain *Fortune* avance un chiffre de vingt milliards de francs sans préciser l'origine de ses estimations. A la même époque, Andrew Morton évoquait trois milliards et demi de francs. Aujourd'hui, la plupart des experts s'entendent pour donner une fourchette globale qui s'étire entre un et deux milliards de francs, ce qui reste très confortable. Les revenus d'Elisabeth tourneraient annuellement autour de 100 millions de francs.

A ce portefeuille boursier viennent s'ajouter différents biens, immobiliers et mobiliers, appartenant à la reine. Eliminons d'emblée les palais royaux dont elle n'a que l'usufruit et qui ont toujours été considérés comme appartenant à l'Etat et non pas à la famille royale. Buckingham Palace et Windsor sont évidemment les deux plus importants et les plus connus. Il convient de leur ajouter, à Londres, les palais de Kensington et de Saint James où sont logés gratuitement différents membres de la famille comme la reine mère (Clarence House, sa résidence, est une annexe de Saint James), le prince de Galles, la princesse Margaret, les princes de Kent ou les ducs de Gloucester, et à Edimbourg, en Ecosse, le palais de Holyrood House.

Viennent ensuite les deux résidences privées d'Elisabeth, les châteaux de Balmoral et de Sandringham. L'un et l'autre appartiennent en propre à la souveraine qui en assure la gestion et toutes les charges d'entretien. Le premier d'entre eux acquis par la reine Victoria se transmet de monarque en monarque depuis près d'un siècle et demi. L'ensemble de la propriété, terres, château et bâtiments annexes, droits de chasse ou de pêche inclus, est estimé 250 à 300 millions de francs. Cela dit, on s'accorde généralement à considérer que ses revenus sont à peu près nuls, compte tenu de l'importance des charges d'entretien qu'elle nécessite. La situation est à peu près identique à Sandringham, l'autre résidence privée de la famille royale. Situé dans le très riche comté du Norfolk, ce second domaine est entré dans le patrimoine royal avec Edouard VII, fils aîné et successeur de Victoria et arrière-grand-père d'Elisabeth. Beaucoup moins vaste que Balmoral, puisqu'il ne compte que 10 000 hectares, le domaine est cependant d'une valeur très supérieure, la terre y étant de bien meilleure qualité. L'ensemble vaut de 500 à 600 millions de francs.

Si la situation du patrimoine immobilier est à peu près claire, celle du patrimoine mobilier est particulièrement obscure. Meubles, tableaux, dessins, livres, objets d'art divers, bijoux, timbres. Elisabeth II est en effet à la tête d'un des plus importants patrimoines artistiques du monde sans que l'on sache exactement ce qui lui appartient personnellement et ce qui appartient à l'Etat. On peut ranger ces biens mobiliers dans trois catégories : meubles et tableaux, objets divers, bijoux. La première est de loin la plus importante en nombre et en valeur. Quelques chiffres peuvent en donner une idée. En dépit des ventes importantes ordonnées par Cromwell au XVIIe siècle après l'exécution du roi Charles Ier, la collection de tableaux recense 7 000 tableaux anciens, 30 000 dessins et 1 000 miniatures. Parmi les peintres qui sont représentés, on trouve entre autres les signatures de Gainsborough, Poussin,

Mantegna, Turner, Reynolds, Van Dyck, Holbein, Canaletto, Guardi, Vermeer. La liste des dessinateurs est encore plus prestigieuse puisqu'elle rassemble les noms de Léonard de Vinci, Michel-Ange, Le Bernin et autres Dürer. La valeur d'un seul dessin de Léonard de Vinci se chiffrant en dizaines de millions de francs et la reine en possédant 600, on imagine la valeur de cet ensemble qui n'est surpassé que par deux ou trois collections publiques dans le monde, telles celles du musée du Louvre à Paris ou du Metropolitan Museum à New York. La collection n'est pas figée puisqu'au cours de ses cinquante années de règne, Elisabeth II a fait l'acquisition de plusieurs pièces très importantes, notamment plusieurs portraits royaux. Elle s'enrichira sans doute encore un peu à la mort de la reine mère qui possède sa propre collection de toiles parmi lesquelles figurent plusieurs Impressionnistes, tels Monnet, Pissarro et Berthe Morisot.

Parmi les dizaines de milliers d'objets d'art, on peut recenser des pièces aussi diverses que le service de porcelaine réalisé par la manufacture de Sèvres sur une commande de Louis XVI et qui, vendu à la Révolution, fut acquis dans sa totalité par le prince régent, futur George IV. Chaque assiette de service vaut aujourd'hui entre 150 000 et 200 000 francs. Il en compte près de trois cents. Ce service et la collection de porcelaine royale font l'objet de soins particuliers. C'est sans doute l'un des rares domaines artistiques dans lesquels la reine manifeste un intérêt personnel. En 1971, lors de la célèbre vente des collections Rothschild conservées au château de Mentmore, elle aurait ainsi acquis plusieurs pièces très rares provenant elles aussi de la manufacture de Sèvres. Sa collection d'objets de Fabergé est certainement une des plus importantes au monde. Les premiers éléments en furent rassemblés par la reine Alexandra, épouse d'Edouard VII. C'est par sa sœur, la tsarine de Russie, que la souveraine avait découvert l'œuvre du célèbre orfèvre russe. Devenue une cliente fidèle, la reine Alexandra devait, à sa mort, laisser une collection comprenant plusieurs centaines de pièces qui vont des célèbres animaux en pierres dures aux multiples pièces d'orfèvrerie émaillée, étuis à cigarettes, pommeaux d'ombrelles, tasses et autres objets de vitrines dont Fabergé s'était fait une spécialité. Sa belle-fille, la reine Mary, devait encore enrichir cette collection en y ajoutant quelques pièces uniques acquises lors des ventes aux enchères des trésors des tsars organisées par les Soviets dans les années vingt et trente. Elle fit ainsi l'acquisition de plusieurs des célèbres œufs en or, émail et pierres précieuses que les tsars avaient l'habitude d'offrir chaque année à leurs épouses lors des fêtes de Pâques. En vente publique, un seul de ces œufs se vend aujourd'hui autour de vingt millions de francs. Parmi les trésors les plus célèbres de la famille royale, on peut aussi citer l'extraordinaire collection de timbres rassemblée par George V et son fils George VI.

Pendant très longtemps, il a été extrêmement difficile de déterminer le statut exact de tous ces objets. Appartenaient-ils à l'Etat comme les palais royaux ou au souverain lui-même comme les demeures privées de Balmoral et de Sandringham? La question semblait délicate à résoudre. La première tentation était d'aligner le statut de chaque objet sur celui du lieu où il se trouvait exposé. Ainsi le mobilier dans son sens le plus large, de Buckingham, de Windsor et de Holyrood, pourrait être considéré comme bien national, la reine n'en ayant que l'usufruit. A l'inverse, le moindre objet entreposé à Balmoral ou Sandringham pourrait être considéré comme une propriété personnelle d'Elisabeth. En fait, cette méthode de classement présente des limites évidentes. Il est difficile de considérer les objets personnels se trouvant dans les appartements privés de la reine ou de son époux comme n'étant pas leur propriété privée. De la même manière, certaines pièces de mobilier, tels les Goya qui ornent les murs d'un salon de Sandringham, pourraient être considérées comme appartenant à l'Etat. La question a été tranchée, il y a une trentaine d'années, d'une manière chronologique. Lors du débat sur l'augmentation du montant de la liste civile qui eut lieu en 1971, lord Cobbold, président de la commission chargée de régler le problème des finances royales, énonça une distinction précise basée sur la création d'un trust baptisé Collection royale : « La Collection royale, expliquait-il, regroupe tous les tableaux, meubles et objets d'art acquis ou hérités par les souverains jusqu'à la mort de la reine Victoria en 1901 ainsi que certaines pièces spécifiquement attribuées depuis à cette Collection royale par les souverains ou leurs époux et épouses. La Collection royale rassemble la grande majorité du contenu des palais royaux et elle est considérée comme devant passer en tant qu'attribut de la Couronne d'un souverain à son successeur. Elle est donc inaliénable. »

La dernière catégorie d'objets, sans doute la plus fascinante, est celle des bijoux royaux. Des perles de Marie Stuart, rachetées par la reine Elisabeth Ire, aux célèbres Cullinans, offerts par l'Afrique du Sud au début du XXe siècle, en passant par des pierres historiques comme le Koh-Y-Noor, le rubis du prince Noir, le saphir de Saint Edouard ou celui des Stuart, ce trésor illustre plusieurs siècles de l'histoire d'Angleterre. C'est le seul domaine dans lequel on soit à peu près certain de la répartition entre biens privés et biens appartenant à l'Etat. Tous les ornements du couronnement conservés à la Tour de Londres, couronnes, sceptres, globes, éperons, bagues, sont propriété publique. En revanche, tous les autres joyaux, colliers, diadèmes, boucles d'oreilles, bracelets, dont la reine possède des dizaines, lui appartiennent personnellement. Le meilleur exemple qui puisse illustrer cette distinction est justement celui du Cullinan ou plutôt des Cullinans. Découvert au début du XXe siècle dans les mines d'Afrique du Sud appartenant à sir Thomas Cullinan, le plus gros diamant du monde pesait 2 000 carats à l'état brut, soit 400 grammes. Taillé à Amsterdam, il fut divisé en deux pierres principales, les Cullinans 1 et 2, qui furent offertes à Edouard VII par le gouvernement sud-africain. La première d'entre elles, une poire de 530 carats, fut enchâssée sur le grand sceptre royal d'Angleterre. La seconde, un coussin de 411 carats, prit place sur l'une des couronnes. Edouard VII ayant accepté ces deux pierres au nom de l'Etat britannique, elles furent immédiatement incorporées aux collections appartenant à la couronne. Ces deux pierres mises à part, la taille du gros diamant brut avait fourni une centaine de pierres moins importantes, dont deux diamants pesant respectivement 94 et 63 carats. Le gouvernement sud-africain décida de les offrir à titre personnel, cette fois, à la reine d'Angleterre. Edouard VII étant mort, c'est l'épouse de son successeur, la reine Mary, qui les avait reçus. Elle les avait fait monter sur trois broches et un collier qui appartiennent aujourd'hui à sa petite-fille Elisabeth. Grâce aux évaluations faites à la demande d'Andrew Morton par Lawrence Krashes, l'un des experts en diamants de la célèbre maison Harry Winston, on peut se faire une idée de leur valeur approximative. Les deux plus grosses, montées sur une seule broche, valent près de 100 millions de francs. Ce qui fait de cette broche un des bijoux les plus coûteux au monde. Les autres diamants, répartis sur deux autres broches et un collier, représentent un peu plus de quinze millions de francs. Grâce à Lawrence Krashes et à Andrew Morton, nous disposons aujourd'hui d'une estimation globale de l'écrin d'Elisabeth II. A partir d'une abondante documentation photographique, l'expert de Harry Winston a en effet estimé la plupart des parures appartenant à la reine. Il parvient à un total de 400 millions de francs, se répartissant entre les diamants pour 250 millions de francs, les émeraudes pour 60 millions de francs, les perles pour 35 millions de francs, les saphirs pour 18 millions de francs, les rubis pour 17 millions de francs et les pierres semi-précieuses, telles les améthystes ou les aigues-marines, pour vingt millions de francs.

En additionnant toutes ces données, on peut aujourd'hui se faire une idée un peu plus précise du montant de la fortune royale. Deux milliards de francs de portefeuille boursier, un milliard de francs de propriétés immobilières, 400 millions de francs de bijoux et sans doute autant en objets d'art, tableaux, bibelots et timbres. Le total représente à peu de chose près quatre milliards de francs. Cette fortune est assurée de se transmettre intacte aux prochaines générations puisque, nous l'avons dit, le souverain conserve son privilège fiscal le plus important, l'exemption de droits de succession.

La décision de la reine de payer des impôts est saluée unanimement par la presse. Le *Daily Telegraph* lui décerne un brevet de bonne citoyenne : «Ceux qui se réjouissent de la décision prise par la reine de payer des impôts se divisent en deux catégories. La première, de loin la plus importante, souhaite simplement voir la famille royale contribuer dans une mesure raisonnable aux charges publiques, comme le fait n'importe quel citoyen.» Le *Sunday Times* n'est pas en reste de compliments : «En rejoignant les rangs des souverains qui payent l'impôt sur le revenu, la reine a saisi l'opportunité de se débarrasser d'une bonne partie des polémiques qui entourent les finances royales depuis des siècles. En agissant ainsi, elle a fait un pas historique en donnant un sérieux coup de jeune à la monarchie, geste qu'on ne peut qu'apprécier. »

Aucun journal ne répond pourtant clairement à la question principale : combien paye-t-elle ? Les revenus du portefeuille boursier, évalués à 100 millions de francs, étant les seuls taxables, on peut imaginer qu'elle verse annuellement entre 1,5 et 2 millions de livres au trésor, soit un peu plus, ou un peu moins, de vingt millions de francs. Ce sacrifice financier ne devait pas être le dernier. Avec l'arrivée au pouvoir des travaillistes en mai 1997, le train de vie de la reine connaîtra d'autres transformations, notamment la suppression des listes civiles (à l'exception de celles de la reine, du duc d'Edimbourg et de la reine mère) et la mise à la retraite du yacht *Britannia*. Il est vrai que le budget d'entretien de ce dernier montait à près de 500 millions de francs par an. Soit vingt-cinq fois le montant de l'impôt annuel acquitté par Elisabeth.

XVI

«JE NE VEUX PLUS ME RETROUVER FACE À FACE AVEC DIANA»

C'EST avec résignation qu'Elisabeth accueille l'annonce de la séparation officielle du prince et de la princesse de Galles, le 9 décembre 1992. Le Premier ministre, John Major, communique la nouvelle au Parlement en début d'après-midi. Dans son bref discours, il insiste sur le fait que cette séparation et le divorce qui la suivra éventuellement n'auront aucune conséquence constitutionnelle. Seule dans son salon privé, Elisabeth suit la séance sur son écran de télévision. Il s'agit de l'échec le plus cuisant de toute sa vie. Le lendemain, la presse tout entière reprend l'information en première page. Pour la première fois, les mots de séparation et de divorce sont suivis de celui, terrible pour la reine, d'abdication. Depuis le départ de l'oncle David, cinquante-six ans auparavant, le mot était devenu tabou chez les Windsor. Un véritable symbole d'échec, le pire destin que l'on puisse imaginer pour un monarque. Aujourd'hui, c'est à elle que ce mot s'applique et les journalistes n'y vont pas de main morte. Nombreux sont ceux qui affirment qu'Elisabeth doit maintenant

quitter la scène. Le pire est qu'ils ne sont pas plus tendres à l'égard de Charles, désigné ouvertement comme
le responsable de tous les maux de son épouse. Lui
non plus n'est pas digne de monter sur le trône. Il doit
céder la place à son fils William. Ce dernier étant seulement âgé de dix ans, il semble pourtant impensable
de songer à lui remettre les destinées de la nation.

Plus que le mot d'abdication lui-même, c'est tout ce
qu'il symbolise qui effraie la reine : l'échec personnel,
le fait de n'avoir pas réussi à sauver l'héritage de Charles,
peut-être même la fin de la monarchie. Le doute qui
s'insinue dans son esprit. Etait-elle bien préparée à
assumer son rôle de monarque ? En avait-elle même les
capacités ? Ne s'est-elle pas méprise sur le sens de cette
mission presque divine dont elle se sent investie depuis
son couronnement ? Elle est seule pour affronter l'orage.
Même sa mère qui aborde gaillardement la fin du
XXe siècle ne semble pas comprendre ce qui se passe.
Un jour où Elisabeth, particulièrement découragée, lui
demande conseil à propos du futur de ses enfants, elle
lui répond simplement : «Ma chérie, je ne sais vraiment
pas pourquoi vous vous faites autant de soucis. C'est
une autre génération que la vôtre. Laissez-les se débrouil-
ler tout seuls.» Inconscience ou suprême sagesse d'une
aïeule qui n'a jamais douté de la force de la couronne ?
Même avec la meilleure volonté du monde, Elisabeth a
bien du mal à partager cet optimisme.

Le doute va durer trois ans. Trois longues années
durant lesquelles Elisabeth s'interrogera, tentera de
comprendre ce qui s'est passé. Trois années dures au
cours desquelles elle va devoir subir les assauts carnassiers des médias et surtout l'ombre que Diana projette
sur la couronne. Plus les mois passent, plus sa présence, que le gouvernement et la reine cherchent à
neutraliser, envahit l'espace public. Dans la tragédie qui
se joue depuis plus de dix années, elle a définitivement

endossé le costume de la pauvre princesse persécutée par une belle-famille cruelle. Du moins aux yeux du grand public, qui pousse un soupir de ravissement à chacune de ses apparitions. Qu'elle visite un hôpital pour malades du sida ou qu'elle prenne dans ses bras un enfant malade dans un orphelinat, Diana irradie, sans même s'en rendre compte, une émotion qui vient sans doute de sa propre fragilité. Elle ne triche pas avec son cœur et celui des autres. Elisabeth en est parfaitement consciente ; elle lui reconnaîtra toujours d'extraordinaires qualités de compassion. Simplement, elle trouve injuste ce rôle dans lequel on l'enferme a contrario, celui de la fée Carabosse, néfaste et méchante.

Même la comparaison physique n'est pas à son avantage. Toutes ces déceptions ont laissé des traces évidentes. Ce n'est plus une jeune reine épanouie, ni même une femme mûre impressionnante de majesté, qui se présente à son peuple. C'est une femme lasse, dont la silhouette alourdie et le visage marqué n'ont rien de très séduisant. Comment lutter avec l'éblouissante Diana qui, non contente d'être devenue la princesse des pauvres, s'est transformée en icône de la mode, toujours impeccablement coiffée, maquillée et habillée ? En fait, la reine mère n'avait pas eu entièrement tort en prêchant la patience à sa fille aînée. Le retournement d'opinion va être aussi soudain que violent.

Le ciel de la monarchie commence à s'éclaircir au printemps 1995. Au mois de juin, l'Europe fête avec éclat le 50ᵉ anniversaire de la victoire sur l'Allemagne nazie. Les cérémonies prévues en Angleterre doivent s'achever avec la classique apparition de la famille royale au balcon du Palais. Plus la date fatidique approche, plus la reine se montre nerveuse. Pour la première fois, elle appréhende cette rencontre avec son peuple. La veille du grand jour, elle ne peut s'empêcher de soulever les rideaux des fenêtres afin de surveiller le Mall, la longue avenue qui conduit aux grilles du Palais au-delà de la statue de Victoria. Plus que du soulagement, c'est une véritable émotion qui l'étreint lorsqu'elle comprend le lendemain que son angoisse était vaine. Des centaines de milliers de personnes l'attendent pour l'acclamer. «Je ne l'ai jamais vue aussi près de pleurer», assurera un témoin de la scène. En dépit des divorces, des humiliations, des scandales et jugements hâtifs proférés par la presse, l'Angleterre est restée fidèle à sa reine et a décidé de lui en donner une preuve éclatante.

Contre toute attente, le deuxième secours va venir de Diana elle-même. Forte de son extraordinaire popularité, la princesse des cœurs va commettre une énorme erreur en attaquant ouvertement, et pour la première fois, l'institution monarchique. Avec une inconscience qui laisse aujourd'hui sans voix, elle décide de le faire de la manière la plus tonitruante qui soit, en accordant une interview à la télévision. Le programme, qui bat tous les records d'audience, est diffusé le soir du 20 novembre 1995. L'Angleterre et le monde entier assistent au plus grand déballage de linge sale de l'histoire. Diana visiblement mal à l'aise aborde les sujets les plus intimes. A propos de son époux et de Camilla Parker Bowles, elle déclare: «Je connaissais cette relation et rien n'est plus destructeur que de savoir que votre mari, l'homme que vous aimez, en aime une autre, mais je n'y pouvais rien. Nous étions trois dans ce mariage et cela fait beaucoup de monde pour un couple.» A la question: Charles fera-t-il un bon roi? elle répond en laissant planer le doute sur ses capacités de futur monarque: «C'est une question à laquelle aucun d'entre nous ne peut répondre aujourd'hui. Etre prince de Galles est une fonction très lourde à assumer. Si Charles devient roi, il devra affronter une tâche encore plus difficile et accepter beaucoup de restrictions à sa liberté. Je lui souhaite simplement de trouver la paix de l'esprit.»

Le lendemain, c'est une véritable volée de bois vert qui s'abat sur la princesse. Harold Brooks-Baker, éditeur du *Burke's Peerage*, la bible de l'aristocratie anglaise, n'y va pas par quatre chemins : «La princesse veut regagner en popularité. Elle nous explique combien elle est merveilleuse avec les gens, combien elle est une bonne mère. Elle sait très bien communiquer sur son image, mais elle va échouer : elle n'a pas eu la décence de tenir la reine informée. Son voyage officiel en Argentine pourrait être le dernier du genre. Elle a prouvé qu'elle était un ambassadeur de la couronne à qui on ne pouvait plus faire confiance.»

Sur un ton plus mesuré, lord Blake, un historien respecté, commente : «Il me semble difficile de considérer sa décision d'accorder une interview autrement que comme une erreur. Elle ressuscite l'hostilité entre elle et le prince de Galles et, pire encore, elle ressuscite dans la mémoire des Britanniques le souvenir de cette hostilité. Cela ne peut être favorable à la monarchie ni à la couronne.» La réaction la plus douloureuse est certainement celle du prince William, le fils aîné de Charles et Diana. Jusqu'à présent, il s'était toujours rangé au côté de sa mère. Il a vu la fameuse interview dans le bureau du directeur de l'école d'Eton où il est pensionnaire depuis deux ans. Il en a été profondément choqué. Au point qu'il refusera de parler à sa mère pendant plusieurs jours.

Elisabeth, quant à elle, n'en croit ni ses yeux ni ses oreilles : «Ce fut la goutte qui a fait déborder le vase, raconte Ingrid Seward. Le lendemain de la diffusion, la reine a coupé les ponts avec sa belle-fille. Elle n'a pas vu le reportage en direct car elle était au théâtre ce soir-là. En rentrant au Palais, elle a été horrifiée en apprenant les propos que sa belle-fille avait tenus à l'écran.

Pour elle, le fait que Diana puisse critiquer ouvertement la monarchie devant des millions de téléspectateurs était inacceptable. C'était une manière déloyale
de régler ses comptes. »

Quelques jours plus tard, elle annonce sa décision à
sa belle-fille en lui faisant porter une lettre au palais de
Kensington où Diana continue à résider. Charles en
reçoit une copie à Clarence House. Depuis sa séparation d'avec son épouse, il s'est en effet installé chez
sa grand-mère. Le message peut se résumer en une
phrase : le divorce entre le prince et la princesse de
Galles est inévitable. Pour bien marquer que son opinion est irrévocable, Elisabeth a fait circuler de nouvelles consignes très strictes auprès des employés du
Palais afin d'empêcher la princesse d'avoir accès aux
appartements royaux : « Je ne veux plus me retrouver
face à face avec Diana. Je ne sais jamais ce qu'elle va
dire ou faire. Je ne peux plus la supporter. »

Le 28 août 1996, le divorce est finalement annoncé.
Diana, en tant que mère du futur roi, conserve son titre
de princesse de Galles, son appartement au palais de
Kensington, la garde conjointe de ses deux enfants avec
Charles et reçoit une indemnité de près de 200 millions de francs. Elisabeth a demandé personnellement
aux avocats de son fils de discuter le moins possible. Une
seule chose lui importe : clore définitivement le chapitre
afin que son fils, ses petits-enfants, elle-même et toute
la famille royale puissent reprendre le plus sereinement
possible le cours de leur vie.

Pour Diana, en revanche, l'histoire va s'arrêter
brutalement, exactement un an plus tard, le soir du
samedi 31 août 1997. Depuis plusieurs semaines, elle
affiche un bonheur sans nuages avec Dodi al Fayed, le
fils du milliardaire égyptien qui est propriétaire du plus
grand magasin de luxe de Londres, le célèbre Harrods.
Ce soir-là, ils dînent en amoureux au restaurant du

Ritz, le palace parisien qui appartient lui aussi au père de Dodi. Au moment de sortir de l'hôtel, le couple aperçoit une soixantaine de photographes. Dodi demande à la réception du Ritz de prévoir une voiture puissante afin qu'ils puissent les semer. Quelques instants plus tard, les deux jeunes gens prennent place à bord d'une Mercedes 280 S qui part en trombe. Poursuivie par une meute de motos et de scooters, la voiture s'engouffre à toute vitesse sous le pont de l'Alma. La course-poursuite va se transformer en une chasse mortelle. Dans la lumière orangée du tunnel, la voiture heurte un pilier, bascule, vrille et fait plusieurs tonneaux. La Mercedes noire n'est plus qu'un amas de tôles informes. A l'intérieur du véhicule, des images insoutenables. Le conducteur, dont on apprendra plus tard qu'il était sous l'emprise de l'alcool et de calmants, est mort. Le garde du corps de la princesse de Galles, gravement blessé, semble agoniser. Diana, le visage ensanglanté, gît inanimée près de Dodi. Son grand amour est mort sur le coup. Les premiers sauveteurs arrivent quelque temps après et constatent que Diana respire encore. «Elle a été immédiatement prise en charge par le SAMU, racontera le docteur Bruno Riou dans le communiqué de l'Assistance Publique. A son arrivée à l'hôpital, elle présentait un choc hémorragique grandissime d'urgence thoracique avec un risque d'arrêt cardiaque. Malgré la fermeture de la plaie et un massage cardiaque interne et externe de deux heures, nous n'avons pu rétablir l'efficacité circulatoire. Le décès de la princesse de Galles a été constaté à quatre heures du matin.»

Informés minute par minute de l'évolution de la santé de Diana, l'ambassadeur de Grande-Bretagne, sir Michael Jay, la reine et le prince de Galles apprennent à l'aube la mort de la princesse. C'est Elisabeth qui a été réveillée la première par un coup de téléphone vers trois heures du matin. Vêtue d'une simple robe de chambre en laine, elle monte au premier étage du château de Balmoral où se trouve la chambre du prince de Galles et celles de ses deux fils, William et Harry. Lorsqu'elle parvient aux appartements de son fils, celui-ci est déjà éveillé. Au début, c'est un sentiment d'exaspération qui domine. Les coups de téléphone qu'ils ont reçus l'un et l'autre leur ont assuré que les jours de la princesse n'étaient pas en danger. «Que diable faisait-elle à Paris?» ne peut s'empêcher de lâcher Charles. Comprenant que le reste de la nuit est compromis, Elisabeth demande que l'on réveille un des cuisiniers et qu'on apporte une théière dans le salon personnel du prince de Galles. Alors que la nuit avance, d'autres coups de téléphone surviennent. Et, cette fois, les nouvelles sont mauvaises. L'état de la jeune femme est jugé très sérieux, voire même critique. Au fur et à mesure que les informations tombent, Charles s'effondre peu à peu. Au ressentiment initial fait place un véritable désarroi. La lutte qu'il mène contre son épouse depuis des années ne lui a jamais fait oublier qu'elle est la mère de ses enfants, et c'est surtout à eux qu'il pense. Elisabeth aussi, mais elle ne peut écarter de sa pensée un sentiment très sincère de compassion à l'égard de sa belle-fille. Contrairement à beaucoup de membres de la famille royale ou de son entourage qui n'ont toujours vu en elle qu'une hystérique dangereuse, elle a toujours été frappée par les réelles qualités de cœur de Diana. Cette émotivité à fleur de peau qui semblait si étrange dans l'univers rude des Windsor, ce rayonnement enfin qui agaçait ou qui séduisait mais qui ne laissait jamais insensible. Tant de qualités gâchées, simplement parce qu'en épousant Charles, Diana s'était trompée de destin. Les dures années qui ont passé lui ont permis de prendre du recul par rapport à toutes ces crises que la famille royale vient de traverser et sans doute aussi de comprendre un peu mieux les êtres qui l'entourent. Ses petits-enfants, ses fils, elle aussi, peut-être, qui n'a pas su prévoir ou tout simplement être présente auprès d'eux pour les écouter.

Vers six heures du matin, lorsqu'un ultime coup de téléphone annonce la mort de la jeune femme, ce n'est plus une reine qui est assise sur le canapé dans ce salon du premier étage de Balmoral, c'est une mère très émue qui contemple le spectacle terrible de son fils qui pleure. Afin de reprendre ses esprits, Charles sort quelques instants de la pièce et commence à faire les cent pas dans le couloir. Elisabeth le suit et, si l'on en croit le témoignage d'un familier recueilli par Ingrid Seward, le prend dans ses bras.

Les heures suivantes sont particulièrement pénibles. Il faut tout d'abord prévenir William et Harry. Le prince Charles se charge de la triste besogne. Mais c'est l'organisation des funérailles qui va donner lieu à la confrontation la plus pénible. Charles, qui a parfaitement compris l'importance de ce qui vient de se passer, insiste pour se rendre immédiatement à Paris afin de ramener à Londres le corps de son épouse. Il tient en outre à ce que ses funérailles soient nationales. Les membres du secrétariat d'Elisabeth et en premier lieu le beau-frère de Diana, Robert Fellowes, ne l'entendent pas ainsi. Diana ne fait plus partie de la famille royale, elle est désormais une personne privée et n'a aucun droit à des funérailles d'Etat. Un de ses assistants particulièrement insensible croit utile d'ajouter que si le prince veut se rendre à Paris, il doit le faire en utilisant un vol normal de British Airways. Une fois de plus, Elisabeth est prise entre deux feux, celui de la tradition qui la pousse à aller dans le sens de Fellowes, celui du cœur qui lui dicte de soutenir son fils. Après quelques hésitations, elle finit par opter pour la deuxième solution après un long coup de téléphone avec le Premier ministre, Tony Blair. Lui aussi a pressenti l'importance que cette disparition allait prendre en Angleterre et dans le monde. La famille royale allait une fois de plus devoir endosser la défroque des méchants dans l'opinion publique ; mieux valait tenter de limiter les dégâts en allant dans le sens de ce que réclamait le grand public pour sa princesse des cœurs.

Les jours qui suivent lui donnent raison au-delà de toute espérance. Ce sont des millions de personnes dans le monde qui pleurent la princesse de Galles. Des milliers de bouquets s'entassent devant les grilles des palais de Buckingham et de Kensington. Au fur et à mesure que la date des obsèques, fixée au samedi suivant, approche, les critiques à l'égard de la famille royale se font de plus en plus acerbes : « Pourquoi le drapeau du palais de Buckingham n'est-il pas en berne ? » « Que font-ils à Balmoral au lieu d'être à Londres pour pleurer avec nous ? » A la demande pressante de Tony Blair, Elisabeth décide de donner satisfaction à ses sujets. Elle ordonne la mise en berne du fameux drapeau et rentre à Londres. C'est seulement en arrivant au Palais qu'elle prend véritablement la mesure de ce qui est en train de se passer. La mort de Diana est ressentie comme un deuil national. En digne fille de George VI, elle réagit avec courage en décidant d'aller à la rencontre de la foule qui est rassemblée devant les grilles du Palais. Le duc d'Edimbourg l'accompagne. Et, pour une fois, il n'en mène pas large. Après avoir regardé quelques instants les fleurs entassées sur le trottoir, ils commencent à serrer des mains et à discuter avec les personnes qui se tiennent au bord des barrières.

Le soir même, Elisabeth prend la parole à la télévision. La prise de vues n'a pas lieu dans un salon du Palais. Elle se déroule dans le salon chinois qui est situé juste au milieu du premier étage de la façade ouest. Derrière la reine, par la fenêtre ouverte, on aperçoit la foule qui est rassemblée sur le Mall. Apparemment, Elisabeth a mis à profit les journées de réflexion qu'elle s'est octroyée à Balmoral, car le ton sonne juste :

« Il n'est pas facile d'exprimer le sentiment de la perte, car le choc initial est souvent suivi d'un mélange d'autres sentiments : incrédulité, incompréhension, colère et inquiétude pour ceux qui restent. Ce que je vous dis maintenant en tant que reine et en tant que grand-mère vient du cœur. Diana était un être exceptionnel et doué. Dans les bons comme dans les mauvais moments, elle n'a jamais perdu sa capacité à sourire et à rire. Je l'admirais et la respectais pour son énergie et son engagement envers les autres et particulièrement pour ses deux garçons. Cette semaine, nous avons tous tenté d'aider William et Harry à surmonter cette terrible perte. Quiconque connaissait Diana ne pourra jamais l'oublier. Pour ma part, je crois que des leçons doivent être tirées de sa vie et de l'extraordinaire et émouvante réaction à sa mort. »

Le lendemain, jour des funérailles, la reine donne une nouvelle preuve du changement profond qui est en train de s'opérer au sein de la monarchie. Toute la famille royale a été priée d'assister aux funérailles. Lorsque le catafalque qui transporte le corps de Diana passe devant les grilles du palais de Buckingham, Elisabeth invite tous les Windsor rassemblés dans la cour à saluer le cercueil. Sitôt la cérémonie achevée, alors que la dépouille de la princesse est conduite chez son frère à Althorp Hall où elle reposera, la reine regagne Balmoral. C'est là, dans la solitude tant aimée du vieux château de Victoria, qu'elle tire les enseignements de ces années terribles qu'elle vient de traverser. L'univers de certitude dans lequel la petite princesse Elisabeth d'York avait grandi s'était effondré depuis longtemps mais elle ne s'en était pas rendue compte. Comment l'aurait-elle pu ? Rien n'avait changé autour d'elle depuis la mort de son père. Retranchée derrière les hauts murs de leur forteresse, les Windsor n'ont rien vu venir. La société, le pays, le monde, leurs concitoyens avaient changé et ils ne s'en étaient pas aperçus. En les traînant de force dans le XXIᵉ siècle, quitte à les bousculer au passage, Diana leur a sans doute rendu le plus grand des services. Elle a aussi permis à sa belle-mère de comprendre que, contrairement à ce qui lui a été enseigné depuis son plus jeune âge, le devoir envers la couronne ne doit pas passer avant tout. On n'est pas une bonne reine si on n'est pas aussi une femme et une mère. Et c'est à cela qu'Elisabeth pensait en affirmant : « Des leçons doivent être tirées de cette mort. »

XVII

AUJOURD'HUI

ABDICATION! Combien de fois Élisabeth a-t-elle retourné ce mot dans sa tête au cours des quatre dernières années? Renoncer ou ne pas renoncer? Tel est certainement le plus grand dilemme qu'elle a eu à trancher au cours de sa vie. Constitutionnellement, rien ne s'oppose à ce qu'elle quitte la scène. Certes, en Angleterre, les souverains ne partent pas à la retraite comme cela est le cas au Luxembourg ou aux Pays-Bas. Suivant la tradition britannique, ils restent en place jusqu'à leur mort. Si l'un d'entre eux se révèle incapable d'exercer ses pouvoirs constitutionnels, un régent est nommé par le Parlement pour le faire à sa place. Il s'agit toujours du prince héritier. Les seuls souverains qui aient abdiqué leur couronne sont Edouard II au XIVᵉ siècle et Edouard VIII, l'oncle David, en 1936. Ni l'un ni l'autre n'ont laissé un excellent souvenir dans l'histoire. Le premier fut assassiné quelques mois plus tard. Quant à l'oncle David, on sait de quelle dose de méfiance son nom est entouré aujourd'hui encore.

Sous cette question, s'en dissimule une seconde: les Britanniques ont-ils envie de voir leur monarque quitter

la scène afin de céder la place à son fils? Rien n'est
moins certain. Aujourd'hui, le prince de Galles semble
avoir regagné une bonne partie de la popularité que ses
problèmes conjugaux avec Diana lui avaient fait perdre
autrefois. On lui sait gré surtout d'avoir montré qu'il
était un être humain autant qu'un prince en se révélant
un père affectueux qui entretient d'excellents rapports
avec ses deux fils. La perspective de voir William suc-
céder directement à sa grand-mère, si jamais elle dispa-
raissait ou si elle choisissait de se retirer, s'est éloignée
de la couronne. En toute bonne logique, Charles suc-
cédera donc à sa mère. Le tout est de savoir quand.
Car après des années difficiles, la popularité de la reine
semble, elle aussi, remonter dans les sondages. La première étape de cette reconquête a été les funérailles de
Diana. La volonté bien affirmée de la reine de parvenir
à une monarchie à la fois plus digne dans sa vie privée
et plus simple dans son mode de vie y a largement participé. La meilleure illustration de cette nouvelle royauté
est le mariage, au mois de juin 1999, du plus jeune fils
de la souveraine, le prince Edouard. Depuis des années,
il sort avec une jeune fille blonde, Sophie Rhys-Jones.
La fiancée appartient à une famille de la bourgeoisie
aisée. Les noces sont célébrées sans faste outrancier dans
le cadre royal du château de Windsor. Le prince Edouard
reçoit le vieux titre féodal de comte de Wessex.

Bien sûr, il est impossible d'écarter définitivement
tous les faux pas. Régulièrement, la presse à scandales,
en mal de copie depuis la mort de Diana, tente de
rallumer la guerre. La dernière tentative est un faux
rendez-vous d'affaires organisé avec la comtesse de Wessex à la demande d'un soi-disant prince oriental qui
souhaitait lui confier la gestion de ses relations publiques. En fait, l'homme est un journaliste. Sophie ignore
qu'elle est enregistrée. Au cours de leur entretien, elle
se laisse aller à des confidences un peu trop précises

sur la vie quotidienne de sa belle-famille. Une semaine plus tard, tout est dans les journaux. Elisabeth intime l'ordre à sa belle-fille de mettre une sourdine à ses activités professionnelles. On ne peut à la fois partager la vie d'un prince de Grande-Bretagne et continuer une carrière en tant que chargée de relations publiques. Au-delà de l'anecdote, le phénomène intéressant est certainement l'attitude du public. Amusé dans un premier temps, il se désintéresse très rapidement de l'affaire. Le feu bouté par les tabloïds n'a pas pris. S'ils sont toujours passionnés par la vie privée de leur famille royale, les Anglais dans leur très grande majorité restent attachés au système. A condition, toutefois, que les princes se tiennent bien. Ce dont Elisabeth semble se porter garante.

Alors, les choses sont-elles suffisamment stabilisées pour que la reine puisse se permettre de quitter la scène? La décision dépend uniquement d'elle. Elle seule peut décider de renoncer à ce qu'elle a toujours considéré comme son droit et son devoir héréditaires : régner sur l'Angleterre. Sans doute, il y a quatre ans n'aurait-elle jamais envisagé cette perspective. Les années Diana lui ont permis de comprendre qu'en ce domaine aussi, bien des choses ont changé. La monarchie, même si elle se révèle un régime infiniment plus durable qu'on ne l'aurait cru, se dépouille de plus en plus de l'auréole sacrée qu'elle avait au début du XXe siècle. Encore faut-il s'attacher à ce qu'elle ne descende pas trop dans la rue. L'équilibre, le dosage, l'harmonie, n'est-ce pas là une autre manière de formuler le fameux « droit d'être consulté, d'encourager et d'avertir » ?

L'année 2002 sera chargée de beaucoup de messages. Elle marquera, pour Elisabeth, le 50e anniversaire de son règne. Elle a souhaité en faire une manifestation essentiellement nationale à laquelle les Britanniques dans leur ensemble pourront participer. Cette fois, il n'y aura pas de tournée du Commonwealth comme en 1977, mais plutôt une tournée de la Grande-Bretagne. La reine va aller à la rencontre de ses sujets afin de les comprendre, de les écouter, de leur parler. Le symbole est frappant. Nul doute que cette tournée lui permette de prendre le pouls de son peuple. Si une décision est prise quant à l'abdication, ce sera certainement après cette consultation informelle des Britanniques. Elisabeth a en outre insisté pour que ces manifestations ne coûtent absolument rien au trésor public. Après de longues années de réformes, elle peut se vanter de présenter un bilan très positif. Plusieurs centaines de millions de francs ont été économisés. Ce n'est pas pour se lancer dans de gigantesques dépenses à l'occasion de son jubilé. La seule manifestation un peu protocolaire sera le service d'action de grâces prévu à Saint Paul au début du mois de juillet.

Une seule chose est certaine : s'il ne tenait qu'à elle, Elisabeth aurait déjà depuis longtemps abandonné la charge du pouvoir. La femme qui s'apprête à célébrer le 50e anniversaire de son accession au trône est très loin de la jeune fille triomphante qui, au lendemain de la Seconde Guerre mondiale, épousait son prince charmant, ou même de la souveraine sûre d'elle qui célébrait ses vingt-cinq ans de règne en 1977. Après des années d'hésitation, de quête et de nombreuses déconvenues, c'est une Elisabeth beaucoup plus humaine et compréhensive devant les sentiments d'autrui qui a fini par l'emporter.

Son plaisir favori reste de se promener avec une partie de son élevage de chiens dans les bois qui entourent Sandringham ou de parcourir à cheval les allées cavalières de Balmoral ou de Windsor. Certains de ses petits-enfants, comme Peter Phillips, le fils de la princesse Anne, avec qui elle entretient une relation particulière, l'accompagnent souvent lors de ces sorties. La balade achevée, Elisabeth aime à s'installer au fond d'un canapé confortable dans l'intimité de son salon privé afin de savourer une ou deux tasses de thé en lisant les journaux hippiques avant d'écouter le résultat des courses de la journée à la radio. Contrairement au duc d'Edimbourg, Elisabeth n'a jamais été une grande lectrice. S'il lui arrive de lire un livre, il s'agit le plus souvent d'un roman policier, type Agatha Christie. Elle n'est pas non plus particulièrement séduite par les magazines, à part ceux qui traitent d'équitation évidemment. En revanche, c'est une grande fan de mots croisés et elle ne manque jamais de faire ceux des nombreux quotidiens qu'elle parcourt chaque matin.

Son rêve le plus cher : abandonner la couronne et Buckingham Palace à Charles et à ses fils. S'installer pour toujours dans le Norfolk et faire plusieurs fois dans l'année de longs séjours de plusieurs mois en Ecosse. A bientôt soixante-seize ans, Sa Majesté Elisabeth II a largement l'âge de la retraite. Et pourtant, chaque fois qu'elle évoque cette possibilité, elle ne peut s'empêcher de douter : a-t-elle le droit de passer la main ainsi ? Peut-elle de son propre chef mettre fin à ce contrat de service envers son pays qu'elle a passé, il y a un demi-siècle ? C'est peut-être ce que lui apprendra l'année du jubilé.

ANNEXE

CHRONOLOGIE

1926 21 avril : Naissance à Londres de SAR la princesse Elisabeth d'York, future Elisabeth II.

1930 21 août : Naissance au château de Glamis de la princesse Margaret Rose, sœur d'Elisabeth.

1936 20 janvier : Mort à Sandringham du roi George V, grand-père d'Elisabeth.
10 décembre : Abdication du roi Edouard VIII, oncle d'Elisabeth.

1937 12 mai : Couronnement du roi George VI, père d'Elisabeth.

1947 20 novembre : Mariage à l'abbaye de Westminster de la princesse Elisabeth et du prince Philippe de Grèce et de Danemark.

1948 14 novembre : Naissance à Londres de S A R le prince Charles, fils aîné d'Elisabeth.

1950 15 août : Naissance de la princesse Anne, fille d'Elisabeth.

1952 6 février : Mort à Sandringham du roi George VI. Elisabeth devient reine sous le nom d'Elisabeth II.

1953 2 juin : En l'Abbaye de Westminster, couronnement d'Elisabeth II.

1955 5 avril : Sir Winston Churchill présente sa démission à la reine. Il cède la place à Anthony Eden.
31 octobre : La princesse Margaret renonce à épouser Peter Townsend.

LA VÉRITABLE ELISABETH II

1957 10 janvier : Harold Macmillan succède à Anthony Eden au poste de Premier ministre.

1960 19 février : Naissance à Buckingham palace de S A R le prince Andrew, deuxième fils d'Elisabeth II.

1963 25 juin : Sir Alec Douglas Home devient Premier ministre.

1964 10 mars : Naissance à Londres de S A R le prince Edouard, troisième fils d'Elisabeth II.
23 avril : Harold Wilson, travailliste, devient Premier ministre.

1969 1er juillet : Au château de Caernavon, le prince Charles est investi du titre de Prince de Galles.

1973 le 14 novembre : la princesse Anne épouse le capitaine Mark Phillips.

1977 7 juin : Jubilé des vingt-cinq ans de règne d'Elisabeth II.

1979 4 mai : Margaret Thatcher, travailliste, devient Premier ministre.

1981 29 juillet : Le prince de Galles épouse lady Diana Spencer.

1982 21 juin : Naissance à Londres de S A R le prince William, fils aîné du prince et de la princesse de Galles.

1984 15 septembre : Naissance à Londres du prince Harry, second fils du prince et de la princesse de Galles.

1990 21 novembre : John Major devient Premier ministre.

1992 20 novembre : Incendie au Château de Windsor.

1996 15 juillet : Divorce du prince et de la princesse de Galles.

1997 31 août : Mort de la princesse de Galles.

2000 4 août : La reine mère Elisabeth fête son 100e anniversaire.

2002 50e anniversaire de règne d'Elisabeth II.

BIBLIOGRAPHIE

Ouvrages en français :
Chronique de la Reine Mère, Editions Hachette.
CATSIAPIS Hélène, *La Royauté anglaise au XXᵉ siècle*, Editions Ellipse.
JAY Anthony, *Elizabeth R*, Editions Numéro 1.
MORTON Andrew, *Diana, sa vraie histoire*, Editions Plon.

Autres ouvrages :
ARNOLD Sue, *Little Princes*, Editions Sidgwick and Jackson.
BLAND Olivia, *The Royal way of death*, Editions Constable.
CAMPBELL Judith, *The royal partnes*, Editions Halle.
DAVIES Nicholas, *Elizabeth behind palace doors*, Editions Mainstream.
JUDD Denis, *King George VI*, Editions Michael Joseph.
KENNETH Rose, *King George V*, Editions Papermai.
LONGFORD Elizabeth *Elizabeth R*, Editions Weidenfeld et Nicolson.
MENKES Suzy, *Queen and Country*, Editions Harpers and Collins.
MENKES Suzy, *Royal Jewels*, Editions Harpers and Collins.
MONTGOMERY Hugh, Books *Her majesty the queen* Mussinbergh, Editions Willow.
WALLACE Ann et TAYLOR Gabrielle, *Royal mothers*, Editions Piatkus.
Almanach de Gotha, année 1998.

Magazines :
Point de Vue et Images du Monde, principalement les années 1947, 1952 et 1953.

TABLE

   I. «Si vous devez me demander en mariage toute votre vie... »   9

  II. «Je suis son altesse royale la princesse Elizabeth» 39

 III. «Oncle David veut épouser Mrs Baldwin...» 65

  IV. «Pour papa et maman, en souvenir de leur couron-
nement...» 89

   V. «Mais qui est cet Hitler qui nous gâche nos vacances?» 105

  VI. «C'est avec plaisir que le roi annonce les fiançailles de
la princesse Elisabeth...» 125

 VII. «Ne trouvez-vous pas que mon fils est adorable?» 145

VIII. «Si mon père l'a fait, je peux le faire» 163

  IX. «Je n'ai jamais eu le droit d'être une mère pour mes
enfants» 181

   X. «Je ne suis pas certaine que je puisse me le permettre» 195

  XI. «Rien ne vaut une bonne réunion de famille» 217

 XII. «Ma deuxième famille» 235

XIII. «C'est votre dernière nuit de liberté» 253

XIV. «On peut parler d'une année horrible» 269

 XV. «Je ne savais pas que les pommes étaient aussi chères» 285

XVI. «Je ne veux plus me retrouver face à face avec Diana » 299

XVII. Aujourd'hui 311

Annexe

   Chronologie 316

Bibliographie 318

Impression réalisée sur CAMERON par

BUSSIÈRE CAMEDAN IMPRIMERIES

GROUPE CPI

à Saint-Amand-Montrond (Cher)
pour le compte des Éditions Pygmalion
en janvier 2002

N° d'édition : 740. N° d'impression : 020394/4.
Dépôt légal : décembre 2001.

Imprimé en France